HIBISCO ROXO

CB019861

CHIMAMANDA NGOZI ADICHIE

Hibisco roxo

Tradução
Julia Romeu

26ª reimpressão

COMPANHIA DAS LETRAS

Copyright © 2003 by Chimamanda Ngozi Adichie
Publicado mediante acordo com Algonquin Books of Chapel Hill, um selo da Workman
Publishing Company, Inc., New York.

*Grafia atualizada segundo o Acordo Ortográfico da Língua Portuguesa de 1990, que
entrou em vigor no Brasil em 2009.*

Título original
Purple hibiscus

Capa e ilustração
Claudia Espínola de Carvalho

Preparação
Ciça Caropreso

Revisão
Luciana Baraldi
Marise Leal

Dados Internacionais de Catalogação na Publicação (CIP)
(Câmara Brasileira do Livro, SP, Brasil)

Adichie, Chimamanda Ngozi
        Hibisco roxo / Chimamanda Ngozi Adichie ; tradução Julia
Romeu. — São Paulo : Companhia das Letras, 2011.

        Título original: Purple hibiscus.
        ISBN 978-85-359-1850-2

        1. Ficção nigeriana em inglês I. Título.

11-03108   CDD 823.92

Índice para catálogo sistemático:
1. Ficção : Literatura nigeriana em inglês   823.92

Todos os direitos desta edição reservados à
EDITORA SCHWARCZ S.A.
Rua Bandeira Paulista, 702, cj. 32
04532-002 — São Paulo — SP
Telefone: (11) 3707-3500
www.companhiadasletras.com.br
www.blogdacompanhia.com.br
facebook.com/companhiadasletras
instagram.com/companhiadasletras
twitter.com/cialetras

Para
Professor James Nwoye Adichie
e
Sra. Grace Ifeoma Adichie,
meus pais, meus heróis, ndi o ga-adili mma.

QUEBRANDO DEUSES

Domingo de Ramos

As coisas começaram a se deteriorar lá em casa quando meu irmão, Jaja, não recebeu a comunhão, e Papa atirou seu pesado missal em cima dele e quebrou as estatuetas da estante. Havíamos acabado de voltar da igreja. Mama colocou as palmas molhadas de água benta sobre a mesa de jantar e foi para o segundo andar da casa trocar de roupa. Mais tarde ela amarraria as palmas na forma de cruzes e penduraria na parede ao lado da foto com moldura dourada da nossa família. As cruzes ficariam ali até a Quarta-Feira de Cinzas, quando levaríamos as palmas à igreja, para que elas fossem queimadas e transformadas em cinzas. Usando uma longa veste cinzenta como os outros oblatos, Papa ajudava a distribuir cinzas todos os anos. A fila que se formava diante dele era a que se movia mais devagar, porque ele pressionava com força a testa de cada um para fazer uma cruz perfeita com seu polegar coberto de cinza e falava de forma lenta e significativa cada palavra da frase "És pó e ao pó retornarás".

Papa se sentava todas as vezes no banco da frente para assistir à missa, na ponta que dá para a nave, com Mama, Jaja e eu junto dele. Era o primeiro a receber a comunhão. A maioria das pessoas não se ajoelhava para receber a hóstia no altar de mármore, perto do qual fica a estátua loura em tamanho real da Virgem Maria. Mas Papa, sim. Ele fechava os olhos e os apertava com tanta força que suas feições se contorciam numa careta, e ele esticava a língua o máximo que podia. Depois, sentava de novo no banco e observava enquanto o resto da congregação marchava até o altar com as palmas das mãos pressionadas uma contra a outra e estendidas, como o padre Benedict os ensinara a fazer. O padre Benedict já estava em St. Agnes havia sete anos, porém as pessoas ainda se referiam a ele como "o nosso novo padre". Talvez não tivessem feito isso se ele não fosse branco. Mas o padre Benedict ainda parecia novo no lugar. Seu rosto, que era da cor de leite condensado ou de uma graviola cortada ao meio, não ficara nem um pouco mais bronzeado após passar pelo calor abrasador de sete *harmattans* nigerianos. E seu nariz britânico continuava tão fino e estreito como antes, ainda era o mesmo nariz que me fizera temer que ele não conseguisse respirar direito, quando o padre Benedict chegou a Enugu. O padre Benedict mudara as coisas na paróquia, insistindo, por exemplo, que o credo e o kyrie fossem recitados apenas em latim; igbo não era aceitável. Além disso, devia-se bater palmas o mínimo possível, para que a solenidade da missa não ficasse comprometida. Mas ele permitia que cantássemos músicas de ofertório em igbo; chamava-as de músicas nativas, e quando dizia "nativas" a linha reta de seus lábios pendia nos cantos e formava um U invertido. Durante seus sermões, o padre Benedict sempre falava do papa, do meu pai e de Jesus — nessa ordem. Ele usava meu pai para ilustrar os evangelhos. "Quando deixamos que nossa luz brilhe diante dos homens, estamos refletindo a Entrada Triunfal de Cristo", disse ele naquele Domingo de Ramos. "Vejam o irmão Eugene. Ele poderia ter escolhido ser como outros Homens-Grandes deste país, poderia ter decidido ficar em casa e não fazer nada depois do golpe, para não correr o risco de ver seus negócios ameaçados pelo governo. Mas não, ele usou o *Standard* para falar a verdade, apesar de o jornal ter perdido anunciantes por causa disso. O irmão Eugene se manifestou em nome da liberdade. Quantos aqui defenderam a verdade? Quantos refletiram a Entrada Triunfal?"

A congregação respondeu "Isso mesmo", ou "Deus o abençoe", ou "Amém", mas não muito alto, para não se parecer com os membros daquelas igrejas pentecostais que brotavam como cogumelos; e então todos ouviram em silêncio, cheios de atenção. Em alguns domingos, a congregação prestava atenção mesmo quando o padre Benedict falava de coisas que todos já sabiam, sobre como Papa fizera as maiores doações ao óbolo de São Pedro e à igreja St. Vincent de Paul. Ou sobre como Papa pagara as garrafas de vinho usadas na comunhão, os novos fornos do convento onde as irmãs assavam a hóstia e a nova ala do hospital St. Agnes, onde o padre Benedict dava a extrema-unção. E eu ficava sentada com meus joelhos apertados um contra o outro, ao lado de Jaja, tentando deixar meu rosto sem expressão e impedir que meu orgulho ficasse visível nele, pois Papa dizia que a modéstia era muito importante.

Quando eu olhava para Papa, via que seu rosto também estava sem expressão, e que estava como na foto que saíra na matéria depois que ele ganhou um prêmio de direitos humanos da Anistia Internacional. Foi a única vez que deixou seu jornal fazer uma reportagem sobre ele. Seu editor, Ade Coker, insistira, dizendo que Papa merecia, e que ele era modesto demais. Foi Mama quem contou para mim e para Jaja; Papa não falava dessas coisas conosco. Seu rosto não mudava de expressão até o padre Benedict terminar o sermão, até chegar a hora da comunhão. Depois que Papa recebia a comunhão, ele se sentava e observava a congregação ir até o altar, e depois da missa ia falar preocupado com o padre Benedict caso alguém tivesse faltado à comunhão dois domingos seguidos. Ele sempre encorajava o padre Benedict a ir visitar essa pessoa e trazê-la de volta ao rebanho; pois nada além de um pecado mortal poderia impedir alguém de receber a comunhão por dois domingos seguidos.

Por isso, quando Papa viu que Jaja não tinha ido até o altar naquele Domingo de Ramos em que tudo mudou, ele bateu com força seu missal de capa de couro, com as pontinhas das fitas verdes e vermelhas para fora, na mesa de jantar, depois que chegamos em casa. O tampo da mesa era de vidro, um vidro bem grosso. A mesa estremeceu, assim como os ramos de palmeiras que estavam sobre ela.

— Jaja, você não recebeu a comunhão — disse Papa baixinho, num tom quase interrogativo.

Jaja olhou para o missal sobre a mesa, como se estivesse falando com ele.

— Aquele biscoito me dá mau hálito.

Eu olhei atônita para Jaja. Será que ele tinha ficado maluco? Papa insistia que chamássemos a hóstia de hóstia, pois essa palavra quase capturava a essência, a sacralidade do corpo de Cristo. "Biscoito" era uma palavra secular, era o que uma das fábricas de papai produzia — biscoito de chocolate, biscoito de banana, o que as pessoas compravam para os filhos quando queriam dar a eles algo mais gostoso do que as bolachas sem sabor.

— E o padre fica encostando na minha boca, isso me dá nojo — disse Jaja.

Ele sabia que eu estava olhando para ele, que meus olhos chocados lhe imploravam para fechar a boca, mas ele não me encarou.

— É o corpo de Nosso Senhor — disse Papa com a voz baixa, muito baixa.

Seu rosto já parecia inchado, com pontos vermelhos de pus espalhados por cada centímetro, mas ao dizer isso ele pareceu ficar ainda maior.

— Você não pode parar de receber o corpo de Nosso Senhor Jesus Cristo. Isso é a morte, e você sabe muito bem.

— Então eu morrerei.

O medo deixara os olhos de Jaja mais escuros, da cor do carvão, mas ele encarava Papa agora.

— Então eu morrerei, Papa.

Papa olhou em torno rapidamente, como quem procura por uma prova de que algo desabara do teto alto da sala, algo que ele jamais imaginara que fosse cair. Pegou o missal e atirou-o na direção de Jaja. O missal não acertou Jaja, mas atingiu a estante de vidro que mamãe limpava com tanta frequência. A prateleira de cima se quebrou, fazendo que as minúsculas bailarinas de cerâmica contorcidas em diversas posições caíssem no chão duro, e o missal acabou desabando também sobre os fragmentos das estatuetas. E ali ficou aquele enorme missal com capa de couro que continha as leituras dos três ciclos do Ano Litúrgico.

Jaja não se mexeu. Papa oscilou de um lado para o outro. Eu fiquei parada na porta, observando os dois. O ventilador de teto girou e girou, e as lâmpadas presas a ele bateram de leve umas nas outras, retinindo. Mama apareceu, com seus chinelos de borracha fazendo barulho no chão de mármore. Ela tirara a canga de lantejoulas que usava aos domingos e a blusa de mangas bufantes. Agora vestia uma canga *tie-dye* simples, mal amarrada em volta da cintura, e aquela camiseta branca que usava dia sim, dia não. Era uma lembrança de um retiro especial onde fora com Papa; as palavras "DEUS É AMOR" rastejavam sobre seus peitos caídos. Mama viu os pedaços das estatuetas no chão e se ajoelhou, começando a catá-los sem proteger as mãos.

O silêncio era quebrado apenas pelo zumbido do ventilador de teto que cortava o ar parado. Embora nossa espaçosa sala de jantar desse numa sala de estar ainda maior, eu me senti sufocada. As paredes pintadas de bege com as fotos emolduradas do vovô estavam se estreitando, avançando sobre mim. Até a mesa de vidro se movia na minha direção.

— *Nne ngwa*. Vá se trocar — disse Mama para mim.

Eu me assustei, embora ela tenha falado em igbo com uma voz baixa e tranquilizadora. Sem fazer nenhuma pausa, ela disse a Papa:

— Seu chá está esfriando.

E para Jaja:

— Me ajude aqui, *biko*.

Papa sentou-se à mesa e encheu uma xícara usando o serviço de chá de porcelana com flores cor-de-rosa nas bordas. Esperei que ele oferecesse um gole para mim e outro para Jaja, como sempre fazia. Um gole de amor, era como Papa chamava aquilo, pois a gente divide as pequenas coisas que amamos com as pessoas que amamos. Deem um gole de amor, dizia ele, e Jaja ia primeiro. Depois eu segurava a xícara com as mãos e a levava aos lábios. Um gole. O chá estava sempre muito quente, sempre queimava minha língua, e se comêssemos algo apimentado no almoço minha língua ferida me machucava. Mas não tinha importância, pois eu sabia que quando o chá queimava minha língua, ele estava queimando o amor de Papa em mim. Mas Papa não disse "Deem um gole de amor"; ele não disse nada, e eu o observei enquanto levava a xícara aos lábios.

Jaja ficou de joelhos ao lado de Mama, alisou o folheto da igreja que tinha nas mãos para fazer dele uma pá de lixo e colocou um pedaço quebrado de cerâmica em cima dele.

— Cuidado, Mama, senão esses pedaços vão cortar seus dedos — disse Jaja.

Puxei as trancinhas do meu cabelo debaixo do meu lenço

negro de igreja, para ter certeza de que eu não estava sonhando. Por que Jaja e Mama estavam se comportando tão normalmente, como se não soubessem o que tinha acabado de acontecer? E por que Papa bebia seu chá em silêncio, como se Jaja não o houvesse desafiado? Eu me virei devagar e subi as escadas para tirar meu vestido vermelho de domingo.

Depois que troquei de roupa, fiquei sentada em frente à janela do meu quarto; o cajueiro ficava tão próximo dela que eu poderia esticar o braço e arrancar uma de suas folhas, se não fosse pela tela prateada contra mosquito. As frutas amarelas em forma de sino pendiam preguiçosamente da árvore, atraindo abelhas que zumbiam e batiam contra a rede da minha janela. Ouvi Papa indo até seu quarto para fazer a sesta da tarde. Fechei os olhos e fiquei imóvel, esperando que ele chamasse Jaja, que Jaja entrasse em seu quarto. Mas longos minutos de silêncio se passaram, e eu abri os olhos e pressionei a testa contra os basculantes da janela para ver o lado de fora. Nosso jardim era tão grande que nele caberiam cem pessoas dançando *atilogu*, tão espaçoso que cada pessoa poderia dar as piruetas de praxe e cair nos ombros da pessoa seguinte. Os muros da casa, encimados por fios elétricos espiralados, eram tão altos que eu não podia ver os carros passando em nossa rua. Era o começo da estação de chuvas, e as plumérias plantadas perto dos muros já preenchiam a atmosfera do jardim com o cheiro doce e enjoativo de suas flores. Uma fileira de buganvílias roxas, aparadas de forma reta e parecendo uma mesa de bufê, separava as árvores com seus galhos retorcidos da entrada dos carros. Mais perto da casa, os coloridos arbustos de hibiscos se esticavam e tocavam uns aos outros, como se estivessem trocando pétalas. Os arbustos de hibiscos roxos começavam a florescer lentamente, porém a maioria das flores ainda era vermelha. Eles surgiam tão rápido, aqueles hibiscos vermelhos, apesar de Mama cortá-los com frequência para decorar o altar da igreja e de as visitas sempre pegarem alguns a caminho de seus carros.

Os membros do grupo de oração de Mama eram os que mais pegavam as flores; certa vez uma mulher colocara uma delas atrás da orelha — eu vi muito bem da minha janela. Mas até os agentes do governo, dois homens de jaqueta preta que haviam aparecido lá em casa fazia algum tempo, arrancaram hibiscos quando estavam indo embora. Eles tinham chegado numa picape com placa do governo federal e estacionado ao lado dos arbustos de hibiscos. Não se demoraram muito. Depois, Jaja me contou que eles tinham vindo subornar Papa, que ele os ouvira dizer que a picape estava cheia de dólares. Eu não sei se Jaja ouviu direito. Mas às vezes eu ainda pensava nisso. Ficava imaginando aquela picape repleta de pilhas e mais pilhas de dinheiro estrangeiro, me perguntando se os homens haviam colocado as notas em diversas caixas ou numa única caixa imensa, do tamanho da caixa em que nossa geladeira viera.

Eu ainda estava olhando pela janela quando Mama entrou no meu quarto. Todo domingo antes do almoço, enquanto dizia a Sisi para colocar um pouco mais de azeite de dendê na sopa ou um pouco menos de curry no arroz de coco, e enquanto Papa tirava sua sesta, Mama trançava meu cabelo. Ela se sentava numa poltrona perto da porta da cozinha e eu me sentava no chão com a cabeça entre suas coxas. Embora a cozinha fosse arejada, com as janelas sempre abertas, mesmo assim meu cabelo absorvia os cheiros da comida. Depois, quando eu trazia a ponta da trança ao nariz, sentia o cheiro de sopa de *egusi*, de *utazi* ou de curry. Mama, porém, não entrou no meu quarto com a sacola cheia de pentes e óleos para o cabelo e me pediu para ir lá embaixo. Em vez disso, anunciou:

— O almoço está pronto, *nne*.

Eu quis dizer que sentia muito por Papa ter quebrado as estatuetas dela, mas as palavras que saíram foram:

— Sinto muito que suas estatuetas tenham quebrado, Mama.

Ela assentiu rapidamente, e depois balançou a cabeça para indicar que as estatuetas não eram importantes. Mas eram, sim. Anos antes, quando eu ainda não entendia, eu me perguntava por que ela limpava as estatuetas sempre depois de eu ouvir aquele som vindo do quarto deles, um som que parecia ser de alguma coisa batendo na porta pelo lado de dentro. Os chinelos de borracha de Mama não faziam barulho nos degraus, mas eu sabia que ela havia ido lá para baixo quando ouvia a porta da sala de jantar sendo aberta. Eu descia e a via parada ao lado da estante de vidro com um pano de prato encharcado de água e sabão. Ela dedicava pelo menos quinze minutos a cada estatueta de bailarina. Nunca havia lágrimas em seu rosto. Da última vez, há apenas duas semanas, quando seu olho inchado ainda estava da cor preto-arroxeada de um abacate maduro demais, Mama rearrumara as estatuetas depois de limpá-las.

— Eu tranço seu cabelo depois do almoço — disse ela, virando-se para sair.

— Sim, Mama.

Desci atrás dela. Mama mancava um pouco, como se uma de suas pernas fosse mais curta do que a outra, e esse andar a fazia parecer menor do que já era. A escada fazia uma curva elegante em forma de S, e eu já estava na metade do caminho quando vi Jaja parado no corredor. Normalmente, ele ia ler no quarto antes do almoço, mas hoje não tinha subido; estivera aquele tempo todo na cozinha, com Mama e Sisi.

— *Ke kwanu?* — perguntei.

Mas eu não precisava ter perguntado como Jaja estava. Bastava olhar para ele para saber. Seu rosto de dezessete anos estava cheio de rugas; elas ziguezagueavam por sua testa e dentro de cada uma havia uma tensão enegrecida. Peguei a mão de Jaja um pouco antes de entrarmos na sala de jantar. Papa e Mama já haviam se sentado e Papa estava lavando as mãos na tigela de água que Sisi segurava diante dele. Ele esperou que Jaja e eu nos sentássemos à sua frente e começou a rezar. Durante vinte minutos, pediu que Deus abençoasse a comida. Depois, chamou por diversos nomes a Virgem Maria, enquanto dizíamos "Rogai por nós". O nome preferido de Papa para a Virgem Maria era Nossa Senhora, Amparo do Povo Nigeriano. Ele próprio o inventara. Se as pessoas usassem aquele nome todos os dias, dissera ele, a Nigéria não cambalearia como um Homem-Grande com as pernas fracas de uma criança.

O almoço foi *fufu* e sopa de *onugbu*. O *fufu* estava macio e fofo. Sisi sabia fazê-lo muito bem; ela pilava energeticamente o inhame, acrescentando gotas de água à tigela, suas bochechas se contraindo a cada tum-tum-tum do pilão. A sopa estava grossa, com pedaços grandes de carne cozida e peixe seco e com muitas folhas verde-escuras de *onugbu*. Comemos em silêncio. Eu fazia bolinhas de *fufu* com os dedos, molhava-as na sopa, sempre pegando pedaços de peixe, e as levava à boca. Eu tinha certeza de que a sopa estava boa, mas não conseguia sentir seu gosto. Minha língua parecia feita de papel.

— Passe o sal, por favor — disse Papa.

Nós três esticamos o braço ao mesmo tempo para pegar o sal. Jaja e eu tocamos o saleiro de cristal, meus dedos roçaram levemente nos dele, e ele tirou a mão. Passei o saleiro a Papa. O silêncio se estendeu mais ainda.

— Eles trouxeram o suco de caju à tarde. O gosto está muito bom. Tenho certeza de que vai vender bem — disse Mama finalmente.

— Peça à menina para trazê-lo — disse Papa.

Mama puxou o sino que pendia sobre a mesa, ligado a um fio transparente que vinha do teto, e Sisi apareceu.

— Sim, Madame?

— Traga duas garrafas do suco que eles trouxeram da fábrica.

— Sim, Madame.

Lamentei que Sisi não houvesse dito "Que garrafas, Madame?" ou "Onde elas estão, Madame?" Qualquer coisa que fizesse seu diálogo com Mama ser mais longo, que disfarçasse os movimentos nervosos de Jaja fazendo bolinhas com seu *fufu*. Sisi voltou logo e colocou as garrafas diante de Papa. Elas tinham os mesmos rótulos desbotados de todos os outros produtos das fábricas de Papa — biscoitos *wafer*, biscoitos recheados, suco engarrafado, chips de banana. Papa serviu o suco amarelado para nós. Peguei meu copo rapidamente e dei um gole. Era meio aguado. Eu quis parecer muito satisfeita; talvez, se eu elogiasse bastante o suco, Papa esqueceria que ainda não tinha punido Jaja.

— É muito bom, Papa — disse eu.

Papa bochechou um pouco com o suco.

— Sim, sim — concordou.

— Tem gosto de caju fresco — disse Mama.

Diga algo, por favor, eu quis pedir a Jaja. Ele devia dizer algo agora, contribuir, elogiar o novo produto de Papa. Nós sempre fazíamos isso quando um empregado de uma das fábricas trazia alguma coisa para provarmos.

— Igualzinho a vinho branco — acrescentou Mama.

Eu sabia que ela estava nervosa — não só porque suco de caju não se parece nada com vinho branco como também porque sua voz estava mais baixa do que o normal.

— Vinho branco — repetiu Mama, fechando os olhos para degustar melhor. — Vinho branco frutado.

— Isso mesmo — disse eu.

Uma bolinha de *fufu* escorregou de meus dedos e caiu dentro da sopa.

Papa olhava fixamente para Jaja.

— Jaja, você não bebeu conosco, *gbo*? Não há palavras em sua boca? — perguntou, falando em igbo.

Aquilo era um mau sinal. Papa quase nunca falava em igbo e, embora Jaja e eu usássemos a língua com Mama quando estávamos em casa, ele não gostava que o fizéssemos em público. Precisávamos ser civilizados em público, ele nos dizia; precisávamos falar inglês. A irmã de Papa, tia Ifeoma, disse um dia que Papa era muito colonizado. Disse isso de forma gentil e indulgente, como se não fosse culpa de Papa, como quem fala de alguém que tem um caso grave de malária e por isso grita coisas sem nexo.

— Você não tem nada a dizer, *gbo*, Jaja? — perguntou Papa novamente.

— *Mba*, não há palavras em minha boca — respondeu Jaja.

— O quê?

Havia uma sombra enegrecendo os olhos de Papa, a mesma sombra que estivera nos olhos de Jaja. Medo. O medo deixara os olhos de Jaja e entrara nos de Papa.

— Não tenho nada a dizer — disse Jaja.

— O suco está bom... — Mama começou a dizer.

Jaja afastou a cadeira da mesa e se levantou.

— Obrigado, Senhor. Obrigado, Papa. Obrigado, Mama.

Eu me virei espantada para ele. Pelo menos Jaja estava agradecendo da maneira correta, como sempre fazíamos após uma refeição. Mas também estava fazendo uma coisa que nunca fazíamos: deixando a mesa antes que Papa fizesse a oração de depois das refeições.

— Jaja! — exclamou Papa.

A sombra cresceu, tomando conta do branco dos olhos dele. Jaja estava deixando a sala de jantar com seu prato. Papa fez menção de se levantar e então desabou de volta na cadeira. Suas bochechas penderam como as de um buldogue.

Peguei meu copo e olhei o suco, amarelo e aguado como

urina. Bebi tudo de um só gole. Não sabia o que mais podia fazer. Em toda a minha vida aquilo jamais acontecera, nunca. Tive certeza de que os muros da nossa casa iam desmoronar e esmagar as plumérias. O céu desabaria. Os tapetes persas que se estendiam sobre o chão brilhante de mármore iam encolher. Algo ia acontecer. Mas a única coisa que aconteceu foi que eu engasguei. Meu corpo começou a sacudir por causa da tosse. Papa e Mama correram para mim. Papa bateu em minhas costas enquanto Mama massageava meus ombros, dizendo:

— O *zugo*. Pare de tossir.

Naquela noite fiquei de cama e não jantei com a família. Continuei a tossir, e a pele das minhas bochechas queimava as costas da minha mão. Minha cabeça doía, pois dentro dela havia milhares de monstros brincando de jogar alguma coisa um para o outro, que, em vez de ser uma bola, era um missal de capa de couro. Papa veio até meu quarto; meu colchão afundou quando ele se sentou, passou a mão em meu rosto e me perguntou se eu queria mais alguma coisa. Mama já estava preparando *ofe nsala* para mim. Eu disse que não e ficamos de mãos dadas em silêncio por um longo tempo. A respiração de Papa sempre era barulhenta, mas agora ele ofegava como se estivesse sem ar, e eu me perguntei o que ele estaria pensando, se ele estava correndo dentro da sua mente, fugindo de alguma coisa. Não olhei para ele, pois não queria ver os pontinhos vermelhos que se espalhavam por cada centímetro de seu rosto. Havia tantos que sua pele parecia inchada.

Mama trouxe um pouco de *ofe nsala* para mim mais tarde, mas a sopa aromática só me deixou enjoada. Depois de vomitar no banheiro, eu perguntei a Mama onde Jaja estava. Ele não tinha vindo me ver depois do almoço.

— Está no quarto dele. Não desceu para jantar.

Mama acariciava minhas tranças; gostava de fazer isso, traçando com os dedos a forma como tufos de cabelo de diferentes partes de meu couro cabeludo se misturavam e permaneciam juntos. Ela ia trançar meu cabelo apenas na semana seguinte. Meu cabelo era grosso demais; voltava a ser um feixe denso assim que ela passava o pente por ele. Tentar penteá-lo agora só enfureceria ainda mais os monstros que já estavam na minha cabeça.

— Você vai comprar estatuetas novas? — perguntei.

Eu podia sentir o cheiro de giz do desodorante de Mama debaixo de seus braços. Seu rosto marrom, que seria perfeito se não fosse pela cicatriz recente em sua testa, não demonstrou emoção.

— *Kpa* — disse ela. — Não vou comprar novas.

Talvez Mama soubesse que não ia mais precisar das estatuetas; que quando Papa atirou o missal em Jaja, não foram apenas elas que se quebraram, mas todo o resto. Só agora eu percebia isso, permitindo-me pensar naquela possibilidade.

Fiquei deitada na cama depois que Mama foi embora, deixando minha mente remexer o passado, pensando nos anos em que Jaja, Mama e eu falávamos mais com nosso espírito do que com nossos lábios. Até Nsukka. Nsukka começou tudo; o jardinzinho de tia Ifeoma perto da varanda de seu apartamento em Nsukka começou a romper o silêncio. A rebeldia de Jaja era como os hibiscos roxos experimentais de tia Ifeoma: rara, com o cheiro suave da liberdade, uma liberdade diferente daquela que a multidão, brandindo folhas verdes, pediu na Government Square após o golpe. Liberdade para ser, para fazer.

Mas minhas lembranças não começavam em Nsukka. Começavam antes, quando todos os hibiscos do nosso jardim da frente ainda eram de um vermelho chocante.

FALANDO COM NOSSOS ESPÍRITOS

Antes do Domingo de Ramos

Eu estava na minha escrivaninha quando Mama entrou no quarto com meus uniformes da escola empilhados no braço dobrado. Ela os colocou sobre a cama. Ela os tinha pego no varal do nosso quintal, onde eu os pendurara de manhã para que secassem. Jaja e eu lavávamos nossos uniformes, enquanto Sisi lavava o resto de nossas roupas. Sempre colocávamos primeiro um pedacinho do tecido na água com sabão para ver se as cores iam desbotar, embora soubéssemos que isso não ia acontecer. Queríamos aproveitar cada minuto da meia hora que Papa reservava para a lavagem dos uniformes.

— Obrigada, Mama, eu já ia pegá-los — disse eu, me levantando para dobrar os uniformes.

Não era certo permitir que uma pessoa mais velha fizesse suas tarefas, mas Mama não se incomodava; havia muita coisa com que ela não se incomodava.

— Vai começar a chover. Não queria que eles molhassem — disse Mama, alisando uma saia cinza com uma faixa mais escura na cintura, uma saia tão longa que nenhum pedaço de minha panturrilha ficava à mostra. — *Nne*, você vai ganhar um irmão ou uma irmã.

Arregalei os olhos. Ela estava sentada na cama, com os joelhos bem juntos.

— Você vai ter um bebê?

— Vou.

Mama sorriu, ainda alisando a minha saia.

— Quando?

— Em outubro. Fui a Park Lane ontem me consultar com o médico.

— Deus seja louvado.

Era isso que Jaja e eu dizíamos, o que Papa esperava que disséssemos, quando coisas boas aconteciam.

— Sim — concordou Mama, soltando minha saia com certa relutância. — Deus é fiel. Depois que você nasceu e eu sofri aqueles abortos, o povo da vila começou a falar. Os membros da nossa *umunna* até mandaram pessoas para falar com seu pai e insistir que ele tivesse filhos com outra mulher. Tantos tinham filhas disponíveis, muitas das quais formadas em universidades e tudo. Elas poderiam ter parido muitos filhos, tomado conta da nossa casa e nos expulsado, como a segunda esposa do senhor Ezendu fez. Mas seu pai ficou comigo, ficou conosco.

Mama em geral não falava tanto de uma só vez. Ela falava da maneira como os pássaros se alimentam: aos bocadinhos.

— Sim — disse eu.

Papa merecia elogios por não escolher ter mais filhos com outra mulher, é claro, por não escolher ter uma segunda esposa. Mas Papa era mesmo diferente. Eu ficava incomodada ao ouvir Mama compará-lo com o sr. Ezendu ou com qualquer outra pessoa; aquilo o rebaixava, o maculava.

— Eles até disseram que alguém havia amarrado meu ventre com *ogwu*.

Mama balançou a cabeça e deu um sorriso, o sorriso indulgente que se espalhava em seu rosto quando ela falava de pessoas que acreditavam em oráculos, ou quando nossos parentes sugeriam que ela consultasse um curandeiro, ou quando as pessoas contavam que tinham encontrado tufos de cabelo e ossos de animais embrulhados em tecido e enterrados no jardim da casa delas para impedir que tivessem sucesso.

— Eles não sabem que os caminhos de Deus são misteriosos — concluiu ela.

— Sim — disse eu, segurando as roupas com cuidado e me certificando de que estava dobrando os dois lados da mesma forma. — Os caminhos de Deus são misteriosos.

Eu não sabia que Mama estava tentando ter um filho desde o último aborto, que ocorrera havia quase seis anos. Não conseguia nem pensar nela e em Papa juntos, na cama que compartilhavam, feita sob encomenda e mais larga que uma *king size* convencional. Quando pensava em afeição entre os dois, pensava neles trocando o ósculo santo na missa, ou na forma como Papa a enlaçava ternamente após eles terem dado as mãos.

— Foi tudo bem na escola? — perguntou Mama se levantando, embora já houvesse me perguntado isso mais cedo.

— Foi.

— Sisi e eu estamos cozinhando *moi-moi* para as irmãs; elas vão chegar daqui a pouco — contou Mama, indo lá para baixo.

Eu fui também, depois de deixar meus uniformes dobrados na mesa do corredor, onde Sisi os pegaria para passá-los a ferro.

As irmãs, membros do grupo de oração Nossa Senhora da Medalha Milagrosa, logo chegaram e suas músicas cantadas em igbo e acompanhadas por palmas vigorosas podiam ser ouvidas lá em cima. Elas rezavam e cantavam por cerca de meia hora e depois Mama as interrompia com sua voz baixa, que eu mal escutava do meu quarto mesmo quando estava de porta aberta, e dizia que preparara "uma coisinha". Quando Sisi começava a trazer os pratos de *moi-moi*, arroz *jollof* e frango frito, as mulheres fingiam estar zangadas com Mama e diziam: "Irmã Beatrice, o que é isso? Por que você foi fazer isso? Então não ficamos satisfeitas com a *anara* que nos oferecem na casa das outras irmãs? Não devia ter tido tanto trabalho assim". Em seguida uma vozinha estridente exclamava "Deus seja louvado!", esticando a primeira palavra o máximo possível. A "Aleluia!" gritada em resposta empurrava as paredes do meu quarto e os móveis de vidro da sala de estar. Depois elas começavam a rezar, pedindo que Deus recompensasse a generosidade da irmã Beatrice, acrescentando bênçãos às muitas que ela já possuía. O retinir de garfos e colheres batendo nos pratos ecoava pela casa. Mama jamais usava talheres de plástico, por maior que fosse o grupo.

As irmãs haviam começado a rezar agradecendo pela comida, quando ouvi Jaja subindo rapidamente a escada. Sabia que ele ia entrar no meu quarto primeiro, pois Papa não estava em casa. Se Papa estivesse em casa, Jaja iria primeiro a seu próprio quarto trocar de roupa.

— *Ke kwanu?* — perguntei quando ele entrou.

O uniforme de Jaja, short azul e camiseta branca com o emblema da escola St. Nicholas flamejando no lado esquerdo do peito, ainda tinha os vincos feitos pelo ferro de passar na frente e atrás. Jaja fora eleito o aluno mais asseado da segunda série no ano anterior, e Papa o abraçara com tanta força que ele achara que sua espinha ia se partir.

— Tudo bem — respondeu ele, parando ao lado da minha escrivaninha e folheando o livro *Tecnologia introdutória*, que estava aberto à minha frente, sem prestar muita atenção no que fazia. — O que você comeu?

— *Garri.*

"Gostaria que ainda almoçássemos juntos", disse Jaja com os olhos.

— Eu também — respondi em voz alta.

Antigamente, o motorista, Kevin, me apanhava no Daughters of Immaculate Heart e depois íamos buscar Jaja no St. Nicholas. Jaja e eu almoçávamos juntos quando chegávamos em casa. Mas agora, como Jaja estava no novo programa para alunos destacados do St. Nicholas, ele precisava fazer aulas extras depois da escola. Papa refizera seu horário, mas não o meu, e eu não podia esperá-lo para almoçar. Quando Jaja chegava em casa, para todos os efeitos eu já deveria ter almoçado, feito a sesta e começado a estudar.

Mesmo assim, Jaja sabia o que eu comia de almoço todos os dias. Havia um menu colado na parede da cozinha, que Mama mudava duas vezes por mês. Mas ele sempre me perguntava o que eu tinha comido. Com frequência fazíamos perguntas cujas respostas já sabíamos. Talvez fizéssemos isso para não precisarmos formular as outras perguntas, aquelas cujas respostas não queríamos saber.

— Tenho três tarefas para fazer — disse Jaja, virando-se para ir embora.

— Mama está grávida — disse eu.

Jaja voltou e se sentou na beirada da cama.

— Ela contou para você?

— Contou. Vai ter o filho em outubro.

Jaja fechou os olhos por um instante e abriu-os novamente.

— Nós vamos cuidar do menino. Vamos protegê-lo.

Eu sabia que Jaja estava falando em proteger o bebê de Papa, mas não fiz nenhum comentário. Em vez disso, perguntei:

— Como você sabe que vai ser um menino?

— Sinto que vai. O que você acha?

— Não sei.

Jaja ficou mais algum tempo sentado na minha cama antes de descer para almoçar; eu empurrei meu livro para longe, olhei para cima e observei meu horário diário, que ficava colado na parede. Na parte de cima da folha branca estava escrito meu nome, "Kambili", em negrito, assim como "Jaja" estava escrito no horário colado na parede em frente à escrivaninha do quarto dele. Eu me perguntei quando Papa faria um horário para o bebê, meu novo irmão, se ele faria assim que o bebê nascesse ou esperaria até ele ter uns dois ou três anos. Papa gostava de ordem. Isso ficava patente nos próprios horários, na forma meticulosa como ele desenhava as linhas, em tinta negra, cortadas horizontalmente a cada dia, separando a hora de estudar da hora da sesta, a da sesta da hora de ficar com a família, a de ficar com a família da hora das refeições, a das refeições da hora de rezar, a de rezar da hora de dormir. Papa revisava nossos horários com frequência. Na época das aulas, tínhamos mais tempo para estudar e menos para a sesta, mesmo nos fins de semana. Quando estávamos de férias, tínhamos um pouco mais de tempo para ficar com a família, um pouco mais de tempo para ler jornais, jogar xadrez ou Banco Imobiliário, e ouvir rádio.

Foi durante a hora da família do dia seguinte, um sábado, que o golpe aconteceu. Papa acabara de dar um xeque-mate em Jaja, quando ouvimos uma música marcial no rádio, com tons solenes que nos fizeram parar e escutar. Um general com um forte sotaque hausa começou a falar, anunciando que ocorrera um golpe e que havia um novo governo. Em pouco tempo, saberíamos quem era o novo chefe de Estado.

Papa empurrou o tabuleiro de xadrez para um lado, pediu licença e foi falar no telefone em seu escritório. Jaja, Mama e eu esperamos por ele em silêncio. Eu sabia que Papa estava ligando para o seu editor, Ade Coker, talvez para lhe dizer alguma coisa sobre a cobertura do golpe. Quando ele voltou, nós bebemos o suco de manga, que Sisi serviu em copos longos, enquanto Papa falava do golpe. Ele estava triste; seus lábios retangulares se arquearam. Golpes levavam a mais golpes, disse Papa, contando-nos sobre os golpes sangrentos dos anos 1960, que acabaram se transformando em uma guerra civil logo depois que ele deixou a Nigéria para ir estudar na Inglaterra. Um golpe sempre iniciava um ciclo vicioso. Militares sempre derrubariam uns aos outros simplesmente porque tinham como fazer isso e porque todos ficavam embriagados pelo poder.

É claro, disse Papa, que os políticos eram mesmo corruptos, e o *Standard* já publicara muitas matérias sobre os ministros do gabinete que escondiam em contas no exterior o dinheiro que deveria ser usado para pagar os salários dos professores e construir estradas. Mas o que nós, nigerianos, precisávamos não era de soldados para nos comandar; precisávamos de uma democracia renovada. *Democracia renovada.* Soava importante quando ele dizia aquilo, mas tudo o que Papa dizia soava importante. Ele gostava de se recostar e olhar para cima quando falava, como se procurasse alguma coisa no ar. Eu fixava o olhar em seus lábios, no movimento deles, e às vezes esquecia que estava ali, às vezes queria ficar assim para sempre, ouvindo sua voz, ouvindo as coisas importantes que ele dizia. Também me sentia assim quando Papa sorria, com seu rosto se abrindo como um coco, com sua carne branca e brilhante lá dentro.

No dia seguinte ao golpe, antes de sairmos para receber a bênção noturna em St. Agnes, ficamos sentados na sala de estar lendo os jornais; nosso entregador trazia quatro edições de cada um dos principais jornais todas as manhãs, por ordem de Papa. Lemos o *Standard* primeiro. Só ele publicara um editorial crítico, pedindo que o novo governo militar rapidamente implementasse um plano de retorno à democracia. Papa leu um dos artigos no *Nigeria Today* em voz alta. Era uma coluna escrita por um homem que insistia que chegara mesmo a vez de um presidente militar, já que os políticos haviam perdido o controle e nossa economia estava uma bagunça.

— O *Standard* jamais publicaria uma bobagem dessas — disse Papa, largando o jornal. — Sem falar que eles chamaram esse homem de "presidente".

— "Presidente" seria se ele tivesse sido eleito — disse Jaja. — "Chefe de Estado" é o termo correto.

Papa sorriu e eu lamentei não ter dito isso antes de Jaja.

— O editorial do *Standard* está bem escrito — afirmou Mama.

— Ade é o melhor editor que existe, não há nem comparação — disse Papa com um orgulho *blasé*, sem tirar os olhos de outro jornal. — "Mudança de guarda." Que manchete. Estão todos com medo. Escrevendo sobre como o governo civil era corrupto, como se achassem que o militar não vá ser. Esse país está entrando pelo buraco.

— Deus nos salvará — disse eu, sabendo que Papa gostaria de ouvir isso.

— Sem dúvida, sem dúvida — concordou Papa, assentindo.

Ele esticou a mão e pegou a minha, e eu senti como se minha boca estivesse cheia de açúcar derretido.

Nas semanas seguintes, os jornais que líamos durante a hora da família soaram diferentes, mais brandos. O *Standard* também estava diferente: ainda mais crítico e mais questionador do que antes. Até a ida à escola ficou diferente. Na primeira semana após o golpe, Kevin passou a arrancar galhos com folhas verdes das árvores e enfiá-los na placa do carro, para que as pessoas que protestavam na Government Square nos deixassem passar. Os galhos significavam Solidariedade. Mas nossos galhos nunca eram tão viçosos quanto os das pessoas que protestavam e, às vezes, eu me perguntava como seria me juntar a eles pedindo "Liberdade" e barrando o caminho dos carros.

Nas semanas seguintes, quando Kevin passava pela estrada Ogui, víamos soldados em barreiras montadas próximas ao mercado, andando de um lado para o outro e acariciando suas longas armas. Certa vez, vi um homem ajoelhando na estrada ao lado de seu Peugeot 504, com as mãos erguidas no ar.

Mas em casa nada mudou. Jaja e eu ainda fazíamos tudo de acordo com nossos horários e ainda formulávamos um ao outro perguntas cujas respostas já sabíamos. A única mudança foi a barriga de Mama: ela começou a crescer, suave e sutil. Primeiro parecia uma bola de futebol murcha, mas no Domingo de Pentecostes já estava elevando a canga vermelha e dourada que Mama usava para ir à igreja o suficiente para fazer os outros desconfiarem de que ali embaixo havia mais do que uma camada de roupa. O altar estava decorado com o mesmo tom de vermelho da canga de Mama. Vermelho era a cor do Pentecostes. O padre convidado rezou a missa com uma batina vermelha curta demais para ele. Era jovem e nos olhava com frequência enquanto lia os evangelhos, com seus olhos castanhos penetrando a congregação. Ao terminar, beijou a Bíblia devagar. Em outra pessoa teria parecido um gesto falso, mas nele pareceu genuíno. O padre convidado nos disse que acabara de ser ordenado e que estava esperando que lhe designassem uma paróquia. Ele e o padre Benedict tinham um amigo próximo em comum, e ele ficara feliz quando o padre Benedict o chamara para fazer uma visita e rezar a missa. Mas não elogiou nosso lindo altar na St. Agnes, com seus degraus que brilhavam como blocos de gelo polidos. Nem disse que era um dos melhores altares de Enugu, e talvez de toda a Nigéria. Nem sugeriu, como os outros padres convidados haviam feito, que a presença de Deus era mais forte em St. Agnes e que os santos iridescentes no vitral que ia do chão ao teto impediriam Deus de ir embora dali. E, na metade do sermão, começou a cantar uma canção em igbo: "*Bunie ya enu...*".

A congregação toda se agitou de repente. Alguns suspiraram, outros abriram a boca num enorme O. Estavam acostumados com os sermões demorados do padre Benedict, com sua voz anasalada e monótona. Lentamente, começaram a cantar também. Eu olhei para Papa, que comprimiu os lábios. Ele virou a cabeça para ver se eu e Jaja estávamos cantando e assentiu, satisfeito, quando nos viu de lábios selados.

Depois da missa ficamos esperando do lado de fora, perto da porta da igreja, enquanto Papa cumprimentava as pessoas reunidas em torno dele.

— Bom dia, Deus seja louvado — dizia ele antes de apertar a mão dos homens, abraçar as mulheres, dar tapinhas na cabeça das crianças menores e beliscar as bochechas dos bebês.

Alguns homens sussurraram coisas para Papa. Papa sussurrou de volta e os homens agradeceram, apertando a mão dele entre as suas antes de irem embora. Papa finalmente acabou de cumprimentar todo mundo e, quando o pátio da igreja ficou quase vazio dos veículos que haviam se amontoado nele como dentes numa boca, nós começamos a caminhar para o nosso carro.

— Aquele jovem padre cantando no meio do sermão como um homem sem Deus de uma dessas igrejas pentecostais que brotam em todos os cantos como cogumelos... Pessoas como ele trazem problemas para igreja. Precisamos nos lembrar de rezar por sua alma — disse Papa.

Ele destrancou a porta da Mercedes e colocou seu missal e seu folheto sobre o banco antes de se virar na direção da residência do padre Benedict. Nós sempre passávamos lá para visitá-lo depois da missa.

— Deixe-me esperar no carro, *biko* — disse Mama, encostando-se na Mercedes. — Sinto que há vômito me subindo à garganta.

Papa se virou para encará-la. Eu prendi a respiração. O momento pareceu ser muito longo, mas ele deve ter durado apenas alguns segundos.

— Tem certeza de que quer ficar no carro? — perguntou Papa.

Mama estava olhando para baixo; ela pousara as mãos sobre a barriga, para impedir que o nó de sua canga se desfizesse ou para impedir que o pão e o chá que tomara no café saíssem pela boca.

— Meu corpo não está bem — murmurou ela.

— Eu perguntei se você tem certeza de que quer ficar no carro.

Mama olhou para ele.

— Não, eu vou com vocês. Não está tão ruim assim.

A expressão de Papa não mudou. Ele esperou que ela se aproximasse dele e então se virou e começou a caminhar na direção da casa do padre. Jaja e eu seguimos atrás. Fiquei observando Mama enquanto andávamos. Até aquele momento eu não tinha notado como ela estava abatida. Todo o líquido de sua pele, normalmente lisa e marrom como pasta de amendoim, parecia ter sido drenado e ela estava cinzenta, da cor de terra ressecada pelo *harmattan*. Jaja falou comigo com os olhos: *E se ela vomitar?* Eu ergueria a barra do meu vestido para que Mama pudesse vomitar dentro dela, para que não sujássemos a casa do padre Benedict.

A casa dava a impressão de que o arquiteto percebera tarde demais que estava projetando uma residência, e não uma igreja. O arco que levava à sala de jantar parecia a entrada de um altar; a alcova onde ficava o telefone cor de creme parecia pronta para receber o Sagrado Sacramento; o pequeno escritório adjacente à sala de estar poderia ser uma sacristia repleta de livros santos, vestimentas para a missa e cálices extras.

— Irmão Eugene! — exclamou o padre Benedict.

Seu rosto pálido se abriu num sorriso quando ele viu Papa. Estava sentado à mesa, comendo. Havia fatias de inhame cozido, que se comia no almoço, mas também um prato de ovos fritos, que se comia mais no café da manhã. Ele nos convidou a comer também. Papa recusou por todos nós e se aproximou da mesa para conversar baixinho com ele.

— Como você está, Beatrice? — perguntou o padre Benedict, erguendo a voz para que Mama pudesse ouvi-lo da sala de estar. — Não parece muito bem.

— Estou bem, padre. Só estou com alergia por causa do clima, da mistura do *harmattan* com a estação de chuvas.

— Kambili e Jaja, vocês gostaram da missa?

— Sim, padre Benedict — dissemos Jaja e eu ao mesmo tempo.

Fomos embora pouco depois, fazendo uma visita mais curta do que o normal. Papa não disse nada no carro, e seu maxilar se movia como se ele estivesse rangendo os dentes. Todos ficamos em silêncio e ouvimos "Ave Maria" no toca-fitas. Quando chegamos em casa, Sisi trouxe o chá de Papa no bule de porcelana de asa pequena e trabalhada. Ele colocou seu missal e seu folheto na mesa do jantar e se sentou. Mama ficou ali perto com um ar ansioso.

— Deixe-me servir seu chá — pediu ela, embora jamais fizesse isso.

Papa a ignorou e derramou o chá na xícara, chamando Jaja e eu para dar nossos goles. Jaja deu um gole e colocou a xícara de volta no pires. Papa apanhou-a e entregou-a para mim. Segurei-a com ambas as mãos, dei um gole no chá Lipton com açúcar e leite e coloquei-a de volta no pires.

— Obrigada, Papa — disse, sentindo o amor queimando minha língua.

Jaja, Mama e eu fomos lá para cima nos trocar. Nossos passos na escada eram tão contidos e silenciosos quanto nossos domingos; o silêncio de esperar que Papa acordasse da sesta para que pudéssemos almoçar; o silêncio da hora de reflexão, quando Papa nos dava uma passagem da Bíblia ou um livro de um dos Pais da Igreja para que lêssemos e pensássemos sobre ele; o silêncio do rosário da noite; o silêncio de ir de carro até a igreja para receber a bênção depois. Mesmo nossa hora da família era silenciosa aos domingos, sem jogos de xadrez ou discussões sobre os jornais, mais apropriada para o Dia do Descanso.

— Talvez hoje Sisi possa fazer o almoço sozinha — disse Jaja quando chegamos ao topo da escada curvada. — Deve descansar antes de comermos, Mama.

Mama ia dizer alguma coisa, mas estacou, levou depressa a mão à boca e saiu correndo para seu quarto. Fiquei ali parada, ouvindo os sons guturais do vômito vindos do fundo de sua garganta antes de entrar no meu quarto.

No almoço, comemos arroz *jollof*, pedaços de *azu* do tamanho de punhos fechados, fritos até que os ossos ficassem crocantes, e *ngwo-ngwo*. Papa comeu a maior parte do *ngwo-ngwo*, mergulhando sua colher no caldo apimentado na tigela de vidro. O silêncio pairava sobre a mesa como as nuvens azul-enegrecidas que há no meio da estação de chuvas. Só o gorjeio dos pássaros *ochiri* vindo lá de fora o interrompia. Todo ano, os pássaros chegavam antes das primeiras chuvas e faziam ninhos nos abacateiros que ficavam em frente à sala de jantar. Jaja e eu às vezes encontrávamos ninhos caídos no chão, feitos de galhos entrelaçados, grama seca e pedaços de linha que Mama usava para trançar meu cabelo e que os *ochiri* pegavam na lata de lixo do quintal.

Terminei de comer primeiro.

— Obrigada, Senhor. Obrigada, Papa. Obrigada, Mama.

Cruzei os braços e esperei que os outros terminassem para que pudéssemos rezar. Não encarei ninguém; fixei o olhar no retrato de Vovô pendurado na parede oposta.

Quando Papa começou a oração, sua voz tremeu mais do que o normal. Ele agradeceu primeiro pela comida, depois pediu que Deus perdoasse aqueles que haviam tentado se opor à Sua vontade, que haviam colocado seus desejos egoístas em primeiro lugar e não quiseram visitar Seu servo após a missa. O "Amém!" de Mama ressoou por toda a sala.

* * *

Eu estava no meu quarto após o almoço, lendo o capítulo V da Epístola de Tiago porque eu ia falar das raízes bíblicas da unção dos doentes durante a hora da família, quando ouvi os sons. Pancadas pesadas e rápidas na porta talhada à mão do quarto dos meus pais. Imaginei que a porta estava emperrada e que Papa estivesse tentando abri-la. Se imaginasse aquilo sem parar, talvez virasse verdade. Eu me sentei, fechei os olhos e comecei a contar. Contar fazia o tempo passar um pouco mais rápido, fazia com que não fosse tão ruim. Às vezes, acabava antes de eu chegar ao número vinte. Eu já estava no dezenove quando o som parou. Ouvi a porta se abrindo. Os passos de Papa na escada pareceram mais pesados, mais desajeitados do que o normal.

Saí do quarto no mesmo segundo que Jaja saiu do dele. Ficamos no corredor, vendo Papa descer. Mama estava jogada sobre seu ombro como os sacos de juta cheios de arroz que os empregados da fábrica dele compravam aos montes na fronteira com Benin. Ele abriu a porta da sala de jantar. Ouvimos a porta da frente sendo aberta e o ouvimos dizer algo para o homem que guardava o portão, Adamu.

— Tem sangue no chão — disse Jaja. — Vou pegar a escova no banheiro.

Limpamos o filete de sangue, que fez uma trilha no chão como se alguém houvesse carregado uma jarra furada de tinta vermelha lá para baixo. Jaja escovou o chão e eu passei um pano depois.

Mama não voltou para casa naquela noite, e Jaja e eu jantamos sozinhos. Não falamos sobre ela. Em vez disso, falamos sobre os três homens que haviam sido executados em praça pública dois dias antes, por tráfico de drogas. Jaja ouvira alguns meninos falando sobre isso na escola. A notícia passara na televisão. Os homens haviam sido amarrados a postes, e seus corpos continuaram tremendo mesmo quando as balas não estavam mais entrando neles. Contei a Jaja o que uma menina da minha sala dissera: que sua mãe desligara a TV deles, perguntando por que alguém gostaria de ver outro ser humano morrer, perguntando o que havia de errado com toda aquela gente que tinha ido assistir à execução.

Depois do jantar, Jaja fez uma prece de agradecimento, e no final acrescentou uma pequena oração para Mama. Papa chegou em casa quando estávamos em nossos quartos estudando, seguindo nossos horários. Eu desenhava bonequinhas de palito grávidas na contracapa do meu livro *Agricultura introdutória para escolas do ensino médio* quando ele entrou no meu quarto. Seus olhos estavam inchados e vermelhos, e eu não sei por quê, mas aquilo o fez parecer mais jovem, mais vulnerável.

— Sua mãe vai estar de volta amanhã, mais ou menos na hora em que vocês chegam da escola. Ela vai ficar bem — disse Papa.

— Sim, Papa.

Desviei o olhar dele e voltei a olhar para meus livros.

Papa massageou meus ombros, fazendo leves movimentos circulares.

— Fique de pé — ordenou.

Eu obedeci, e ele me abraçou, apertando-me com tanta força que senti seu coração batendo debaixo da pele macia de seu peito.

Mama voltou para casa na tarde seguinte. Kevin a trouxe no Peugeot 505 que tinha o nome da fábrica pintado na porta do passageiro, aquele que muitas vezes era usado para nos levar e nos buscar na escola. Jaja e eu ficamos esperando diante da porta da frente, tão próximos um do outro que nossos ombros se tocavam. Abrimos a porta antes que ela pudesse fazê-lo.

— *Umu m* — disse Mama nos abraçando. — Meus filhos.

Ela usava a mesma camiseta branca com a frase "DEUS É AMOR" escrita na frente. Sua canga verde estava mais frouxa do que o normal na cintura; fora amarrada sem muito cuidado. Os olhos de Mama estavam sem expressão, como os olhos daqueles loucos que vagueiam pelos lixões que há na beira das estradas da cidade, arrastando bolsas de lona imundas e rasgadas com os fragmentos de suas vidas guardados dentro.

— Eu sofri um acidente e o bebê se foi — disse ela.

Eu me afastei um pouco e olhei sua barriga. Ainda estava grande, ainda formava um arco sutil debaixo da canga. Será que Mama tinha certeza de que o bebê se fora? Eu ainda observava a barriga dela quando Sisi entrou. As maçãs do rosto de Sisi eram tão altas que lhe davam uma expressão angular e extremamente zombeteira, como se ela estivesse caçoando de você, rindo de você, e não fosse nunca lhe dizer por quê.

— Boa tarde, Madame, *nno* — disse. — Quer comer alguma coisa agora ou só depois de se banhar?

— Hã? — perguntou Mama, que por um segundo pareceu não ter entendido o que Sisi dissera. — Agora não, Sisi, agora não. Pegue água e um pano para mim.

Mama ficou abraçando o próprio corpo no centro da sala de estar, perto da mesa de vidro, até que Sisi trouxe uma tigela com água e um pano de prato. A estante tinha três prateleiras de vidro delicado, e nas três havia estatuetas de bailarinas na cor bege. Mama começou na prateleira mais baixa, limpando tanto o vidro como as estatuetas sobre ele. Eu me sentei na ponta do sofá de couro mais próxima dela, tão perto que poderia esticar a mão e tocar sua canga.

— *Nne*, está na hora de você estudar. Vá lá para cima — disse Mama.

— Quero ficar aqui.

Ela passou o pano lentamente sobre uma estatueta que tinha uma perninha da grossura de um palito de fósforo erguida no ar antes de dizer:

— *Nne*, vá.

Fui lá para cima e fiquei olhando para o meu livro. As letras negras se embaralharam, nadando uma para dentro da outra, e então ficaram de um tom vermelho-vivo, o vermelho de sangue fresco. O sangue era aguado e fluía de Mama e de dentro dos meus olhos.

Mais tarde, no jantar, Papa nos mandou rezar dezesseis novenas. Pelo perdão de Mama. E no domingo, que seria o primeiro domingo após o Advento, ficamos na igreja depois da missa e começamos as novenas. O padre Benedict respingou água benta em nós. Algumas gotas caíram em meus lábios e senti seu gosto salgado e envelhecido enquanto rezávamos. Se Papa achava que Jaja ou eu começávamos a sentir sono na décima terceira recitação do Apelo a São Judas Tadeu, sugeria que voltássemos ao início. Tínhamos de rezar bem certinho. Eu não me perguntei, nem tentei me perguntar, o que Mama fizera para precisar ser perdoada.

As palavras dos meus livros de escola continuaram a virar sangue sempre que eu tentava lê-las. Minhas provas de primeiro semestre foram se aproximando, minha turma começou a revisar a matéria, e mesmo então as palavras não faziam sentido.

Dias antes da minha primeira prova, eu estava no meu quarto estudando, tentando me concentrar em uma palavra de cada vez, quando alguém tocou a campainha. Era Yewande Coker, a mulher do editor de Papa. Ela estava chorando. Consegui ouvi-la porque meu quarto ficava bem em cima da sala de estar, e porque eu nunca tinha escutado ninguém chorar tão alto.

— Eles o levaram! Eles o levaram! — gemeu entre soluços guturais.

— Yewande, Yewande — disse Papa, falando muito mais baixo do que ela.

— O que vou fazer, senhor? Tenho três filhos! Um ainda mama no peito! Como vou criá-los sozinha?

Eu mal podia ouvir as palavras dela; o que eu discernia bem era o som de alguma coisa fechando sua garganta. Então Papa disse:

— Yewande, não fale assim. Ade vai ficar bem, eu prometo. Ele vai ficar bem.

Ouvi Jaja saindo do quarto. Ele ia descer, fingir que estava indo até a cozinha beber água e ficar perto da porta da sala de estar por algum tempo, escutando. Quando subiu de novo, Jaja me contou que alguns soldados haviam prendido Ade Coker quando ele saía da redação do *Standard*. O carro dele foi abandonado na beira de uma estrada com a porta da frente aberta. Imaginei Ade Coker sendo arrancado do carro, sendo enfiado em outro veículo, talvez uma caminhonete preta cheia de soldados, com suas armas saindo pelas janelas. Imaginei suas mãos tremendo de medo, uma mancha molhada se espalhando em suas calças.

Eu sabia que ele fora preso por causa da primeira página do último *Standard*, que trazia uma matéria sobre como o chefe de Estado e sua esposa haviam pago pessoas para levar heroína para outros países. A matéria questionava a recente execução de três homens e perguntava quem seriam os verdadeiros barões da droga.

Jaja disse que, quando olhou pelo buraco da fechadura, Papa estava segurando a mão de Yewande e rezando, pedindo que ela repetisse "Ninguém que confia no Senhor será abandonado".

Eu disse essas palavras a mim mesma quando fiz minhas provas na semana seguinte. E quando Kevin me levou para casa no último dia de aula, eu também as repeti, com meu boletim apertado contra o peito. As irmãs nos davam nossos boletins sem fechá-los. Eu ficara em segundo lugar na turma. Estava escrito em algarismos: "2/25". Minha professora, irmã Clara, escrevera: "Kambili tem inteligência acima da média, e é silenciosa e responsável." A diretora, madre Lucy, escrevera: "Uma aluna brilhante e obediente e uma filha que merece o orgulho dos pais". Mas eu sabia que Papa não ia ficar orgulhoso. Ele cansava de dizer para mim e para Jaja que, já que gastava tanto dinheiro no Daughters of the Immaculate Heart e no St. Nicholas, nós não devíamos deixar as outras crianças ficarem em primeiro na turma. Ninguém gastara dinheiro com a educação dele, muito menos seu ímpio pai, nosso Papa-Nnukwu, mas ele sempre ficara em primeiro lugar. Eu queria deixar Papa orgulhoso e tirar notas tão boas quanto as dele. Precisava que ele tocasse minha nuca e afirmasse que eu estava realizando o propósito de Deus. Precisava que ele me abraçasse com força e dissesse que muito é esperado daqueles que muito recebem. Precisava que ele sorrisse, daquele jeito que iluminava seu rosto e aquecia algo dentro de mim. Mas eu ficara em segundo lugar. Estava maculada pelo fracasso.

Mama abriu a porta antes mesmo de Kevin haver estacionado o carro em frente à casa. Ela sempre esperava na porta da frente no último dia de aula, para cantar músicas de agradecimento em igbo, me abraçar e abraçar Jaja e acariciar nossos boletins. Essa era a única ocasião em que Mama cantava em casa.

— *O me mma, Chineke, o me mma...* — cantou Mama, interrompendo-se quando a cumprimentei.

— Boa tarde, Mama.

— *Nne*, você não foi bem? Seu rosto está triste — disse ele, afastando-se para que eu passasse.

— Fiquei em segundo lugar.

Mama hesitou.

— Venha comer. Sisi fez arroz de coco.

Eu estava sentada em minha escrivaninha quando Papa chegou. Ele subiu pesadamente as escadas, com cada passo criando uma turbulência em minha cabeça, e foi até o quarto de Jaja. Jaja ficara em primeiro, como sempre, por isso Papa ficaria orgulhoso, abraçaria Jaja, enlaçaria seus ombros. Papa demorou-se no quarto de Jaja; eu sabia que estava olhando cada nota, vendo se alguma ficara mais baixa em um décimo ou dois desde o último semestre. Algo empurrou um líquido para dentro de minha bexiga e corri para o banheiro. Quando voltei, Papa estava em meu quarto.

— Boa noite, Papa, *nno*.

— Foi bem na escola?

Eu queria contar que ficara em segundo para que ele soubesse imediatamente, para admitir logo o meu fracasso, mas disse apenas "Sim" e lhe entreguei o boletim. Papa pareceu demorar uma eternidade para abri-lo e mais tempo ainda para lê-lo. Tentei acalmar a respiração enquanto esperava, sabendo, no entanto, que seria impossível.

— Quem ficou em primeiro? — perguntou Papa afinal.

— Chinwe Jideze.

— Jideze? A menina que ficou em segundo no semestre passado?

— Sim — disse eu.

Meu estômago soltava ribombos surdos que pareciam altos demais e não pararam nem quando retraí a barriga.

Papa ficou observando meu boletim por mais tempo; então disse:

— Venha jantar.

Desci as escadas sentindo que minhas pernas não tinham juntas, como se fossem longos troncos de madeira. Papa trouxera para casa amostras de um novo biscoito e passou o pacote verde para nós antes de começarmos a jantar. Mordi o biscoito.

— Muito bom, Papa.

Papa deu uma mordida e mastigou, olhando para Jaja.

— É bem fresco — disse Jaja.

— Muito gostoso — disse Mama.

— Vai vender, com a graça de Deus — disse Papa. — Nossos biscoitos *wafer* são os mais vendidos no país, e acredito que esses vão ser um sucesso igual.

Eu não conseguia encarar Papa enquanto ele falava. O inhame cozido e os vegetais com pimenta se recusavam a descer pela minha garganta, agarravam-se à minha boca como crianças agarrando-se à mão da mãe na entrada do jardim de infância. Bebi copos e mais copos de água para tentar empurrá-los para baixo e, quando Papa começou a rezar em agradecimento pela comida, meu estômago estava inchado por causa do líquido. Papa terminou e disse:

— Kambili, venha comigo para cima.

Eu o segui. A cada degrau que ele subia vestido com seu pijama de seda vermelho, suas nádegas balançavam como *akamu* bem-feito, que tem a mesma consistência da gelatina. A decoração cor de creme do quarto de Papa mudava todo ano, mas sempre para outro tom de creme. O tapete fofo que afundava quando a gente pisava nele era creme sem nenhuma outra cor misturada; as cortinas tinham um pequeno bordado marrom nas barras; as poltronas de couro cor de creme estavam juntas, como se duas pessoas estivessem sentadas nela, tendo uma conversa íntima. Todo aquele creme se misturava e fazia o quarto parecer maior, como se nunca fosse acabar, como se você não pudesse correr nem que quisesse, porque não havia para onde fugir. Sempre que eu pensava no paraíso quando era criança, visualizava o quarto de Papa, macio, creme, infinito. Eu me aninhava nos braços de Papa quando as tempestades do *harmattan* se abatiam sobre o mundo lá fora, atirando mangas contra as redes das janelas e fazendo os fios de alta-tensão bater uns contra os outros e soltar faíscas laranja. Papa me colocava entre seus joelhos ou me embrulhava no cobertor cor de creme que cheirava a lugar seguro.

Eu me sentei sobre um cobertor parecido agora, na beirada da cama. Tirei os sapatos e afundei os pés no tapete, decidindo mantê-los ali para que meus dedões ficassem no macio. Assim, parte de mim ia se sentir a salvo.

— Kambili — disse Papa com a respiração ofegante. — Você não se esforçou ao máximo neste semestre. Ficou em segundo lugar porque quis.

Os olhos dele estavam tristes. Fundos e tristes. Eu queria tocar seu rosto, passar a mão sobre sua pele borrachuda. Dentro daqueles olhos, havia histórias que eu jamais saberia.

O telefone tocou; ele vinha tocando com mais frequência desde que Ade Coker fora preso. Papa atendeu e conversou em voz baixa. Fiquei esperando até que ele fez um gesto indicando que eu deveria sair. Papa não me chamou no dia seguinte nem no outro para conversar sobre meu boletim e decidir como eu seria punida. Eu me perguntei se ele estaria preocupado demais com o caso de Ade Coker, mas, mesmo depois de Papa conseguir tirá-lo da prisão na semana seguinte, ele não falou sobre meu boletim. E também não falou sobre tirar Ade Coker da prisão; simplesmente vimos o editorial dele no *Standard*, no qual escreveu sobre o valor da liberdade, sobre como sua pena não ia, não podia, parar de escrever a verdade. Mas Ade Coker não mencionou onde ficara detido ou quem o prendera, ou o que fora feito com ele. Havia um pós-escrito em itálico, no qual ele agradecia o dono do jornal: *"Um homem íntegro, o homem mais corajoso que conheço"*. Eu estava sentada ao lado de Mama no sofá durante a hora da família, e li essa frase várias vezes e depois fechei os olhos, sentindo uma corrente elétrica me percorrer o corpo. Era a mesma sensação que eu tinha quando o padre Benedict falava de Papa na missa, a mesma sensação de depois de espirrar: uma sensação ardente e iluminada.

— Graças a Deus, Ade está a salvo — disse Mama, passando as mãos sobre o jornal.

— Eles apagaram cigarros nas costas dele — disse Papa, balançando a cabeça. — Apagaram muitos cigarros nas costas dele.

— Vão receber o castigo que merecem, mas não nesta terra, *mba* — disse Mama.

Papa não sorriu para ela — parecia triste demais para sorrir —, mas desejei ter pensado em dizer isso antes de Mama. Sabia que Papa tinha gostado de ouvi-lo.

— O jornal vai ser *underground* a partir de agora — disse Papa. — Meus empregados não estão mais em segurança.

Eu sabia que *"underground"* significava que o jornal ia ser publicado num local secreto. Mas imaginei Ade Coker e os outros empregados numa redação num subsolo, com uma lâmpada fluorescente iluminando o cômodo escuro e úmido e os homens debruçados sobre suas mesas, escrevendo a verdade.

Naquela noite, quando Papa rezou, ele acrescentou passagens mais longas pedindo que Deus trouxesse a ruína dos homens ímpios que governavam nosso país, e disse várias vezes: "Nossa Senhora, Amparo do Povo Nigeriano, rogai por nós".

Nossas férias foram curtas, de apenas duas semanas, e no sábado logo antes da volta das aulas Mama levou Jaja e a mim ao mercado para comprar novas sandálias e mochilas. Não precisávamos delas; nossas mochilas e sandálias de couro marrom ainda estavam novas, só tinham um semestre. Mas aquele ritual era o único que pertencia só a nós três: ir ao mercado antes do início de cada semestre, abaixando o vidro das janelas no caminho sem precisar pedir permissão a Papa. Nas cercanias do mercado, observávamos as pessoas loucas e seminuas que ficavam perto dos lixões, os homens que sem mais nem menos abriam o zíper das calças e urinavam nas esquinas, as mulheres que pareciam estar pechinchando animadamente com montes de legumes até a cabeça dos mercadores surgir detrás deles.

Dentro do mercado, nos desvencilhávamos dos vendedores que nos puxavam para os corredores escuros, dizendo "Na minha barraca tem o que você precisa" ou "Venha comigo, está aqui", embora eles não tivessem ideia do que procurávamos. Franzíamos o nariz por causa do cheiro da carne-seca sangrenta e do peixe seco mofado, e abaixávamos a cabeça ao ver as nuvens de abelhas que zumbiam sobre as barracas dos vendedores de mel.

Quando deixamos o mercado com nossas sandálias e um corte de tecido que Mama comprara, vimos uma pequena multidão em torno das barracas de legumes e frutas que ficavam ao longo da estrada e que tínhamos visto antes. Havia soldados andando de um lado para o outro. As mercadoras gritavam, e muitas haviam colocado as mãos sobre a cabeça, como as pessoas fazem para mostrar choque ou desespero. Uma mulher estava deitada no chão de terra, aos prantos, puxando seu afro curtinho. Sua canga se abrira e dava para ver sua calcinha branca.

— Apertem o passo — disse Mama, chegando mais para perto de Jaja e de mim.

Senti que ela queria nos proteger, nos impedir de ver os soldados e as mulheres. Fomos andando mais rápido e vi uma mulher cuspir num soldado, vi o soldado erguer um chicote no ar. O chicote era longo. Ele fez uma curva no ar antes de estalar sobre o ombro da mulher. Outro soldado chutava bandejas cheias de frutas, esmagando mamões com as botas e rindo. Quando entramos no carro, Kevin contou a Mama que haviam mandado os soldados demolir aquelas barracas porque suas estruturas eram ilegais. Mama não respondeu; ela estava olhando pela janela, como se quisesse ver aquelas mulheres pela última vez.

Pensei na mulher deitada no chão durante a volta para casa. Eu não tinha visto seu rosto, mas senti que a conhecia desde sempre. Lamentei não ter podido ajudá-la a se levantar e a limpar a lama vermelha de sua canga.

Pensei nela também na segunda-feira, quando Papa me levava para a escola. Ele diminuiu a velocidade do carro na estrada Ogui para atirar algumas nairas para um mendigo deitado na beira da estrada, perto de algumas crianças que tentavam vender laranjas descascadas. O mendigo viu as notas, ficou de pé e acenou para nós, batendo palmas e pulando. Eu tinha pensado que ele era manco. Observei-o pelo retrovisor, sem tirar os olhos dele, até perdê-lo de vista. O mendigo me lembrava a mercadora deitada no chão. Havia um desamparo em sua alegria, o mesmo desamparo que houvera no desespero daquela mulher.

Os muros que cercavam a Escola de Ensino Médio Daughters of the Immaculate Heart eram muito altos, como os de nossa casa. Mas, em vez de fios elétricos espiralados, eles eram encimados por pedaços de vidro verde com pontas afiadas voltadas para cima. Papa dissera que aqueles muros haviam influenciado sua decisão quando eu terminara o ensino básico. Disciplina era importante, dissera. Não se podia permitir que os jovens escalassem muros para ir à cidade e se comportar como loucos, como faziam os alunos das faculdades federais.

— Essa gente não sabe dirigir — murmurou Papa quando chegamos aos portões da escola, onde os carros estavam um atrás do outro, buzinando. — Parece até que há um prêmio para quem chegar primeiro dentro da escola.

Meninas mendigas muito mais novas do que eu desafiavam os seguranças da escola, se aproximando cada vez mais dos carros e oferecendo laranjas descascadas, bananas e amendoins, com suas blusas roídas de traças deixando os ombros à mostra. Papa finalmente entrou no grande terreno da escola e estacionou perto da quadra de vôlei, depois do gramado bem cuidado.

— Onde fica sua sala? — perguntou ele.

Apontei para o prédio perto das mangueiras. Papa saiu do carro comigo e me perguntei o que ele estava fazendo, por que estava ali, por que me levara em pessoa para a escola e pedira que Kevin levasse Jaja.

Irmã Margaret o viu quando estávamos a caminho da sala.

Ela acenou alegremente, em meio a alunos e a alguns outros pais, e veio bamboleando em nossa direção. As palavras saíram de sua boca numa torrente generosa: Como estava Papa? Estava satisfeito com meu progresso na escola? Iria à recepção para o bispo na semana seguinte?

Papa mudou de sotaque quando respondeu, adotando uma pronúncia britânica, como fazia quando falava com o padre Benedict. Ele se mostrou gracioso e ansioso por agradar, como sempre era com os religiosos, principalmente os religiosos brancos. Gracioso como quando deu o cheque para a reforma da biblioteca do colégio. Papa explicou que viera apenas ver minha sala, e Irmã Margaret pediu que ele a chamasse se precisasse de alguma coisa.

— Onde está Chinwe Jideze? — perguntou Papa quando chegamos à porta da minha sala.

Havia um grupo de meninas conversando ali. Olhei em volta, sentindo uma pressão nas têmporas. O que Papa faria? O rosto claro de Chinwe estava no centro do grupo, como sempre.

— É aquela ali do meio — disse eu.

Será que Papa ia falar com ela? Puxar suas orelhas por ficar em primeiro? Eu quis que o chão se abrisse e engolisse a escola toda.

— Olhe para ela — mandou Papa. — Quantas cabeças ela tem?

— Uma.

Eu não precisava olhar para Chinwe para saber disso, mas olhei assim mesmo.

Papa tirou do bolso um pequeno espelho, do tamanho de um pó compacto.

— Olhe no espelho.

Olhei para ele, espantada.

— Olhe no espelho.

Peguei o espelho e olhei.

— Quantas cabeças você tem *gbo?* — disse Papa, falando igbo pela primeira vez.

— Uma.

— Aquela menina tem uma cabeça também, não tem duas. Então por que a deixou ficar em primeiro?

— Não vai acontecer mais, Papa.

Uma *Ikuku* poeirenta soprava em espirais marrons que pareciam molas, e senti o gosto da areia pousando em meus lábios.

— Por que você acha que eu trabalho tanto para dar o melhor a você e a Jaja? Vocês têm de fazer alguma coisa com todos esses privilégios. Como Deus lhes deu muito, Ele espera muito de vocês. Espera a perfeição. Eu não tive um pai que me colocasse nas melhores escolas. Meu pai desperdiçava seu tempo adorando deuses de madeira e pedra. Eu não seria nada hoje se não fosse pelos padres e pelas irmãs da missão. Fui empregado do padre da paróquia por dois anos. Isso mesmo, um empregado. Ninguém me deixava na escola. Até terminar o ensino básico, andei doze quilômetros todos os dias até Nimo. Trabalhei como jardineiro para os padres enquanto frequentava a Escola de Ensino Médio St. Gregory's.

Eu já ouvira tudo aquilo antes, sobre o quanto ele se esforçara, sobre como as irmãs e os padres da missão haviam lhe ensinado coisas que ele jamais teria aprendido de seu pai adorador de ídolos, meu Papa-Nnukwu. Mesmo assim, assenti e fiquei atenta. Torci para que as meninas da minha turma não estivessem perguntando por que eu e meu pai havíamos decidido vir até a escola para ter uma longa conversa na frente do prédio onde ficava minha sala. Finalmente, Papa parou de falar e pegou o espelho de volta.

— Kevin vai vir buscar você.

— Sim, Papa.

— Tchau. Estude bastante — disse, dando-me um abraço rápido, meio de lado.

— Tchau, Papa.

Eu o observava atravessar o caminhozinho ladeado por arbustos sem flores quando o sinal tocou, indicando que devíamos nos reunir no pátio.

Minhas colegas estavam agitadas e Madre Lucy teve de dizer "Vamos, meninas, façam silêncio!" algumas vezes. Fiquei em primeiro lugar na fila como sempre, pois os últimos lugares eram das meninas que pertenciam a grupinhos, as que soltavam risadinhas e trocavam segredos escondidas das professoras. As professoras estavam sobre uma plataforma, como estátuas altas em seus hábitos azuis e brancos. Depois de cantarmos um hino de boas-vindas do Hinário Católico, Madre Lucy leu o capítulo cinco de Mateus até o verso onze e em seguida cantamos o hino nacional. Não fazia muito tempo que havíamos começado a cantar o hino nacional na nossa escola. Cantávamos desde o ano passado, pois alguns dos pais estavam preocupados por seus filhos não saberem a letra do hino ou o juramento de lealdade. Fiquei observando as irmãs enquanto cantávamos. Apenas as irmãs nigerianas cantavam, seus dentes brancos contrastando com a pele negra. As irmãs brancas permaneciam em silêncio de braços cruzados ou tocando de leve os rosários de vidro que pendiam de suas cinturas, certificando-se de que os lábios de todas as alunas estivessem se movendo. Quando terminamos, Madre Lucy estreitou os olhos por trás das lentes grossas dos óculos e examinou as fileiras. Ela sempre escolhia uma aluna para começar o juramento de lealdade antes das outras.

— Kambili Achike, por favor, inicie o juramento — disse.

Madre Lucy jamais me escolhera. Eu abri a boca, mas as palavras se recusaram a sair.

— Kambili Achike?

Madre Lucy e o resto da escola olhavam para mim.

Limpei a garganta e tentei forçar as palavras a saírem. Eu conhecia o juramento, estava dizendo-o mentalmente. Mas as palavras não saíam. O suor debaixo dos meus braços estava quente e molhado.

— Kambili?

Finalmente, gaguejando, eu disse:

— Eu juro à Nigéria, meu país / Que serei fiel, leal e honesta...

Toda a escola começou a jurar também e movi os lábios sem emitir mais nenhum som, tentando acalmar a respiração. Depois, seguimos em fila até nossas salas. As meninas da minha turma começaram a rotina de se ajeitar em seus lugares, arrastando as cadeiras no chão, tirando a poeira das mesas, copiando o horário do novo semestre que estava escrito no quadro.

— Como foram suas férias, Kambili? — perguntou Ezinne, inclinando-se para perto de mim.

— Boas.

— Você saiu do país?

— Não.

Não sabia o que mais dizer, mas queria que Ezinne soubesse que eu era grata por ela ser sempre simpática comigo, embora eu fosse tão estranha e calada. Queria agradecer a ela por não rir de mim e me chamar de "riquinha metida" como as outras meninas faziam, mas as palavras que saíram foram:

— E você, viajou para algum lugar?

Ezinne riu.

— Eu? *O di egwu*. Só pessoas como você, Gabriella e Chinwe viajam, pessoas com pais ricos. Eu só fui até a vila visitar minha avó.

— Ah — disse eu.

— Por que seu pai veio na escola esta manhã?

— Eu... eu...

Parei para respirar fundo, pois sabia que ia gaguejar ainda mais se não fizesse isso.

— Ele queria ver minha sala de aula.

— Você se parece muito com ele. Não é grande como ele, mas as feições e o tom de pele são os mesmos — disse Ezinne.

— São.

— Ouvi dizer que Chinwe roubou o primeiro lugar de você no último semestre. *Abi?*

— Foi.

— Aposto que seus pais nem ligaram. Ha, ha! Você fica em primeiro desde o primeiro ano. Chinwe disse que o pai dela a levou para Londres.

— Ah.

— Eu fiquei em quinto e me saí melhor do que antes, porque tinha ficado em oitavo no semestre anterior. Sabe, nossa turma é muito difícil. Eu sempre ficava em primeiro na minha escola de ensino fundamental.

Chinwe Jideze se aproximou da mesa de Ezinne nesse momento. Ela tinha uma voz fina, parecida com a de um passarinho.

— Quero continuar a ser a monitora da turma este semestre, Ezi-Borboleta, por isso não esqueça de votar em mim — disse Chinwe.

A saia dela era apertada na cintura, dividindo seu corpo em duas metades arredondadas, como um número oito.

— Pode deixar.

Não fiquei surpresa quando Chinwe passou direto por mim e foi até a menina na mesa ao lado, dizendo a mesma coisa, só que com outro apelido que ela inventara. Chinwe jamais me dirigira a palavra, nem quando nos colocaram no mesmo grupo de ciência agrícola para juntar ervas para fazer um álbum. As meninas se reuniam em volta da mesa dela durante o recreio menor e riam alto o tempo todo. Em geral, seus penteados eram cópias exatas dos de Chinwe — palitinhos negros cobertos de linha se Chinwe usava *isi owu* naquela semana, ou trancinhas em zigue-zague que terminavam num rabo de cavalo acima da cabeça se Chinwe decidia usar *shuku*. Chinwe caminhava como se houvesse um objeto quente debaixo dos pés, erguendo uma perna quase no mesmo instante que o outro pé tocava o chão. No recreio maior, ela ia aos pulinhos, liderando um grupo de meninas, até a lanchonete comprar biscoitos e Coca-Cola. De acordo com Ezinne, Chinwe pagava pelos refrigerantes de todas. Eu normalmente passava o recreio maior lendo na biblioteca.

— Chinwe só quer que você fale com ela primeiro — sussurrou Ezinne. — Sabe, ela começou a chamar você de riquinha metida porque você não fala com ninguém. Ela disse que você não devia se achar tudo isso só porque seu pai é dono de um jornal e de todas aquelas fábricas, pois o pai dela também é rico.

— Eu não me acho tudo isso.

— Por exemplo, hoje, no pátio, ela disse que você estava se achando e que foi por isso que não começou o juramento na primeira vez que Madre Lucy chamou seu nome.

— Eu não escutei na primeira vez que Madre Lucy me chamou.

— Não estou dizendo que você se acha tudo isso. Só estou avisando que é isso que Chinwe e a maioria das meninas pensam. Talvez você devesse tentar conversar com ela. Talvez, depois da aula, você devesse parar de sair correndo daquele jeito e caminhar com a gente até o portão. Por que você sempre sai correndo?

— Eu gosto de correr, só isso — disse.

Eu me perguntei se ia contar aquilo como uma mentira quando me confessasse no próximo sábado, se ia colocá-la na mesma categoria da mentira sobre não ter escutado Madre Lucy na primeira vez. Kevin sempre estava com o Peugeot 505 estacionado no portão da escola assim que o sino tocava. Kevin tinha muitas outras coisas para fazer para Papa, e eu não tinha permissão para atrasá-lo, por isso sempre saía a toda da minha última aula. A toda, como se estivesse correndo os duzentos metros na competição do colégio. Uma vez, Kevin dissera a Papa que eu havia demorado alguns minutos a mais para sair, e Papa batera nas minhas duas bochechas ao mesmo tempo. As palmas imensas das mãos dele deixaram marcas paralelas em meu rosto e um zumbido nos ouvidos durante dias.

— Por quê? — perguntou Ezinne. — Se ficar mais um pouco e conversar com as meninas, talvez elas descubram que você não é metida.

— Eu gosto de correr, só isso — repeti.

Continuei a ser considerada uma riquinha metida pela maioria das minhas colegas de turma até o final do semestre. Mas não me preocupei muito com isso, pois carregava nas costas um peso maior — a preocupação de ficar em primeiro lugar. Era como tentar equilibrar um saco de cimento na cabeça todos os dias, sem poder usar a mão para firmá-lo. Eu ainda via as letras dos meus livros virando uma névoa vermelha, ainda via a alma do meu irmão caçula entremeada de filetes de sangue. Decorei o que minhas professoras diziam, pois sabia que meus livros não iam fazer sentido se eu tentasse estudar mais tarde. Após cada prova, uma bola dura como *fufu* malfeito se formava em minha garganta e permanecia lá até que os resultados chegassem.

A escola fechou para o Natal no começo de dezembro. Espiei no meu boletim quando Kevin me levou para casa e vi 1/25 escrito com uma caligrafia tão rebuscada que tive de olhar bem para ter certeza de que não era 7/25. Naquela noite, fui dormir abraçada à imagem do rosto iluminado de Papa, sua voz me dizendo o quanto ele estava orgulhoso de mim, afirmando que eu realizara o desejo de Deus para mim.

Os ventos empoeirados do *harmattan* chegaram junto com o mês de dezembro. Eles trouxeram o cheiro do deserto do Saara e do Natal, e arrancaram as folhas finas e ovais das plumérias e as folhas em forma de alfinete das casuarinas, cobrindo tudo de marrom. Passávamos todo Natal na cidade onde havíamos nascido. Irmã Verônica chamava isso de migração anual dos igbo. Ela não entendia, dizia com seu sotaque irlandês que fazia as palavras rolarem sobre sua língua, por que tanta gente da etnia igbo construía casas enormes em suas cidades natais para passar apenas uma ou duas semanas em dezembro, enquanto tinham residências bem menores nas cidades grandes onde viviam o resto do ano. Eu sempre me perguntava por que irmã Verônica precisava entender aquilo, quando era simplesmente o nosso jeito de fazer as coisas.

Os ventos matinais estavam fortes no dia em que partimos, puxando e empurrando as casuarinas, deixando-as vergadas como quem faz uma reverência a um deus empoeirado, com suas folhas e galhos emitindo o som parecido com o do apito de um juiz de futebol. Os carros estavam estacionados na frente da casa, com as portas e os porta-malas abertos, esperando para receber sua carga. Papa ia dirigir a Mercedes, com Mama no banco do passageiro e eu e Jaja atrás. Kevin ia dirigir o carro da fábrica atrás de nós, com Sisi, enquanto o motorista da fábrica, Sunday, que em geral substituía Kevin quando ele tirava suas férias anuais de uma semana, ia dirigir o Volvo.

Papa dava ordens ao lado dos arbustos de hibiscos, com uma das mãos enfiada no bolso de sua túnica branca e a outra apontando para os itens e para os carros.

— As malas vão na Mercedes, e esses vegetais também. Os

inhames vão no Peugeot 505, junto com as caixas de Remy Martin e as caixas de suco. Vejam se aquelas pilhas de *okporoko* também cabem. Os sacos de arroz, *garri* e feijão e as bananas-da-terra vão no Volvo.

Havia muita coisa para colocar nos carros, e Adamu veio do portão ajudar Sunday e Kevin. Só os inhames, tubérculos imensos do tamanho de filhotes de cachorro, encheram o porta-malas do Peugeot 505, e um saco de feijão foi colocado atravessado até no banco do passageiro do Volvo, como uma pessoa que houvesse caído no sono ali. Kevin e Sunday saíram antes e nós fomos atrás, para que, se os soldados das estradas os parassem, Papa visse e parasse também.

Papa começou o rosário antes de sairmos de nossa rua. Ele parou no fim da primeira dezena para que Mama continuasse as próximas dez ave-marias. Jaja rezou as dez seguintes; e logo chegou a minha vez. Papa dirigiu devagar. A via expressa era de mão única e, quando ficamos atrás de uma caminhonete ele não tentou ultrapassar, murmurando que as estradas não eram seguras, que o governo de Abuja roubara o dinheiro que deveria ter sido usado para transformar as vias expressas em vias de mão dupla. Muitos carros buzinaram e nos ultrapassaram; alguns tão repletos de inhames de Natal, sacos de arroz e engradados de refrigerantes que a traseira quase raspava na estrada.

Em Ninth Mile, Papa parou a fim de comprar pão e *okpa*. Vendedores ambulantes cercaram nosso carro, tentando empurrar ovos cozidos, castanhas de caju torradas, garrafas de água, pão, *okpa* e *agidi* para dentro de todas as janelas da Mercedes, dizendo com suas vozes melodiosas:

— Compre comigo, ah, eu vendo bem para você.

Ou:

— Olhe para mim, é por mim que você está procurando.

Papa comprou só pão e *okpa* embrulhada em folhas de bananeira quentes, mas deu uma nota de vinte nairas para cada ambulante, e os agradecimentos deles, "Obrigado, senhor, Deus o abençoe", ecoaram em meus ouvidos até sairmos dali e nos aproximarmos de Abba.

A placa verde com os dizeres "Bem-vindo a Abba" que indicava a saída da via expressa era fácil de não ver, por ser tão pequena. Papa pegou a estrada de terra, e logo ouvi o som da parte de baixo da Mercedes arranhando a terra queimada de sol e repleta de buracos. Conforme passávamos, as pessoas acenavam e diziam o título de Papa: "*Omelora!*". Casas de terra e sapê ficavam lado a lado com casas de três andares protegidas por portões de metal ornamentados. Crianças nuas e seminuas brincavam com bolas de futebol murchas. Os homens estavam sentados em bancos debaixo das árvores, bebendo vinho de palma em chifres de vaca e em xícaras de vidro turvo. O carro estava coberto de poeira quando chegamos aos enormes portões negros de nossa casa de campo. Três homens velhos parados debaixo da solitária árvore-do-pão que havia ao lado de nosso portão acenaram e gritaram.

— *Nno nu! Nno nu!* Você voltou? Vamos voltar daqui a pouco para lhe dar as boas-vindas!

Nossos seguranças abriram os portões.

— Obrigado, Senhor, pelas bênçãos de nossa jornada — disse Papa quando passamos pelo portão, fazendo o sinal da cruz.

— Amém — dissemos nós.

Nossa casa ainda me deixava sem ar de tão majestosa, com sua brancura e seus quatro andares, o chafariz na frente, os coqueiros ladeando-a e as laranjeiras pontilhando o jardim em frente. Três menininhos correram para dentro de nossa propriedade para cumprimentar Papa. Eles haviam seguido nossos carros pela estrada de terra.

— *Omelora*! Bona dia, sinhô! — disseram os três em coro,

usando apenas shorts que deixavam à mostra umbigos do tamanho de pequenos balões.

— *Kedu nu?* — perguntou Papa, tirando notas de dez nairas do maço que guardava em sua maleta e dando uma a cada um deles. — Cumprimentem seus pais, não deixem de mostrar esse dinheiro a eles.

— Sim, sinhô! Brigado, sinhô! — agradeceram os meninos e saíram correndo da propriedade rindo muito alto.

Kevin e Sunday tiraram os alimentos dos carros, enquanto Jaja e eu tirávamos as malas da Mercedes. Mama foi ao quintal dos fundos com Sisi para armar os tripés de ferro fundido. Nossa comida ia ser feita no fogão a gás que havia na cozinha, mas os tripés de ferro sustentariam as enormes panelas que seriam usadas para fazer arroz, guisado e sopa para as visitas. Algumas panelas eram tão grandes que uma cabra inteira caberia lá dentro. Mama e Sisi quase não ajudavam nessa preparação; elas simplesmente ficavam por perto pegando mais sal, mais caldo Maggi, mais utensílios, porque quem vinha cozinhar eram as esposas dos membros da nossa *umunna*. Elas diziam que queriam que Mama descansasse do estresse da cidade grande. E, todo ano, levavam para casa as sobras — os pedaços gordos de carne, o arroz, o feijão e as garrafas de refrigerante, de Maltina e de cerveja. Nós sempre nos preparávamos para alimentar a cidade toda no Natal, para que nenhuma pessoa que aparecesse em nossa casa tivesse de ir embora sem comer e beber até atingir o que Papa chamava de um nível razoável de satisfação. Afinal, o título de Papa era *omelora*, Aquele Que Faz pela Comunidade. Mas não era só Papa que recebia visitas; as pessoas da cidade iam em bando a todas as grandes casas com grandes portões, e às vezes levavam até potes para guardar as sobras depois. Era Natal.

Jaja e eu estávamos lá em cima desfazendo as malas quando Mama entrou e disse:

— Ade Coker chegou com sua família para nos desejar um feliz Natal. Eles estão a caminho de Lagos. Desçam para cumprimentá-los.

Ade Coker era um homem pequeno, rechonchudo e risonho. Toda vez que eu o via, tentava imaginá-lo escrevendo aqueles editoriais no *Standard*, tentava imaginá-lo desafiando os soldados. Mas não conseguia. Ele parecia um boneco empalhado e, por estar sempre sorrindo, as fundas covinhas de suas bochechas fofas pareciam ser permanentes, como se alguém houvesse cavado suas faces com um pedaço de pau. Até os óculos pareciam os de um boneco: as lentes eram mais grossas que o vidro dos basculantes da janela, tinham um estranho tom azul e uma armação de plástico branco. Quando chegamos, ele estava atirando no ar o seu bebê, que era uma cópia perfeita do pai, roliço como ele. Sua filhinha estava parada perto dele, pedindo-lhe que a atirasse no ar também.

— Jaja, Kambili, como vocês estão? — perguntou Ade e, antes que pudéssemos responder, deu uma sonora risada e apontou para o bebê. — Não sei se vocês sabem, mas dizem que se a gente atirar as crianças bem lá no alto, elas podem aprender a voar!

O bebê riu, mostrando suas gengivas cor-de-rosa, e tentou agarrar os óculos do pai. Ade Coker jogou a cabeça para trás e atirou o bebê para cima de novo.

Sua esposa, Yewande, nos abraçou, perguntou como estávamos e depois deu um tapinha brincalhão no ombro de Ade, pegando o bebê das mãos dele. Olhei para ela e lembrei de como gritara e soluçara para Papa.

— Vocês gostam de vir até sua cidade natal? — perguntou Ade Coker para mim e para Jaja.

Nós dois olhamos para Papa no mesmo instante; ele estava no sofá, lendo um cartão de Natal e sorrindo.

— Sim — respondemos.

— É? Gostam de vir para este fim de mundo? — insistiu Ade, arregalando os olhos de forma teatral. — Têm amigos aqui?

— Não — respondemos.

— Então o que vocês fazem quando estão aqui neste fim de mundo, hein? — provocou ele.

Jaja e eu sorrimos e não dissemos nada.

— Eles são muito quietinhos — disse Ade, dirigindo-se a Papa. — Muito quietinhos.

— Não são como essas crianças de hoje em dia, sem educação e sem temor a Deus — disse Papa, e tive certeza de que era orgulho o que abria seus lábios e iluminava seus olhos.

— Imagine como seria o *Standard* se todos nós fôssemos tão quietinhos.

Era uma piada. Ade Coker estava rindo, e Yewande, sua esposa, também. Mas Papa não riu. Jaja e eu nos viramos e voltamos lá para cima em silêncio.

O farfalhar das folhas dos coqueiros me acordou. Fora de nossa propriedade, as cabras baliam, os galos cantavam e as pessoas gritavam cumprimentos por sobre os muros de terra batida.

— Bono dia. Já acordou, ê? Está bem?

— Bono dia. As pessoas de sua casa estão bem, ah?

Abri a janela do meu quarto para ouvir melhor os sons e deixar entrar o ar limpo com cheiro de cocô de cabra e laranja madura. Jaja bateu de leve em minha porta antes de entrar no quarto. Nossos quartos eram um ao lado do outro; lá em Enugu, ficavam distantes.

— Já acordou? — perguntou ele. — Vamos descer para rezar antes que Papa nos chame.

Eu me enrolei em minha canga, que usara por cima da camisola como uma coberta leve durante a noite quente, amarrei-a debaixo do braço e desci com Jaja.

Os largos corredores faziam nossa casa parecer um hotel, assim como o cheiro impessoal de portas que permaneciam trancadas quase o ano todo, banheiros, privadas e cozinhas que não eram usados e cômodos que não eram habitados. Ocupávamos apenas o primeiro e o segundo andar da casa; os outros dois haviam sido usados pela última vez há anos, quando Papa fora sagrado chefe e recebera o título de *omelora*. Os membros de nossa *umunna* vinham tentando convencê-lo a aceitar um título durante muito tempo, mesmo quando ele ainda era gerente da Leventis e não comprara a primeira fábrica. Já era rico o suficiente, insistiam eles; além disso, ninguém da nossa *umunna* jamais recebera um título. Papa finalmente decidiu aceitar, após longas conversas com o padre da paróquia e após ter exigido que quaisquer aspectos pagãos fossem suprimidos da cerimônia em que receberia o título, e sua festa pareceu um mini-Festival do Inhame. A estrada de terra que cruzava Abba ficara repleta de carros de ponta a ponta. O terceiro e quarto andares da casa foram tomados por uma multidão. Agora eu só subia lá quando queria ver outras coisas além da rua que começava na nossa propriedade.

— Papa vai presidir uma reunião do conselho da igreja hoje — disse Jaja. — Eu ouvi ele contar a Mama.

— A que horas é a reunião?

— Antes do meio-dia.

Com os olhos, Jaja disse: "Nessa hora, vamos poder ficar juntos".

Em Abba, eu e Jaja não tínhamos horários. Podíamos conversar mais e ficar menos tempo sozinhos em nossos quartos, pois Papa estava ocupado demais recebendo inúmeras visitas e indo a reuniões do conselho da igreja às cinco da manhã e a reuniões do conselho da cidade que iam até a meia-noite. Ou talvez fosse porque Abba era diferente, porque as pessoas entravam em nossa propriedade sem precisar pedir licença e porque até o ar que respirávamos se movia mais devagar.

Papa e Mama estavam no primeiro andar, numa das saletas menores adjacentes à sala de estar.

— Bom dia, Papa. Bom dia, Mama — dissemos Jaja e eu.

— Como vocês dois estão? — perguntou Papa.

— Bem — respondemos.

Papa estava com os olhos brilhando; devia estar acordado há horas. Ele folheava sua Bíblia, a versão católica com os livros deuterocanônicos e a capa de couro preta brilhante. Mama parecia estar com sono. Ela esfregou os olhos cansados ao perguntar se havíamos dormido bem. Ouvi vozes na sala de estar. Aqui as visitas chegavam de madrugada. Depois que fizemos o sinal da cruz e nos ajoelhamos em volta da mesa, alguém bateu na porta. Um homem de meia-idade com uma camiseta esfarrapada enfiou o rosto pela porta.

— *Omelora!* — disse o homem, no tom vigoroso que as pessoas usam quando chamam as outras por seus títulos. — Vou embora agora. Quero ver se compro algumas coisas de Natal para meus filhos em Oye Abagana.

Ele falava inglês com um sotaque igbo tão forte que até as palavras mais curtas vinham decoradas com vogais extras. Papa gostava que o povo de Abba se esforçasse para falar inglês perto dele. Dizia que mostrava que tinham bom senso.

— *Ogbunambala!* — disse Papa. — Esperem por mim, estou rezando com minha família. Quero dar algumas coisinhas para as suas crianças. Também quero que você compartilhe do meu chá e do meu pão.

— Ei! *Omelora!* Brigado, sinhô. Não bebi leite este ano todo.

O homem continuou na porta. Talvez achasse que, se fosse embora, o chá e o leite prometidos por Papa fossem desaparecer.

— *Ogbunambala!* Vá se sentar e espere por mim.

O homem se retirou. Papa leu trechos dos salmos antes de rezar o pai-nosso, a ave-maria, a glória ao pai e o credo dos após-tolos. Embora acompanhássemos Papa depois que ele dizia as primeiras palavras de cada oração, um silêncio externo nos en-volvia como uma mortalha. Mas o silêncio foi quebrado quando ele disse:

— Agora, vamos rezar para o Espírito Santo com nossas pró-prias palavras, pois ele intercederá por nós de acordo com Sua vontade.

Nossas vozes saíram altas, sem harmonia. Mama começou com uma prece pela paz e pelos governantes do nosso país. Jaja rezou pelos padres e pelos religiosos. Eu rezei pelo papa. Final-mente, Papa rezou por vinte minutos pedindo que fôssemos pro-tegidos das pessoas e das forças perversas, pedindo pela Nigéria e pelos homens ímpios que a governavam, e pedindo que conti-nuássemos a crescer na retidão. Finalmente, rezou pela conver-são de nosso Papa-Nnukwu, para que ele pudesse ser salvo do inferno. Papa passou algum tempo descrevendo o inferno, como se Deus não soubesse que as chamas eram eternas, intensas e terríveis. No final, erguemos nossas vozes e dissemos:

— Amém!

Papa fechou a Bíblia.

— Kambili e Jaja, hoje à tarde vocês irão à casa de seu avô visitá-lo. Kevin vai levá-los. Lembrem, não comam nada nem bebam nada. E, como sempre, vão ficar só quinze minutos. Quinze minutos.

— Sim, Papa.

Papa dizia isso todo Natal desde que tínhamos começado a visitar Papa-Nnukwu havia alguns anos. Papa-Nnukwu marcara uma reunião da *umunna*, a extensão da nossa família, para re-clamar com seus membros que ele não conhecia os netos e que nós não o conhecíamos. Fora o próprio Papa-Nnukwu quem nos contara isso, já que Papa não falava dessas coisas. Papa-Nnukwu contara à *umunna* que Papa se oferecera para construir uma casa, comprar um carro e contratar um chofer para ele, contanto que ele se convertesse e jogasse fora o *chi* e o altar de sapê que havia em seu quintal. Papa-Nnukwu rira e respondera que só queria ver seus netos quando pudesse. Ele não ia jogar fora o seu *chi*; já dissera isso a Papa muitas vezes. Os membros de nossa *umunna* ficaram do lado de Papa, como sempre, mas lhe pediram que nos deixasse visitar Papa-Nnukwu, cumprimentá-lo, pois todo homem velho o suficiente para ser chamado de avô merecia ser cumprimentado por seus netos. Papa jamais cumprimentava Papa-Nnukwu, jamais o visitava, mas mandava maços de nairas para ele por intermédio de Kevin ou de um dos membros da *umunna*. Maços mais finos do que aqueles que Kevin recebia de bônus de Natal.

— Não gosto de mandar vocês à casa de um pagão, mas Deus vai protegê-los — disse Papa.

Colocou a Bíblia numa gaveta e então puxou a Jaja e a mim para mais perto, acariciando gentilmente nossos braços.

— Sim, Papa.

Papa foi para a sala de estar. Ouvi mais vozes, mais gente entrando para dizer *"Nno nu"* e reclamar de como a vida era dura, de como não podiam nem comprar roupas novas para seus filhos naquele Natal.

— Você e Jaja podem tomar café da manhã lá em cima. Eu levo as coisas para vocês. Seu pai vai comer com os convidados — disse Mama.

— Deixe-me ajudá-la — pedi.

— Não, *nne*, suba. Fique com seu irmão.

Fiquei observando Mama ir até a cozinha, mancando. Seu cabelo trançado formava um coque que se afinava num cone com uma bolinha do tamanho de uma bola de golfe na ponta, como num chapéu de Papai Noel. Ela parecia cansada.

— Papa-Nnukwu mora aqui perto. Podemos andar até lá em cinco minutos, Kevin não precisa nos levar — disse Jaja enquanto subíamos as escadas.

Todo ano ele dizia isso, mas sempre entrávamos no carro para que Kevin nos levasse, para que ele pudesse nos vigiar.

Mais tarde naquela manhã, quando saímos de carro de nossa propriedade, eu me virei para permitir que meus olhos passassem, mais uma vez, pelas pilastras e muros brancos e cintilantes de nossa casa, pelo perfeito arco de água prateado que o chafariz fazia. Papa-Nnukwu jamais pisara ali, pois quando Papa decretara que não permitiria pagãos em sua propriedade, não abrira exceção nem para o próprio pai.

— Seu pai disse que é para vocês ficarem quinze minutos — disse Kevin ao estacionar na beira da estrada, perto da propriedade com muro de sapê de Papa-Nnukwu.

Fiquei olhando para a cicatriz no pescoço de Kevin antes de sair do carro. Há alguns anos, quando estava de férias, ele caíra de uma palmeira em sua cidade natal na região do Delta do Níger. A cicatriz ia do centro da cabeça até a nuca. Tinha a forma de uma adaga.

— Nós sabemos — disse Jaja.

Jaja abriu o portão de madeira de Papa-Nnukwu, que rangeu. O portão era tão estreito que Papa talvez tivesse de entrar na propriedade virado de lado, se algum dia fosse visitá-lo. A propriedade mal chegava a ter um quarto do tamanho de nosso quintal em Enugu. Duas cabras e algumas galinhas passeavam por ali, mordiscando e ciscando a grama seca. A casa que ficava no meio do terreno era pequena, compacta como um dado, e era difícil imaginar Papa e tia Ifeoma passando a infância aqui. Parecia as casas que eu costumava desenhar no jardim de infância: uma casa quadrada com uma porta quadrada no meio e duas janelas quadradas de cada lado. A única diferença era que a casa de Papa-Nnukwu tinha uma varanda, cercada de barras de metal enferrujadas. Na primeira vez que eu e Jaja visitamos Papa-Nnukwu, eu entrara na casa procurando o banheiro, e ele rira e apontara para a casinha do tamanho de um armário e feita de blocos de cimento sem pintura, com uma porta de folhas de palmeira entrelaçadas mal fechando a entrada. Naquele dia eu também examinara Papa-Nnukwu, desviando o olhar quando ele me encarava, procurando por um sinal que marcasse sua diferença, sua condição de pessoa ímpia. Não vi nenhum, mas estava certa de que eles deviam estar em algum lugar. Tinham de estar.

Papa-Nnukwu estava sentado num banquinho baixo na varanda, com tigelas cheias de comida sobre um tapete de ráfia à sua frente. Levantou-se quando chegamos. Seu corpo estava envolvido por uma canga amarrada atrás do pescoço, e por baixo usava uma camiseta regata que já fora branca, mas ficara marrom com o passar do tempo e amarelada nas axilas.

— *Neke! Neke! Neke!* Kambili e Jaja vieram visitar seu velho pai! — disse Papa-Nnukwu.

Embora ele esteja curvado na velhice, era fácil ver como fora alto. Papa-Nnukwu apertou a mão de Jaja e me abraçou. Pressionei meu corpo contra o dele por um instante a mais, gentilmente, prendendo a respiração por causa do cheiro forte e desagradável de mandioca que exalava dele.

— Venham comer — disse ele, indicando o tapete de ráfia.

As tigelas esmaltadas continham *fufu* seco e sopa rala sem nenhum pedaço de peixe ou carne. Era costume convidar, mas Papa-Nnukwu já esperava que recusássemos — seus olhos brilharam, marotos.

— Não, obrigado, senhor — respondemos.

Nós dois nos sentamos no banco de madeira ao lado dele. Eu me recostei e pousei a cabeça na persiana de madeira da janela, com suas aberturas paralelas indo de um lado a outro.

— Ouvi dizer que vocês chegaram ontem — disse Papa-Nnukwu.

O lábio inferior dele tremeu, assim como sua voz, e às vezes eu levava um ou dois segundos para compreender o que ele dizia, pois seu dialeto era muito antigo; suas palavras não tinham as inflexões anglicizadas das nossas.

— Foi — disse Jaja.

— Kambili, você está tão grande, parece uma *agbogho*. Logo, os pretendentes vão começar a aparecer — disse para me provocar.

Papa-Nnukwu estava perdendo a visão no olho esquerdo, que era coberto por uma película da cor e da consistência de leite diluído. Sorri e ele deu tapinhas em meu ombro; as manchas de idade que pontilhavam sua mão ficavam bem marcadas, por serem muito mais claras que sua pele, negra como a terra.

— Papa-Nnukwu, o senhor está bem? Como está seu corpo? — perguntou Jaja.

Papa-Nnukwu deu de ombros, como dizendo que muita coisa estava errada, mas que ele não tinha escolha.

— Estou bem, meu filho. O que um velho pode fazer, além de estar bem até se juntar a seus ancestrais?

Ele se calou e fez uma bola de *fufu* com os dedos. Fiquei observando-o, vendo o sorriso em seu rosto e a forma descansada como atirava a comida no quintal, onde plantas sedentas balançavam ao sabor da brisa leve. Papa-Nnukwu pedia que Ani, o deus da terra, comesse com ele.

— Minhas pernas doem sempre. Sua tia Ifeoma traz remédios para mim quando consegue juntar dinheiro. Mas eu sou um velho; quando não são minhas pernas que doem, são minhas mãos.

— Tia Ifeoma e os filhos dela vão vir para cá este ano? — perguntei.

Papa-Nnukwu coçou os tufos teimosos de cabelo branco que insistiam em se agarrar a sua careca.

— *Ehye*, estou esperando-os amanhã.

— Eles não vieram no ano passado — disse Jaja.

— Ifeoma não teve dinheiro — explicou Papa-Nnukwu, balançando a cabeça. — Desde que o pai dos filhos dela morreu, ela vem passando dificuldades. Mas vai trazê-los para cá este ano. Vocês vão vê-los. Não é certo que não conheçam bem seus primos. Não é certo.

Jaja e eu não dissemos nada. Não conhecíamos bem tia Ifeoma nem seus filhos porque ela e Papa haviam brigado por causa de Papa-Nnukwu. Mama nos contara. Tia Ifeoma cortara relações com Papa depois que ele proibira Papa-Nnukwu de entrar em sua casa, e alguns anos se passaram antes de eles voltarem a se falar.

— Se eu tivesse carne em minha sopa — disse Papa-Nnukwu —, eu a ofereceria a vocês.

— Não se preocupe, Papa-Nnukwu — disse Jaja.

Papa-Nnukwu engoliu sua comida bem devagar. Observei a comida deslizando por sua garganta, lutando para passar pelo pomo-de-adão, que ficou proeminente no pescoço, parecendo uma noz enrugada. Não havia nada para beber, nem mesmo água.

— Aquela criança que me ajuda, Chinyelu, vai chegar daqui a pouco. Vou mandá-la comprar refrigerantes para vocês na loja de Ichie — disse ele.

— Não, Papa-Nnukwu. Obrigado, senhor — disse Jaja.

— *Ezi okwu*? Sei que seu pai não deixa vocês comerem aqui porque eu ofereço minha comida aos nossos ancestrais, mas nem refrigerante? Por acaso eu não os compro na loja, como todo mundo?

— Papa-Nnukwu, nós comemos um pouco antes de vir para cá — disse Jaja. — Se sentirmos sede, beberemos algo em sua casa.

Papa-Nnukwu sorriu. Seus dentes eram amarelos e separados, pois ele já havia perdido muitos.

— Você falou bem, meu filho. É uma reencarnação de meu pai, Ogbuefi Olioke. Ele falava com sabedoria.

Olhei para o *fufu* na tigela pintada de esmalte verde-claro, descascada nas bordas. Imaginei o *fufu*, ressecado até virar farinha pelos ventos *harmattan*, arranhando o interior da garganta de Papa-Nnukwu quando ele o engolia. Jaja me cutucou. Eu não queria ir embora; queria ficar ali, pois assim, se o *fufu* ficasse preso na garganta de Papa-Nnukwu e o fizesse engasgar, eu poderia pegar um pouco de água para ele. Mas não sabia onde pegar água. Jaja me cutucou de novo, porém eu não conseguia me levantar. O banco me agarrava, me sugava. Vi um galo cinza entrar no altar no canto do quintal, onde o deus de Papa-Nnukwu estava, onde Papa disse que eu e Jaja jamais deveríamos ir. O altar era um abrigo baixo e aberto, com o teto e as paredes de barro cobertos por folhas secas de palmeira. Parecia a caverna artificial que havia atrás da St. Agnes e que era dedicada a Nossa Senhora de Lurdes.

— Deixe-nos ir, Papa-Nnukwu — disse Jaja finalmente, se levantando.

— Tudo bem, meu filho — concordou Papa-Nnukwu.

Ele não disse "Mas tão cedo?" ou "Minha casa está expulsando vocês?" Estava acostumado a nos ver partir poucos minutos depois de chegarmos. Quando Papa-Nnukwu nos acompanhou até o carro, equilibrando-se com a ajuda de sua bengala torta feita de um tronco de árvore, Kevin saiu, cumprimentou-o e deu-lhe um maço fino de dinheiro.

— Ah? Agradeça a Eugene por mim — disse Papa-Nnukwu sorrindo. — Agradeça a ele.

Ele acenou quando nos afastamos. Eu acenei de volta e mantive os olhos nele enquanto voltava para sua propriedade arrastando os pés. Papa-Nnukwu não parecia se importar que seu filho lhe mandasse uma quantidade insignificante e impessoal de dinheiro por intermédio de um motorista. Também não parecera se importar no Natal passado ou no Natal anterior a esse. Jamais demonstrara o que sentia. Era muito diferente da forma como Papa tratara meu avô materno até ele morrer cinco anos atrás. Quando chegávamos a Abba todo Natal, Papa passava na casa do Vovô na nossa *ikwu nne*, ou casa de solteira de nossa mãe, antes mesmo de irmos à nossa propriedade. Vovô tinha a pele muito clara, era quase albino, e diziam que esse fora um dos motivos pelos quais os missionários haviam gostado dele. Insistia em falar inglês, sempre, com um forte sotaque igbo. Sabia latim também, citando muitas vezes os artigos do Concílio Vaticano I, e passava a maior parte do tempo em St. Paul's, onde havia sido o primeiro catequista. Insistira para que o chamássemos de Vovô em vez de Papa-Nnukwu ou Nna-Ochie. Papa ainda falava muito dele, os olhos cheios de orgulho, como se Vovô fosse seu pai. Ele abriu os olhos antes da maioria do nosso povo, dizia Papa; foi um dos poucos que acolheram os missionários. Vocês sabem a rapidez com que ele aprendeu inglês? Quando se tornou um intérprete, sabem quantas pessoas ajudou a converter? Ora, ele converteu pessoalmente quase toda a população de Abba! Fazia as coisas do jeito certo, do jeito que os brancos fazem, não como nosso povo faz agora! Papa tinha uma foto do Vovô usando a roupa completa da Ordem de São João de Jerusalém pendurada numa parede de nossa casa em Enugu, com uma moldura de mogno escuro. Mas eu não precisava daquela foto para me lembrar do Vovô. Eu só tinha dez anos quando ele morreu, mas me lembrava de seus olhos albinos, quase verdes, e da forma como usava a palavra "pecador" em quase todas as frases.

— Papa-Nnukwu não parece tão saudável quanto no ano passado — sussurrei no ouvido de Jaja quando estávamos no carro, para que Kevin não escutasse.

— Ele já está velho — disse Jaja.

Quando chegamos em casa, Sisi levou nosso almoço para cima: arroz e tirinhas de carne refogadas em elegantes pratos castanho-amarelados. Eu e Jaja comemos sozinhos. A reunião do conselho da igreja começara e ouvimos os homens erguendo suas vozes para discutir, assim como ouvimos a cadência oscilante das vozes das mulheres no quintal. Eram as esposas da nossa *umunna* que passavam óleo nas panelas para deixá-las mais fáceis de lavar depois, trituravam especiarias em pilões de madeira e acendiam o fogo embaixo dos tripés.

— Você vai confessar? — perguntei a Jaja quando estávamos comendo.

— O quê?

— O que disse hoje, que se estivéssemos com sede beberíamos algo na casa de Papa-Nnukwu. Sabe que não podemos beber nada na casa dele.

— Só não queria que ele se sentisse mal.

— Ele não se sente mal.

— Ele esconde bem o que sente.

Papa abriu a porta e entrou. Eu não o ouvira subir as escadas e, além disso, não imaginava que fosse subir, pois a reunião do conselho da igreja ainda não havia terminado lá embaixo.

— Boa tarde, Papa — dissemos eu e Jaja.

— Kevin disse que vocês ficaram quase vinte e cinco minutos na casa do avô de vocês. Foi isso que eu mandei fazer? — perguntou Papa com a voz bem baixa.

— Eu perdi a hora, a culpa foi minha — disse Jaja.

— O que vocês fizeram lá? Comeram alimentos oferecidos aos ídolos? Profanaram suas línguas cristãs?

Fiquei paralisada; não sabia que línguas também podiam ser cristãs.

— Não — afirmou Jaja.

Papa estava andando na direção de Jaja. Falara a última frase toda em igbo. Achei que ia puxar as orelhas de Jaja, que ia segurá-las e sacudi-las com a mesma rapidez com que andava. Que ia dar uma bofetada no rosto de Jaja e que a palma de sua mão ia fazer aquele som, que era como o som de um livro pesado caindo de uma prateleira da biblioteca da escola. Depois ia me esbofetear também, com a tranquilidade de quem estica o braço para pegar o pimenteiro em cima da mesa. Mas ele disse:

— Quero que terminem de comer, vão para seus quartos e rezem por perdão.

Papa se virou e saiu. O silêncio que deixou foi pesado, mas confortável, como um casaco áspero e muito usado sendo colocado numa manhã gelada.

— Ainda tem arroz no seu prato — disse Jaja depois de algum tempo.

Assenti e peguei meu garfo. Então ouvi a voz alta de Papa bem ali na janela e pousei de novo o garfo no prato.

— O que ele está fazendo em minha casa? O que Anikwenwa está fazendo em minha casa?

O tom furioso de Papa deixou as pontas dos meus dedos geladas. Jaja e eu corremos até a janela e, como não conseguimos ver nada, corremos até a varanda e ficamos parados ao lado das pilastras.

Papa estava no jardim, ao lado de uma laranjeira, gritando com um velho enrugado que usava uma regata branca rasgada e uma canga amarrada na cintura. Havia outros homens ao redor de Papa.

— O que Anikwenwa está fazendo em minha casa? O que um adorador de ídolos está fazendo em minha casa? Saia da minha casa!

— Sabia que eu tenho a mesma idade do seu pai, *gbo*? — perguntou o velho, agitando no ar um dedo que queria estar na altura do rosto de Papa, mas só chegava até seu peito. — Sabia que eu mamei no peito de minha mãe enquanto seu pai mamava no peito da dele?

— Saia da minha casa! — gritou Papa, indicando o portão.

Dois homens acompanharam lentamente Anikwenwa até o lado de fora da propriedade. Ele não resistiu; estava velho demais, afinal de contas. Mas continuou a olhar para trás e a gritar com Papa.

— *Ifukwa gi!* — gritou. — Você é como uma mosca indo cegamente atrás de um corpo que vai ser enterrado!

Eu segui com o olhar o andar claudicante do velho até ele atravessar nossos portões.

Tia Ifeoma apareceu no dia seguinte, no final da tarde, quando as laranjeiras começavam a fazer longas sombras onduladas no chafariz do jardim. Sua risada flutuou até a sala de estar do segundo andar, onde eu estava sentada lendo. Eu não a ouvia fazia dois anos, mas teria reconhecido aquela risada gostosa em qualquer lugar. Tia Ifeoma era tão alta quanto Papa, com um corpo bem-proporcionado. Andava rápido, como alguém que sabia exatamente aonde ia e o que ia fazer lá. E falava da mesma maneira que andava, como se quisesse dizer o máximo de palavras no menor espaço de tempo possível.

— Seja bem-vinda, Tia, *nno* — disse eu, me levantando para abraçá-la.

Tia Ifeoma não me deu um abraço rápido, meio de lado, como era normal. Ela me envolveu nos braços e me apertou contra a maciez de seu corpo. A gola grande de seu vestido rodado azul tinha cheiro de alfazema.

— Kambili, *kedu?*

Um sorriso largo esticou a pele negra de seu rosto, revelando uma separação entre os dois dentes da frente.

— Estou bem, tia.

— Você está tão grande! Que linda, que linda — disse tia Ifeoma, apertando meu seio esquerdo. — Olhe como estes aqui estão crescendo depressa!

Desviei o olhar e respirei fundo, tentando não gaguejar. Não sabia como lidar com brincadeiras daquele tipo.

— Onde está Jaja? — perguntou ela.

— Está dormindo. Está com dor de cabeça.

— Dor de cabeça a três dias do Natal? Assim não dá. Vou acordá-lo e dar um jeito nessa dor de cabeça — disse tia Ifeoma rindo. — Chegamos aqui antes do meio-dia; saímos de Nsukka bem cedo e teríamos chegado antes se o carro não tivesse parado na estrada, mas como, graças a Deus, foi perto da Ninth Mile, então foi fácil encontrar um mecânico.

— Deus seja louvado — disse eu.

Ficamos em silêncio por um instante e eu perguntei:

— Como estão meus primos?

A educação me mandava fazer a pergunta; mesmo assim, era estranho pedir notícias de primos que eu mal conhecia.

— Eles já estão vindo. Estão com seu Papa-Nnukwu. Quando eu saí de lá, ele havia acabado de começar a contar uma de suas histórias. Você sabe como ele gosta de falar.

— Ah — disse eu.

Eu não sabia que Papa-Nnukwu gostava de falar. Nem mesmo sabia que ele contava histórias.

Mama chegou trazendo uma bandeja com uma pilha enorme de garrafas de refrigerante e cerveja sem álcool deitadas de lado. Sobre a pilha, havia um prato de *chin-chin*.

— *Nwunye m*, isso tudo é para quem? — perguntou tia Ifeoma.

— Para você e as crianças — disse Mama. — Você não falou que as crianças iam chegar logo, *okwia*?

— Você não devia ter se incomodado, de verdade. Compramos *okpa* no caminho e acabamos de comer.

— Então vou colocar o *chin-chin* numa sacola para você — disse Mama.

Ela se virou para sair da sala. Usava uma canga chique, com um estampado amarelo, e a blusa da mesma estampa tinha fitas amarelas costuradas nas mangas bufantes e curtas.

— *Nwunye m* — chamou tia Ifeoma, e Mama se virou de volta.

Na primeira vez que ouvi tia Ifeoma chamar Mama de "*nwunye m*", há anos, fiquei chocada, por ser uma mulher chamando a outra de "minha esposa". Quando comentei isso com Papa, ele me explicou que era o vestígio de uma tradição pagã, a ideia de que era a família toda, e não apenas o homem, que se casava. Mais tarde Mama sussurrara, apesar de estarmos sozinhas em meu quarto:

— Eu sou esposa dela também, pois sou esposa de seu pai. Isso mostra que ela me aceita.

— *Nwunye m*, venha se sentar. Você parece cansada. Você está bem? — perguntou tia Ifeoma.

Mama deu um sorriso forçado.

— Estou bem, muito bem. Estava ajudando as esposas de nossa *umunna* a cozinhar.

— Venha se sentar — repetiu tia Ifeoma. — Venha se sentar e descansar. As esposas de nossa *umunna* vão conseguir encontrar o sal sozinhas. Afinal, estão todas aqui para pegar coisas de você, embrulhar pedaços de carne em folhas de bananeira quando ninguém está vendo e levá-los para casa.

Tia Ifeoma riu. Mama se sentou ao meu lado.

— Eugene está encomendando cadeiras extras para colocarmos no quintal no dia de Natal. Tanta gente já passou aqui.

— Você sabe muito bem que o único trabalho que nosso

povo faz no Natal é ir de casa em casa — disse tia Ifeoma. — Mas você não pode passar o dia todo aqui, servindo-os. Devíamos levar as crianças a Abagana para o festival Aro amanhã, para ver os *mmuo*.

— Eugene não vai permitir que nossos filhos vejam um festival pagão — disse Mama.

— Festival pagão, *kwa*? Todo mundo vai ao Aro ver os *mmuo*.

— Eu sei, mas você conhece Eugene.

Tia Ifeoma balançou a cabeça devagar.

— Vou dizer a ele que vamos fazer um passeio de carro, pois é importante passarmos algum tempo juntos, principalmente as crianças.

Mama brincou com os próprios dedos e não disse nada por alguns instantes. Então perguntou:

— Quando você vai levar as crianças para a cidade natal do pai deles?

— Talvez eu leve hoje, embora neste momento esteja sem forças para enfrentar a família de Ifediora. Todo ano eles comem mais e mais merda. As pessoas da *umunna* dele disseram que ele deixou dinheiro em algum lugar e que eu o estou escondendo. No Natal passado, uma das mulheres da propriedade deles até disse que eu havia matado Ifediora. Fiquei com vontade de encher a boca dela de areia. Depois achei que seria melhor sentar com ela e explicar que a gente não mata um marido que ama, que não orquestra um acidente no qual um trailer bate no carro dele. Mas por que perder meu tempo? Eles são mais burros que galinhas-d'angola — disse tia Ifeoma soltando um sibilo alto. — Não sei se vou continuar levando meus filhos lá por muito mais tempo.

Mama fez um muxoxo de solidariedade.

— As pessoas nem sempre têm bom senso — disse ela. — Mas é bom para as crianças ir lá, principalmente para os meninos. Eles precisam conhecer a família do pai e os membros de sua *umunna*.

— Eu, sinceramente, não sei como Ifediora pode ter vindo de uma *umunna* como aquela.

Fiquei observando os lábios delas se moverem enquanto conversavam. Os de Mama eram pálidos se comparados aos de tia Ifeoma, que estavam cobertos por um batom bronze-brilhante.

— A *umunna* sempre diz coisas que magoam — disse Mama. — Nossa própria *umunna* não disse a Eugene que ele devia escolher outra esposa, pois um homem de sua estatura não pode ter só dois filhos? Se pessoas como você não tivessem ficado do meu lado naquela época...

— Pare, pare com essa gratidão. Se Eugene tivesse feito isso, a perda teria sido dele, não sua.

— Isso é o que você diz. Uma mulher com filhos e sem marido é o quê?

— Eu.

Mama balançou a cabeça.

— Lá vem você de novo, Ifeoma. Você sabe o que eu quis dizer. Como uma mulher pode viver assim? — perguntou Mama. Seus olhos estavam arregalados, ocupando mais espaço em seu rosto.

— *Nwunye m*, às vezes a vida começa quando o casamento acaba.

— Você e essa conversa de universidade. É isso que diz para suas alunas? — perguntou Mama, sorrindo.

— Juro que é. Mas elas vêm casando cada vez mais cedo. De que serve um diploma, dizem elas, se não é possível arrumar um emprego depois de se formar?

— Pelo menos alguém vai tomar conta delas quando se casarem.

— Não sei quem vai tomar conta de quem. Seis meninas

da minha turma de primeiro ano estão casadas. Os maridos vêm visitá-las de Mercedes e Lexus todo fim de semana, compram estéreos, livros e geladeiras para elas e, quando elas se formarem, eles é que vão ser os donos delas e de seus diplomas. Não entende?

Mama balançou a cabeça.

— Conversa de universidade de novo. Um marido coroa a vida de uma mulher, Ifeoma. É o que elas querem.

— É o que elas pensam que querem. Mas como posso culpá-las? Veja o que esse tirano militar está fazendo com nosso país — disse tia Ifeoma, fechando os olhos como as pessoas fazem quando querem lembrar de algo desagradável. — Não temos combustível em Nsukka há três meses. Na semana passada fiquei a noite toda no posto de gasolina esperando para abastecer. E, no fim, o combustível não chegou. Algumas pessoas deixaram os carros no posto, pois não tinham combustível suficiente para voltar para casa. Se você visse os mosquitos que me morderam naquela noite! os caroços na minha pele pareciam castanhas de caju.

— Ah! — exclamou Mama, balançando a cabeça em solidariedade. — Mas como estão as coisas em geral na universidade?

— Acabamos de desistir de mais uma greve, embora nenhum professor tenha sido pago nos últimos dois meses. Eles dizem que o governo federal não tem dinheiro — contou tia Ifeoma, dando uma risada triste. — *Ifukwa*, as pessoas estão saindo do país. Phillipa foi embora há dois meses. Lembra da minha amiga Phillipa?

— Não faz muitos anos ela veio com você para cá no Natal. Uma escura e gorduchinha?

— Isso. Ela agora está dando aulas nos Estados Unidos. Divide uma sala minúscula com outro professor adjunto, mas diz que pelo menos lá os professores recebem.

Tia Ifeoma se calou e esticou a mão para tirar alguma coisa que estava presa na blusa de Mama. Eu observava cada movimento dela sem conseguir desviar os olhos. Era por causa da coragem que ela transmitia, evidente em seus gestos enquanto falava, na maneira como sorria para mostrar o espaço entre os dentes.

— Tirei meu velho fogão a querosene do armário — continuou ela. — É ele que usamos agora; nem sentimos mais o cheiro de querosene na cozinha. Sabe quanto custa um cilindro de gás de cozinha? É um absurdo!

Mama se remexeu no sofá.

— Por que não diz isso a Eugene? Ele usa cilindros de gás na fábrica...

Tia Ifeoma riu e deu tapinhas carinhosos no ombro de Mama.

— *Nwunye m*, as coisas estão difíceis, mas ainda não estamos morrendo. Estou lhe dizendo todas essas coisas porque é com você que estou falando. Se fosse outra pessoa, ia esfregar vaselina na minha cara faminta até ela brilhar.

Papa entrou na sala naquele instante, a caminho de seu quarto. Tive certeza de que ele estava indo pegar mais maços de nairas para dar aos visitantes para o "igba krismas", ou Natal igbo, e depois dizer a eles "É um presente de Deus, não meu" quando começassem a entoar seus agradecimentos.

— Eugene — disse tia Ifeoma bem alto —, eu estava dizendo que Jaja e Kambili deviam passar algum tempo comigo e as crianças amanhã.

Papa soltou um grunhido e continuou andando até a porta.

— Eugene!

Toda vez que tia Ifeoma se dirigia a Papa, meu coração parava e depois começava a bater de novo, freneticamente. Era por causa daquele tom atrevido; ela não parecia reconhecer que aquele era Papa, que ele era diferente, especial. Tive vontade de apertar os lábios dela para fechá-los, e também para pegar um pouco de batom cor de bronze nos dedos.

— Para onde você quer levá-los? — perguntou Papa, que estancara ao lado da porta.

— Para dar uma volta, só isso.

— Um passeio? — perguntou Papa, falando inglês enquanto tia Ifeoma falava igbo.

— Eugene, deixe as crianças virem com a gente! — disse tia Ifeoma, parecendo irritada e erguendo um pouco a voz. — É ou não é Natal? Meus filhos e os seus passaram muito pouco tempo juntos. *Imakwa*, o meu caçula, Chima, nem sabe o nome de Kambili.

Papa olhou para mim e depois para Mama, escrutinou nossos rostos como se procurando letras embaixo de nossos narizes, acima de nossas testas, em nossos lábios, que soletrassem algo de que ele não ia gostar.

— Tudo bem — concordou ele. — Eles podem ir com você. Mas você sabe que eu não quero meus filhos perto de nada que não seja de Deus. Se passar pelos *mmuo*, deixe as janelas do carro fechadas.

— Já entendi, Eugene — disse tia Ifeoma com exagerada formalidade.

— Por que não almoçamos todos juntos no dia de Natal? — perguntou Papa. — Aí, as crianças podem se conhecer melhor.

— Você sabe que eu e meus filhos passamos o Natal com o Papa-Nnukwu deles.

— E por acaso adoradores de ídolos entendem de Natal?

— Eugene... — disse tia Ifeoma, dando um suspiro fundo. — Tudo bem, eu e as crianças passamos aqui no Natal.

Papa fora lá para baixo e eu ainda estava sentada no sofá observando tia Ifeoma conversar com Mama, quando meus primos chegaram. Amaka era uma cópia da mãe, só que adolescente e mais magra. Ela andava e falava com ainda mais rapidez e propósito do que tia Ifeoma. Só seus olhos eram diferentes; não tinham a ternura incondicional dos olhos de tia Ifeoma. Eram olhos interrogativos, que faziam muitas perguntas e não aceitavam muitas respostas. Obiora era um ano mais novo que ela e tinha a pele bem clara, olhos cor de mel cobertos por óculos de lentes grossas e uma boca cujos cantos eram virados para cima, num eterno sorriso. Chima tinha a pele escura como o fundo de uma panela de arroz queimado, e era alto para um menino de sete anos. A risada dos três era igual: gutural e gostosa, dada com entusiasmo.

Eles cumprimentaram Papa e, quando este lhes deu dinheiro para o igba krismas, Amaka e Obiora agradeceram, estendendo os dois maços grossos de notas. Havia uma surpresa educada em seus olhos, para mostrar que não eram presunçosos, que não haviam esperado aquele dinheiro.

— Vocês têm antena parabólica aqui, não tem? — Amaka me perguntou.

Foi a primeira coisa que ela disse depois que nos cumprimentamos. Seu cabelo era curto, alto na frente e gradualmente ia ficando menor e formando um arco até chegar à nuca, onde não havia quase fio nenhum.

— Temos.

— Podemos assistir a CNN?

Dei uma tosse forçada; torci para não gaguejar.

— Quem sabe amanhã — continuou Amaka —, pois acho que agora vamos visitar a família do meu pai em Ukpo.

— A gente não vê muita televisão.

— Por quê? — perguntou Amaka.

Era muito estranho que nós duas tivéssemos a mesma idade, quinze anos. Ela parecia bem mais velha, ou talvez fosse sua enorme semelhança com tia Ifeoma, ou o jeito como me olhava direto nos olhos.

— Porque vocês já estão entediados com a televisão? — insistiu ela. — Seria bom se todo mundo tivesse parabólica, pois aí todo mundo ia poder ficar entediado com ela.

Eu quis dizer que sentia muito, que não queria que ela não gostasse de nós porque não víamos televisão. Quis lhe contar que, embora antenas parabólicas imensas estivessem espetadas no alto da nossa casa de Enugu e da nossa casa ali, não víamos TV. Papa não incluía um tempo para ver TV em nossos horários.

Mas Amaka se virou para a mãe, que estava inclinada para a frente, conversando com Mama.

— Mãe, se formos mesmo a Ukpo, é melhor sairmos agora para podermos voltar antes que Papa-Nnukwu vá dormir.

Tia Ifeoma se levantou.

— É verdade, *nne*, é melhor irmos.

Ela segurou a mão de Chima enquanto eles desciam as escadas. Amaka apontou para nossa pilastra toda trabalhada e disse alguma coisa, fazendo Obiora rir. Ela não se virou para se despedir de mim, embora os meninos tenham feito isso e tia Ifeoma tenha acenado e dito:

— Vejo você e Jaja amanhã.

Tia Ifeoma entrou com seu carro em nossa propriedade assim que acabamos de tomar o café da manhã. Quando ela irrompeu na sala do segundo andar, imaginei uma orgulhosa ancestral andando quilômetros para pegar água em potes de barro feitos em casa, cuidando das crianças até que elas soubessem andar e falar, lutando em guerras com machadinhas afiadas em pedras quentes de sol. Ela enchia o cômodo todo.

— Vocês estão prontos, Jaja e Kambili? — perguntou. — *Nwunye m*, você não vem com a gente?

Mama balançou a cabeça.

— Você sabe que Eugene gosta que eu fique por aqui.

— Kambili, acho que você vai ficar mais confortável de calça — disse tia Ifeoma enquanto caminhávamos até o carro.

— Estou bem, tia.

Eu me perguntei por que não contei a ela que todas as minhas saias iam até bem abaixo dos joelhos e que eu não possuía nenhuma calça porque era pecado mulher usar calça.

Sua caminhonete Peugeot 504 era branca e os para-lamas tinham adquirido uma desagradável cor marrom por causa da ferrugem. Amaka estava sentada na frente; Obiora e Chima no banco de trás. Jaja e eu sentamos no banco do meio. Mama ficou olhando até o carro desaparecer de vista. Eu soube disso porque senti seus olhos, sua presença. O carro fazia um barulho de chocalho, como se alguns parafusos houvessem se soltado dentro dele e sacudissem a cada subida e descida da rua acidentada. Havia buracos retangulares no lugar onde deveria estar o ar-condicionado no painel, por isso as janelas ficavam abertas. A poeira entrou na minha boca, nos meus olhos e no meu nariz.

— Estamos indo pegar Papa-Nnukwu, ele vai com a gente — disse tia Ifeoma.

Senti um frio na barriga e olhei para Jaja. Ele me encarou. O que íamos dizer a Papa? Jaja desviou o olhar; ele não tinha uma resposta.

Antes mesmo de tia Ifeoma desligar o motor na frente da casa com muro de terra e sapê, Amaka já abrira a porta e saíra correndo do carro.

— Eu vou chamar Papa-Nnukwu! — exclamou ela.

Os meninos saíram do carro também e passaram pelo pequeno portão de madeira atrás de Amaka.

— Vocês não querem sair? — perguntou tia Ifeoma, voltando-se para Jaja e para mim.

Desviei o olhar. Jaja estava tão paralisado quanto eu.

— Não querem entrar na casa do seu Papa-Nnukwu? Mas vocês não vieram falar com ele há dois dias? — insistiu ela, arregalando os olhos para nós.

— Não temos permissão para vir aqui de novo — explicou Jaja.

— Que bobagem é essa? — perguntou tia Ifeoma, mas logo mudou de tom, talvez lembrando que não éramos nós que fazíamos as regras. — Por que vocês acham que seu pai não quer que venham aqui?

— Não sei — disse Jaja.

Chupei minha língua para tentar revivê-la, sentindo a aspereza da poeira.

— Porque Papa-Nnukwu é um pagão.

Papa ficaria orgulhoso se soubesse que eu tinha dito isso.

— Seu Papa-Nnukwu não é um pagão, Kambili, é um tradicionalista — disse tia Ifeoma.

Olhei atônita para ela. Pagão, tradicionalista, o que importava? Ele não era católico e pronto; não era da nossa fé. Era uma dessas pessoas por cuja conversão nós rezávamos, para que elas não acabassem no tormento eterno dos fogos do inferno.

Ficamos os três em silêncio até que o portão foi aberto e Amaka saiu, andando bem perto de Papa-Nnukwu para poder apoiá-lo caso ele precisasse. Os meninos vinham logo atrás. Papa-Nnukwu usava uma camisa estampada frouxa e short cáqui que iam até o joelho. Eu jamais o vira usando outra coisa além das cangas esfarrapadas que vestia quando vínhamos visitá-lo.

— Fui eu que comprei esse short para ele — disse tia Ifeoma, rindo. — Estão vendo como ele parece jovem? Quem ia acreditar que tem oitenta anos?

Amaka ajudou Papa-Nnukwu a sentar no banco da frente e depois foi para o do meio com a gente.

— Papa-Nnukwu, boa tarde, senhor — dissemos eu e Jaja.

— Kambili, Jaja, estou vendo vocês pela segunda vez antes de voltarem para a cidade grande? *Ehye*, isso é sinal de que logo vou encontrar meus ancestrais.

— *Nna anyi*, não está cansado de prever a própria morte? — perguntou tia Ifeoma, ligando o motor. — Conte alguma novidade!

Ela o chamava de *"nna anyi"*, nosso pai. Eu me perguntei se Papa costumava chamá-lo assim e como Papa o chamaria se eles se falassem.

— Ele gosta de falar que vai morrer logo — disse Amaka em inglês, caçoando. — Acha que assim nós vamos fazer o que ele pede.

— Morrer logo! Ele ainda vai estar aqui quando tivermos a idade dele — disse Obiora, também em inglês, também de brincadeira.

— O que essas crianças estão dizendo, *gbo*, Ifeoma? — perguntou Papa-Nnukwu. — Estão conspirando para ver como vão dividir meu ouro e minhas terras? Não podem esperar eu morrer primeiro?

— Se você tivesse ouro e terras, nós já o teríamos matado com nossas próprias mãos há muito tempo — afirmou tia Ifeoma.

Meus primos riram, e Amaka olhou para Jaja e para mim, talvez achando estranho não rirmos também. Eu quis sorrir, mas estávamos passando na frente de casa bem naquele momento, e a visão dos enormes portões negros e dos muros brancos paralisou meus lábios.

— Isso é o que dizemos para o Grande Deus, *Chukwu* — disse Papa-Nnukwu. — Me dê riquezas e um filho, mas se eu tiver de escolher um ou outro, me dê o filho, pois, quando meu filho crescer, minhas riquezas também crescerão.

Papa-Nnukwu se virou para olhar nossa casa e disse:

— *Nekenem*, olhe só para mim. Meu filho é dono de uma

casa onde cabem todos os homens de Abba, mas muitas vezes eu não tenho nada para colocar no prato. Não devia tê-lo deixado ir atrás daqueles missionários.

— *Nna anyi* — disse tia Ifeoma. — Não foram os missionários. Eu também estudei na escola deles, não estudei?

— Mas você é mulher. Você não conta.

— Então eu não conto? Eugene já perguntou sobre a dor na sua perna? Já que eu não conto, vou parar de perguntar se você acordou bem de manhã.

Papa-Nnukwu deu uma risadinha.

— Então meu espírito vai assombrar você quando eu me unir aos ancestrais.

— Acho bom assombrar Eugene primeiro.

— Estou brincando com você, *nwa m*. Onde eu estaria hoje se meu *chi* não houvesse me dado uma filha? — disse Papa-Nnukwu, fazendo silêncio por um instante. — Meu espírito vai interceder em seu favor, para que *Chukwu* mande um bom homem para tomar conta de você e das crianças.

— Seu espírito que peça a *Chukwu* para acelerar minha promoção a professora sênior, é só isso que eu quero — disse tia Ifeoma.

Papa-Nnukwu não respondeu nada durante alguns minutos, e me perguntei se a música animada que vinha do rádio, o chacoalhar dos parafusos soltos e o calor do *harmattan* o haviam feito adormecer.

— Ainda assim, eu digo que foram os missionários que perderam meu filho — disse ele, causando-me um sobressalto.

— Já ouvimos isso muitas vezes. Conte outra história — disse tia Ifeoma.

Mas Papa-Nnukwu continuou a falar como se não tivesse escutado.

— Lembro do primeiro que apareceu em Abba, o que chamavam de Padi John. O rosto dele era vermelho como dendê; dizem que nosso tipo de sol não brilha na terra dos brancos. Ele tinha um ajudante, um homem de Nimo chamado Jude. À tarde, eles reuniam as crianças debaixo da árvore de *ukwa* que há na missão e ensinavam sua religião a elas. Eu não me juntava a eles, *kpa*, mas às vezes ia ver o que estavam fazendo. Um dia, perguntei: "Onde fica esse deus que vocês adoram?". Eles disseram que o deus deles era como *Chukwu*, que ele morava no céu. E eu perguntei: "Quem é essa pessoa que foi morta, essa que fica pendurada na madeira do lado de fora da missão?". Eles disseram que era o filho, mas que o filho e o pai eram iguais. Foi então que eu tive certeza de que o branco era louco. O filho e o pai iguais? *Tufia!* Você não vê? É por isso que Eugene não me respeita, porque pensa que somos iguais.

Meus primos riram. Tia Ifeoma também, mas logo ela parou e disse a Papa-Nnukwu:

— Já chega, agora feche a boca e descanse. Estamos quase chegando, e você vai precisar de energia para falar dos *mmuo* para as crianças.

— Papa-Nnukwu, o senhor está confortável? — perguntou Amaka, inclinando-se na direção do banco da frente. — Quer que eu ajuste a distância do banco, para ter mais espaço?

— Não, está bem assim. Sou um velho agora, e minha altura se foi. Eu não teria cabido neste carro quando estava no auge. Naqueles dias, eu só precisava levantar o braço para colher *ichekus*; não precisava subir na árvore.

— É claro — disse tia Ifeoma, rindo mais uma vez. — E também conseguia tocar o céu, não conseguia?

Ela ria com tanta facilidade, com tanta frequência. Todos eles riam, até o pequeno Chima.

Quando chegamos a Ezi Icheke, havia tantos carros na estrada que os para-choques quase encostavam um no outro. A multidão em volta dos veículos era tão densa que não havia espaço entre uma pessoa e outra, e elas se misturavam, com cangas virando camisetas, calças virando saias, vestidos virando blusas. Por fim, tia Ifeoma encontrou uma vaga e estacionou a caminhonete. Os *mmuo* haviam começado a passar, e muitas vezes uma longa fila de carros esperava que um deles desaparecesse antes de seguir em frente. Havia vendedores ambulantes em cada esquina, carregando caixas de vidro com *akara*, *suya* e coxas de galinha assadas, bandejas repletas de laranjas descascadas e isopores do tamanho de banheiras cheios de sorvete de banana Walls. Era como se um quadro de cores vibrantes houvesse ganhado vida. Eu jamais fora ver os *mmuo*, jamais ficara sentada num carro estacionado ao lado de milhares de pessoas, todas ali para assistir à mesma coisa. Uma vez Papa passara de carro conosco por Ezi Icheke, há alguns anos, e ele murmurara alguma coisa sobre pessoas ignorantes vestindo máscaras e participando de rituais pagãos. Disse que as histórias sobre os *mmuo*, de que eles eram espíritos que haviam surgido de formigueiros, que podiam fazer cadeiras saírem correndo e manter a água em cestas abertas, tudo isso era folclore demoníaco. Folclore Demoníaco. Da maneira como Papa falara, tinha parecido perigoso.

— Vejam só isso — disse Papa-Nnukwu. — Esse é um espírito feminino, e as *mmuo* femininas são inofensivas. Elas nem chegam perto dos maiores no festival.

A *mmuo* para quem ele apontara era pequena; seu rosto de madeira trabalhada tinha feições angulares e bonitas, e lábios vermelhos. Ela parava muitas vezes para dançar, sacudindo-se para lá e para cá, de forma que o colar de contas em torno de sua cintura chacoalhasse e balançasse. A multidão ali perto deu vivas e algumas pessoas jogaram dinheiro para a *mmuo*. Menininhos — os seguidores da *mmuo*, que estavam tocando música com *ogenes* de metal e *ichakas* de madeira — apanharam as notas amassadas do chão. Eles mal haviam passado por nós quando Papa-Nnukwu gritou:

— Olhem para o outro lado! Mulheres não podem ver esse aí!

O *mmuo* que descia a rua estava rodeado por alguns homens velhos que vinham tocando um sino estridente pelo caminho. Sua máscara era um crânio humano realista com uma expressão assustadora e buracos no lugar dos olhos. Havia uma tartaruga amarrada à sua testa, e ela esperneava. Uma cobra e três galinhas mortas estavam penduradas em seu corpo coberto de grama, balançando ao sabor dos passos do *mmuo*. A multidão na beira da estrada se afastou depressa, com medo. Algumas mulheres saíram correndo para os quintais mais próximos.

Tia Ifeoma fez cara de quem achava graça, mas virou o rosto mesmo assim.

— Não olhem, meninas. Não vamos contrariar seu avô — disse em inglês.

Amaka já desviara o olhar. Eu a imitei e olhei para as pessoas ali fora, pressionadas contra o carro. Era pecado obedecer a um costume pagão. Mas pelo menos eu vira o *mmuo* por um breve instante, então talvez não estivesse tecnicamente obedecendo ao costume pagão.

— Esse é o nosso *agwonatumbe* — disse Papa-Nnukwu com orgulho depois que o *mmuo* passou. — É o *mmuo* mais poderoso dessa região, e todas as cidades em volta têm medo de Abba por causa dele. No festival Aro do ano passado, o *agwonatumbe* ergueu um cajado, e todos os outros *mmuo* saíram correndo! Nem esperaram para ver o que ia acontecer!

— Olhem!

Obiora apontou para outro *mmuo* que vinha em nossa direção. Parecia haver apenas o lençol branco flutuando, esquálido, mais alto que os enormes abacateiros de nosso pomar em Enugu. Papa-Nnukwu soltou um grunhido quando o *mmuo* passou.

Dava um arrepio vê-lo, e pensei em cadeiras saindo correndo, as quatro pernas batendo umas nas outras, em água numa cesta aberta, em formas humanas emergindo de formigueiros.

— Como eles fazem isso, Papa-Nnukwu? Como as pessoas entram nessa fantasia? — perguntou Jaja.

— Psiu! Eles são *mmuo*, são espíritos! Você está falando como uma mulher! — disse Papa-Nnukwu, irritado, voltando-se para lançar um olhar furioso a Jaja.

Tia Ifeoma riu e falou em inglês.

— Jaja, é proibido dizer que tem gente lá dentro. Você não sabia?

— Não.

Ela observava Jaja com atenção.

— Você não fez a *ima mmuo*, fez? Obiora fez há dois anos, na cidade natal do pai dele.

— Não, não fiz — murmurou Jaja.

Olhei para Jaja e me perguntei se a sombra em seus olhos era vergonha. Subitamente eu quis, pelo seu bem, que houvesse feito a *ima mmuo*, a iniciação ao mundo dos espíritos. Eu não sabia muito sobre ela; na verdade, as mulheres não deveriam saber nada sobre a *ima mmuo*, pois ela era o primeiro passo da iniciação que levava um menino a se tornar um homem. Mas Jaja certa vez me contara que ouvira dizer que os meninos eram açoitados e obrigados a se banhar na frente de uma multidão que ficava caçoando deles. A única vez que Papa mencionara a *ima mmuo* fora para dizer que os cristãos que deixavam seus filhos fazerem-na estavam confusos e iam acabar no fogo do inferno.

Nós fomos embora de Ezi Icheke logo depois. Tia Ifeoma deixou um sonolento Papa-Nnukwu em casa primeiro; seu olho bom estava semicerrado, enquanto o olho quase cego permaneceu aberto, com a película que o cobria parecendo mais espessa, da cor de leite concentrado. Quando tia Ifeoma parou o carro em nosso jardim, ela perguntou às crianças se queriam entrar na casa, e Amaka disse que não com uma veemência que parecia exigir que seus irmãos respondessem o mesmo. Tia Ifeoma nos levou até lá dentro, acenou para Papa, que estava no meio de uma reunião, e abraçou-nos com aquele seu abraço apertado antes de ir embora.

Naquela noite, sonhei que estava rindo, mas a risada não soava como minha, embora eu não soubesse bem qual era o som da minha risada. Era uma risada alta, profunda e entusiasmada, como a de tia Ifeoma.

Papa nos levou de carro à missa de Natal na igreja St. Paul's. Tia Ifeoma e os filhos estavam entrando na caminhonete deles quando chegamos ao amplo pátio da igreja. Esperaram Papa estacionar a Mercedes e vieram nos cumprimentar. Tia Ifeoma explicou que tinham assistido à primeira missa e que nos veriam na hora do almoço. Ela parecia mais alta e ainda mais destemida com uma canga vermelha e sapatos de salto alto. Amaka usava o mesmo batom vermelho-vivo da mãe; ele fez seus dentes parecer mais brancos quando ela sorriu e disse: "Feliz Natal".

Embora eu tentasse me concentrar na missa, não conseguia parar de pensar no batom de Amaka, me perguntando como seria espalhar cor nos meus lábios. Foi ainda mais difícil prestar atenção na missa porque o padre, que falou igbo o tempo todo, não falou dos evangelhos durante o sermão. Em vez disso, falou de zinco e de cimento.

— Vocês acham que eu comi o dinheiro que era para o zinco, *okwia?* — gritou ele, gesticulando e apontando para a congregação com ar acusatório. — Afinal, quantos de vocês dão dinheiro para esta igreja, *gbo*? Como podemos construir a casa se vocês não doam? Acham que zinco e cimento custam só dez *kobo*?

Papa quis que o padre falasse de outra coisa, do nascimento na manjedoura, dos magos e da estrela-guia; eu soube disso só de ver como ele segurava com força o seu missal e se remexia a toda hora no banco. Estávamos no primeiro banco da igreja. Uma assistente com uma medalha da Virgem Maria pregada em seu vestido de algodão branco se apressara em nos levar até aquele lugar, dizendo a Papa num sussurro alto e urgente que os bancos da frente estavam reservados para as pessoas importantes; Chefe Umeadi, o único homem de Abba que tinha uma casa maior que a nossa, estava à nossa esquerda e Sua Alteza Real, o Igwe, estava à nossa direita. O Igwe veio apertar a mão de Papa durante os cumprimentos que trocávamos no meio da missa e disse:

— *Nno nu*, passarei aqui mais tarde para podermos conversar direito.

Depois da missa, fomos com Papa a uma festa beneficente no salão ao lado da igreja e que era usado com diversos propósitos. A arrecadação era para a casa nova do padre. Uma assistente com um lenço apertado amarrado na testa distribuiu panfletos com fotos da casa velha do padre, onde setas mal desenhadas apontavam para os locais em que havia goteiras no teto e em que os cupins haviam comido os umbrais das portas. Papa preencheu um cheque e entregou-o à assistente, dizendo que não queria fazer um discurso. Quando o mestre de cerimônias anunciou o valor do cheque, o padre se levantou e começou a dançar, balançando o traseiro de um lado para o outro, e a multidão se levantou também e deu vivas tão alto que o barulho pareceu o trovão do final da estação de chuvas.

— Vamos — disse Papa, quando o mestre de cerimônias finalmente foi anunciar outra doação.

Ele caminhou na nossa frente até a porta do salão, sorrindo

e acenando para as muitas mãos que se estendiam para agarrar sua túnica branca, como se tocá-lo fosse curá-los de uma doença.

Quando chegamos em casa, todos os sofás e poltronas da sala de estar estavam cheios; havia até gente sentada nas mesas de canto. Os homens e as mulheres todos se levantaram quando Papa chegou, e os gritos melodiosos de *"Omelora!"* ecoaram. Papa passou por todos apertando mãos, dando abraços e dizendo "Feliz Natal" e "Deus o abençoe". Alguém deixara aberta a porta que dava para o quintal dos fundos, e a fumaça azul-acinzentada da lenha queimando encheu a sala de estar, tornando indistintas as feições dos visitantes. Ouvi as esposas da *umunna* conversando no quintal, pegando sopa e guisado das imensas panelas que estavam no fogo e colocando em tigelas que seriam levadas para servir as pessoas.

— Venham cumprimentar as esposas de nossa *umunna* — disse Mama para Jaja e eu.

Fomos com ela até o quintal. As mulheres bateram palmas e soltaram exclamações quando Jaja e eu dissemos *"Nno nu"*, isto é, sejam bem-vindos.

Elas todas se pareciam, com suas blusas pequenas ou grandes demais, cangas esfarrapadas e lenço em volta da cabeça. Todas tinham o mesmo sorriso largo, os mesmos dentes cor de giz. A mesma pele ressecada de sol, com a cor e a textura das cascas de amendoim.

— *Nekene*, veja o menino que vai herdar as riquezas do pai! — disse uma mulher, exclamando ainda mais alto que as outras, com a boca formando um túnel estreito.

— Se não tivéssemos o mesmo sangue nas veias, eu lhe venderia minha filha — disse uma delas a Jaja, agachada ao lado do fogo para colocar mais lenha sob o tripé.

As outras riram.

— A menina já está uma *agbogho*! Em pouco tempo um jovem forte vai nos oferecer vinho de palma! — disse outra.

Sua canga suja não estava bem amarrada, e uma ponta arrastava na poeira conforme ela caminhava, carregando uma bandeja com uma pilha de tirinhas refogadas de carne.

— Vão lá para cima se trocar — disse Mama, pondo uma das mãos em meu ombro e a outra no de Jaja. — Sua tia e seus primos vão chegar daqui a pouco.

No segundo andar, Sisi pusera oito lugares na mesa de jantar, com pratos largos cor de caramelo e guardanapos combinando, passados a ferro até formar perfeitos triângulos. Tia Ifeoma e os filhos chegaram quando eu ainda estava tirando minha roupa de igreja. Ouvi a gargalhada dela ecoando e deixando rastros no ar durante algum tempo. Só quando cheguei à sala de estar me dei conta de que aquele outro som era da risada dos meus primos, refletindo a de sua mãe. Mama, que ainda vestia a canga rosa cheia de lantejoulas que usara para ir à igreja, estava sentada ao lado de tia Ifeoma num sofá. Jaja conversava com Amaka e Obiora ao lado da estante. Fui para perto deles, respirando fundo para não gaguejar.

— Isso é um estéreo, não é? Por que não colocam alguma coisa para tocar? Ou por acaso estão cansados do som também? — perguntou Amaka, com seus olhos plácidos indo rapidamente de Jaja para mim.

— Sim, é um estéreo — respondeu Jaja.

Ele não disse que nós nunca o usávamos, nunca nem pensávamos nisso, que a única coisa que escutávamos era o noticiário no rádio de Papa durante a hora da família. Amaka puxou a gaveta onde ficavam os LPs. Obiora também foi olhar.

— Não é à toa que vocês não usam o estéreo, tudo que tem aqui dentro é muito chato! — disse ela.

— Não são tão chatos — disse Obiora, examinando os LPs.

Ele tinha o hábito de empurrar seus óculos de lentes grossas para cima do nariz. Depois de algum tempo, Obiora escolheu um disco e o pôs para tocar, o de um coral irlandês cantando "Adestes Fideles". Ele parecia fascinado com o som e, enquanto a música tocava, ficou observando-o como se pudesse compreender os segredos de suas entranhas de cromo só fazendo isso.

Chima apareceu e disse:

— Mamãe, o banheiro aqui é lindo. Tem espelhos enormes e cremes em garrafas de vidro.

— Espero que você não tenha quebrado nada — disse tia Ifeoma.

— Não quebrei — garantiu Chima. — Podemos ligar a televisão?

— Não — disse tia Ifeoma. — Seu tio Eugene está subindo para nós almoçarmos.

Sisi entrou na sala, cheirando a comida e especiarias, para dizer a Mama que o Igwe chegara e que Papa queria que todos descêssemos para cumprimentá-lo. Mama se levantou, apertou o nó de sua canga e esperou tia Ifeoma ir primeiro.

— Achei que o Igwe só ficava em seu palácio e recebia visitas. Não sabia que ele ia até a casa dos outros — disse Amaka quando estávamos descendo as escadas. — Deve ser porque seu pai é um Homem-Grande.

Fiquei chateada por ela ter dito "seu pai" em vez de "tio Eugene". Ela nem olhou para mim ao dizer isso. Olhei para ela e me senti como alguém vendo preciosos grãos de areia dourada escapar pelos dedos sem poder fazer nada.

O palácio do Igwe ficava a alguns minutos de nossa casa. Uma vez, fazia vários anos, havíamos lhe feito uma visita. Mas depois nunca mais fomos lá, porque Papa disse que, embora o Igwe houvesse se convertido, ele ainda deixava que seus parentes pagãos fizessem sacrifícios em seu palácio. Naquela ocasião Mama cumprimentara o Igwe da forma tradicional, como as mulheres devem fazer, abaixando-se e oferecendo-lhe as costas para que ele desse tapinhas nela com seu leque feito da cauda macia e amarela de um animal. Quando chegamos em casa naquela noite, Papa dissera a Mama que o que ela tinha feito era pecado. Ninguém devia se prostrar diante de outro ser humano. Era uma tradição pagã, prostrar-se diante de um Igwe. Por isso, alguns dias depois, quando fomos ver o bispo em Awka, eu não me ajoelhei para beijar o anel dele. Queria deixar Papa orgulhoso. Mas Papa puxara minha orelha no carro, dizendo que eu não possuía o espírito do discernimento; o bispo era um homem de Deus; já o Igwe era apenas um governante tradicional.

— Boa tarde, senhor, *nno* — disse eu ao Igwe quando chegamos lá embaixo.

Os pelos que saíam de suas enormes narinas tremeram quando ele sorriu e disse:

— Nossa filha, *kedu?*

Uma das saletas havia sido esvaziada só para ele, sua esposa e quatro assistentes, um dos quais o abanava com um leque dourado, embora o ar-condicionado estivesse ligado. Outro assistente abanava sua esposa, uma mulher de pele amarela com inúmeros colares em volta do pescoço, colares de ouro, de contas e de corais. O lenço em torno de sua cabeça se abria na frente largo como uma folha de bananeira e tão alto que imaginei que quem se sentasse atrás dela na igreja precisaria ficar de pé para ver o altar.

Vi tia Ifeoma colocar um dos joelhos no chão e dizer "Igwe!" na voz elevada de quem saúda respeitosamente alguém. Vi o Igwe dar-lhe tapinhas nas costas. As lantejoulas douradas que cobriam sua túnica brilhavam à luz do sol da tarde. Amaka prostrou-se diante dele. Mama, Jaja e Obiora apertaram sua mão, pegando-a com ambas as suas em sinal de respeito. Fiquei perto da porta mais um tempo, para ter certeza de que Papa ia ver que eu não me aproximara o suficiente do Igwe para me prostrar diante dele.

Quando voltamos lá para cima, Mama e tia Ifeoma entraram no quarto de Mama. Chima e Obiora se deitaram no tapete e começaram a brincar com o baralho de *whot*[*] que Obiora havia achado em seu bolso. Amaka pediu para ver um livro que Jaja lhe dissera haver trazido, e os dois foram para o quarto de Jaja. Fiquei sentada no sofá, observando meus primos jogar. Não entendi o jogo e nem por que um deles gritava "Burro!" de tempos em tempos e os dois começavam a rir. O LP parara de tocar. Eu me levantei e fui até a porta do quarto de Mama. Queria entrar lá e ficar com Mama e com tia Ifeoma, mas fiquei parada, escutando. Mama estava sussurrando; mal consegui discernir as palavras "há muitos cilindros de gás cheios sem uso na fábrica". Ela tentava persuadir tia Ifeoma a pedir que Papa lhe desse alguns.

Tia Ifeoma também sussurrava, mas dava para escutar direitinho tudo o que ela dizia. Seu sussurro era como ela — alto, exuberante, destemido, maior que o mundo.

— Você esqueceu que Eugene se ofereceu para me comprar um carro antes até de Ifediora morrer? Mas ele queria que entrássemos para a Ordem de São João. Queria que mandássemos Amaka para um colégio de freira. Queria até que eu parasse de usar maquiagem! Eu quero um carro novo, *nwunye m*, quero voltar a usar meu fogão a gás, quero um freezer novo e quero dinheiro para não precisar desfazer a bainha das calças de Chima sempre que ele cresce. Mas não vou pedir que meu irmão se incline para eu puxar o saco dele e poder ganhar essas coisas.

— Ifeoma, se você... — disse Mama, mas sua voz baixinha tornou-se inaudível de novo.

— Sabe por que Eugene não se dava bem com Ifediora? — disse tia Ifeoma num sussurro ainda mais furioso e mais alto. — Por que Ifediora disse na cara dele o que achava. Ifediora não

[*] Jogo de baralho parecido com mau-mau. (N. T.)

tinha medo de falar a verdade. Mas você sabe que Eugene briga com as verdades das quais ele não gosta. Nosso pai está morrendo, ouviu bem? Morrendo. Ele é um homem velho, quanto tempo ainda tem de vida, *gbo*? Mas Eugene não o deixa entrar nesta casa, se recusa até a falar com ele. *O joka*! Eugene tem de parar de fazer o trabalho de Deus. Deus é grande o suficiente para fazer seu próprio trabalho. Se Deus for julgar nosso pai por escolher o caminho de nossos ancestrais, então Ele que faça o julgamento, não Eugene.

Ouvi a palavra *umunna*. Tia Ifeoma deu sua risada profunda antes de replicar:

— Você sabe que os membros de nossa *umunna*, como todas as pessoas de Abba, só dirão a Eugene aquilo que ele quer ouvir. Por acaso nosso povo é burro? Quem é que morde a mão que o alimenta?

Talvez por o corredor ser tão grande, não ouvi Amaka sair do quarto de Jaja e vir na minha direção, até ela dizer tão perto de mim que senti sua respiração em meu pescoço:

— O que você está fazendo?

Dei um pulo de susto.

— Nada.

Ela me olhava de um jeito estranho, bem nos olhos.

— Seu pai subiu para almoçar — disse Amaka após alguns segundos de silêncio.

Papa nos observou sentar à mesa e depois começou a rezar. Sua prece foi um pouco mais longa do que o normal, durou mais de vinte minutos, e quando ele finalmente disse "Jesus Cristo, Nosso Senhor, Amém", tia Ifeoma ergueu a voz, para que seu "Amém" ficasse mais alto que todos os outros.

— Você queria que o arroz esfriasse, Eugene? — murmurou ela.

Papa continuou desdobrando seu guardanapo, como se não tivesse ouvido nada.

O som de garfos batendo nos pratos e de colheres batendo em travessas preencheu a sala de jantar. Sisi fechara as cortinas e acendera o candelabro, embora ainda fosse de tarde. A luz amarela fazia os olhos de Obiora parecer de um dourado mais profundo, como mel extradoce. O ar-condicionado estava ligado, mas eu sentia calor.

Amaka colocou quase tudo em seu prato — arroz *jollof*, *fufu*, dois tipos diferentes de sopa, galinha frita, carne refogada, salada e creme — como alguém que só fosse ter oportunidade de comer de novo dali a algum tempo. Pedaços de alface pendiam de seu prato sobre a mesa.

— Vocês sempre comem arroz com garfo, faca e guardanapos? — perguntou ela, voltando-se para me olhar.

Eu assenti, sem tirar os olhos do meu arroz *jollof*. Queria que Amaka falasse mais baixo. Não estava acostumada com esse tipo de conversa durante as refeições.

— Eugene, você precisa deixar que as crianças nos visitem em Nsukka — disse tia Ifeoma. — Não temos uma mansão, mas pelo menos eles podem conhecer melhor os primos.

— As crianças não gostam de ficar longe de casa — disse Papa.

— Só porque nunca ficaram longe de casa. Tenho certeza de que vão gostar de ver Nsukka. Não vão, Jaja e Kambili?

Murmurei alguma coisa com o rosto virado para o prato e em seguida comecei a tossir como se palavras reais e sensatas poderiam ter saído de minha boca não fosse aquele acesso.

— Se Papa deixar — disse Jaja.

Papa sorriu para Jaja, e eu quis ter dito aquilo.

— Quem sabe nas próximas férias — disse Papa com firmeza, esperando que tia Ifeoma desistisse do assunto.

— Eugene, *biko*, deixe as crianças virem passar uma semana conosco. Elas só vão voltar para a escola no final de janeiro. Mande seu motorista levá-las até Nsukka.

— Vamos ver, *ngwanu* — disse Papa, falando igbo pela primeira vez e franzindo rapidamente o cenho, de forma que suas sobrancelhas quase se uniram.

— Ifeoma estava dizendo que eles acabaram de desistir de uma greve — disse Mama.

— As coisas estão melhorando em Nsukka? — perguntou Papa, voltando ao inglês. — A universidade atualmente tem vivido da glória do passado.

Tia Ifeoma estreitou os olhos.

— Você por acaso já pegou o telefone e me ligou para fazer essa pergunta, hein, Eugene? Será que suas mãos vão secar se você pegar o telefone e ligar para a sua irmã, *gbo*?

As palavras em igbo que ela disse tinham um ritmo zombeteiro, mas a seriedade de seu tom de voz me deixou com um nó na garganta.

— Eu liguei para você, Ifeoma.

— Há quanto tempo? Me diga... há quanto tempo?

Tia Ifeoma pousou o garfo sobre o prato. Ela permaneceu imóvel por um longo e tenso instante, tão imóvel quanto Papa, quanto todos nós. Por fim, Mama limpou a garganta e perguntou a Papa se a garrafa de suco estava vazia.

— Sim — disse Papa. — Peça que a menina traga mais garrafas.

Mama se levantou para ir chamar Sisi. As longas garrafas que Sisi trouxe pareciam conter um líquido elegante, por causa da forma como afinavam na ponta, como uma mulher esguia e bem-feita. Papa serviu a nós todos e fez um brinde:

— Ao espírito do Natal e à glória de Deus.

Nós repetimos em coro. A frase de Obiora ergueu-se no fim e ficou parecendo uma pergunta: "à glória de Deus?".

— E a nós e ao espírito da família — acrescentou tia Ifeoma antes de beber.

— Sua fábrica é que faz este suco, tio Eugene? — perguntou Amaka, estreitando os olhos para ver melhor o que estava escrito nas garrafas.

— Sim — respondeu Papa.

— É um pouco doce demais. Seria mais gostoso se vocês colocassem menos açúcar.

Amaka falou no tom de voz educado e que normalmente se usava para conversar com uma pessoa mais velha. Não consegui perceber se Papa assentiu ou se sua cabeça simplesmente se moveu por causa da mastigação. Outro nó se formou em minha garganta e não consegui engolir o arroz. Esbarrei no copo quando fui pegá-lo, e o suco cor de sangue se espalhou devagar pela toalha branca da mesa. Mama rapidamente colocou um guardanapo na mancha e, quando o ergueu, sujo do suco vermelho, me lembrei de seu sangue pingando na escada.

— O senhor já ouviu falar de Aokpe, tio Eugene? — perguntou Amaka. — É uma cidadezinha minúscula em Benue. A Virgem está aparecendo lá.

Eu ficava atônita de ver Amaka fazendo aquilo, abrindo a boca e deixando as palavras jorrar com tanta facilidade. Papa demorou-se algum tempo mastigando e engolindo antes de dizer:

— Sim, já ouvi falar.

— Estou planejando fazer uma peregrinação até lá com as crianças — disse tia Ifeoma. — Talvez Kambili e Jaja possam ir com a gente.

Amaka ergueu a cabeça depressa, surpresa. Começou a dizer alguma coisa, mas em seguida se calou.

— Bem, a Igreja ainda não comprovou a autenticidade das aparições — disse Papa, olhando pensativamente para seu prato.

— Você sabe muito bem que nós vamos estar todos mortos antes de a Igreja ter uma posição oficial sobre Aokpe — disse tia Ifeoma. — Mesmo que a Igreja diga que as aparições não são autênticas, o que importa é *por que* nós vamos lá, e nós vamos por causa da nossa fé.

Para minha surpresa, Papa pareceu satisfeito com o que tia Ifeoma disse. Ele assentiu lentamente.

— Quando estão pensando em ir? — perguntou.

— Em janeiro, antes de as crianças voltarem às aulas.

— Tudo bem. Eu ligo para você quando voltarmos a Enugu para combinar de Kambili e Jaja passarem um ou dois dias na sua casa.

— Uma semana, Eugene, eles vão ficar uma semana. Não tem nenhum monstro que come cabeça de gente na minha casa!

Tia Ifeoma riu e seus filhos imitaram os sons guturais de sua gargalhada, os dentes brilhando como a parte de dentro de um coco. Só Amaka não riu.

O dia seguinte foi um domingo. Não parecia domingo, talvez porque já tivéssemos ido à igreja no Natal. Mama entrou no meu quarto e me sacudiu de leve, me abraçou e eu senti o cheiro de seu desodorante de menta.

— Dormiu bem? Vamos à primeira missa hoje, porque seu pai tem uma reunião logo depois. *Kunie*, vá logo para o banheiro, já passa das sete.

Bocejei e me sentei. Havia uma mancha vermelha em minha cama, larga como um caderno aberto.

— Sua menstruação — disse Mama. — Trouxe absorvente?

— Trouxe.

Mal deixei a água molhar meu corpo e já saí do chuveiro para não me atrasar. Escolhi um vestido azul e branco e amarrei um lenço azul em volta da cabeça. Dei dois nós na nuca e enfiei as pontas das minhas trancinhas embaixo dele. Uma vez, Papa me abraçou orgulhoso e beijou minha testa, porque o padre Benedict lhe dissera que meu cabelo estava sempre coberto do jeito certo para a missa, que eu não era como as outras meninas da igreja que deixavam o cabelo à mostra, como se não soubessem que expor o cabelo na igreja era pecado.

Jaja e Mama já estavam prontos, esperando na sala de estar do segundo andar, quando eu saí do quarto. As cólicas dilaceravam minha barriga. Imaginei uma pessoa dentuça mordendo as paredes do meu estômago e depois soltando, num movimento ritmado.

— Você tem Panadol, Mama?

— Está com cólica, *abia*?

— Estou. E meu estômago está vazio também.

Mama olhou para o relógio de parede, presente de uma instituição de caridade para a qual Papa fizera uma doação. Era um relógio oval com o nome de Papa escrito com letras douradas. Eram 7h37. O jejum da Eucaristia exige que os fiéis não comam nada sólido uma hora antes da missa. Nunca quebrávamos o jejum da Eucaristia; a mesa do café já estava posta, com xícaras e tigelas de cereal colocadas lado a lado, mas só comeríamos quando voltássemos para casa.

— Coma alguns flocos de milho, rápido — disse Mama, quase sussurrando. — Vai precisar colocar alguma coisa no estômago para segurar o Panadol.

Jaja pegou a caixa de papelão que havia em cima da mesa, colocou um pouco de cereal numa tigela, juntou leite em pó e açúcar usando uma colher de chá e acrescentou água. A tigela de vidro era transparente e eu vi as bolhas que o leite fez ao se misturar com a água pelo fundo dela.

— Papa está recebendo algumas visitas, nós vamos escutar quando ele subir — disse ele.

Comecei a engolir o cereal, de pé mesmo. Mama me deu as cápsulas de Panadol, ainda envoltas em papel laminado, que fez ruído ao ser rasgado. Jaja não colocara muito cereal na tigela, e eu já estava quase terminando de comer quando a porta se abriu e Papa entrou na sala.

A camisa branca de Papa, com suas pregas perfeitas, não ajudava muito a disfarçar o monte de pele que era sua barriga. Quando ele viu a tigela em minha mão, baixei os olhos, observei os poucos flocos moles flutuando em meio às bolhas de leite e me perguntei como Papa conseguira subir a escada tão silenciosamente.

— O que você está fazendo, Kambili?

Engoli em seco.

— Eu... eu...

— Está comendo dez minutos antes da missa? Dez minutos?

— Ela ficou menstruada e está com cólica... — explicou Mama.

Jaja a interrompeu.

— Fui eu que mandei Kambili comer antes de tomar Panadol, Papa. Eu preparei o cereal para ela.

— Será que o demônio pediu para você fazer o trabalho dele? — disse Papa, com as palavras em igbo saindo de sua boca numa torrente. — Será que o demônio armou uma tenda dentro da minha casa?

Ele se virou para Mama.

— Você ficou aí, vendo Kambili profanar o jejum da Eucaristia, *maka nnidi*?

Papa tirou o cinto devagar. Era um cinto pesado feito de camadas de couro marrom com uma fivela discreta coberta do mesmo material. Ele bateu em Jaja primeiro, no ombro. Mama ergueu as mãos e recebeu um golpe na parte superior do braço, que estava coberta pela manga bufante de lantejoulas da blusa que ela usava para ir à igreja. Larguei a tigela sobre a mesa um segundo antes de o cinto me atingir nas costas. Às vezes eu observava os nômades fulânis, com suas túnicas brancas batendo contras as pernas por causa do vento, fazendo barulhos com a língua enquanto conduziam suas vacas pelas ruas de Enugu usando um chicote, que estalavam de forma rápida e precisa. Papa pareceu um nômade fulani — embora não tivesse o corpo alto e esquálido deles — estalando seu cinto em cima de Mama, de Jaja e de mim, murmurando que o demônio não ia vencer. Não demos mais que dois passos para escapar do cinto de couro que cortava o ar.

Então o cinto parou e Papa olhou para o couro em sua mão. Ele franziu o rosto; suas pálpebras desceram.

— Por que vocês se deixam enredar pelo pecado? — perguntou Papa. — Por que gostam do pecado?

Mama pegou o cinto da mão dele e colocou-o na mesa.

Papa apertou a Jaja e a mim contra seu corpo.

— O cinto machucou vocês? Abriu a pele de vocês? — perguntou, examinando nossos rostos.

Senti minhas costas latejando, mas disse que não, que não estava machucada. Foi por causa do jeito com que Papa balançava a cabeça quando falava de alguém que gostava do pecado, como se um peso lhe puxasse para baixo, um peso do qual não conseguia se livrar.

Fomos à segunda missa. Mas antes todos nós, incluindo Papa, trocamos de roupa e lavamos o rosto.

Partimos de Abba logo depois do ano-novo. As esposas da *umunna* levaram as sobras de comida, até o arroz e o feijão que Mama disse já estarem estragados, e se ajoelharam na terra do quintal para agradecer a Papa e Mama. O empregado que ficava no portão acenou balançando as duas mãos acima da cabeça enquanto nos afastávamos. Alguns dias antes ele tinha dito a mim e a Jaja que seu nome era Haruna, e em seu inglês com sotaque hausa que trocava o P e o F de lugar, disse que nosso fai era o melhor Homem-Grande que ele já tinha visto, o melhor fatrão que já tivera. Nós sabíamos que nosso fai fagava a mensalidade da escola dos pilhos dele? Sabíamos que nosso fai tinha ajudado sua esposa a conseguir o emfrego de mensageira no escritório do governo local? Nós tínhamos sorte de ter um fai assim.

Papa começou o rosário quando chegamos à via expressa. Menos de meia hora depois, deparamos com uma blitz; um engarrafamento havia se formado e policiais, em número muito maior do que o normal, brandiam suas armas e desviavam os carros. Só quando estávamos no meio do engarrafamento vimos os carros envolvidos no acidente. Um deles parara na blitz e o outro batera em sua traseira. O segundo carro ficara tão esmagado que estava da metade do tamanho original. Havia o cadáver ensanguentado de um homem de calça jeans na beira da estrada.

— Que sua alma descanse em paz — disse Papa, fazendo o sinal da cruz.

— Não olhem — disse Mama, virando-se para nós.

Mas Jaja e eu já estávamos olhando o corpo. Papa começou a falar sobre os policiais, sobre como eles faziam a blitz no meio das árvores, mesmo que fosse perigoso para os motoristas, pois assim podiam usar a vegetação para esconder o dinheiro que extorquiam dos viajantes. Mas não escutei direito o que Papa disse; fiquei pensando no homem de calça jeans, o morto. Perguntei-me para onde estaria indo e o que planejava fazer lá.

Papa telefonou para tia Ifeoma dois dias depois. Talvez, se não tivéssemos ido nos confessar naquele dia, ele não tivesse ligado. E talvez jamais tivéssemos ido a Nsukka, e tudo teria ficado igual.

Era a Epifania do Senhor, um dia santo, e por isso Papa não foi trabalhar. Fomos à missa matinal e, embora não costumássemos visitar o padre Benedict em dias santos, fomos à casa dele depois. Papa queria que o padre Benedict ouvisse nossa confissão. Não nos confessamos em Abba porque Papa não gostava de se confessar em igbo e, além disso, Papa dissera que o padre de Abba não era suficientemente espiritual. Esse era o problema com nosso povo, explicara Papa: nossas prioridades estavam erradas; nos importávamos demais com igrejas enormes e estátuas imponentes. Um homem branco jamais faria isso.

Quando chegamos à casa do padre Benedict, Mama, Jaja e eu ficamos sentados na sala de estar, lendo os jornais e as revistas que estavam espalhados, como se estivessem à venda, na mesa baixa parecida com um caixão, enquanto Papa conversava com o padre Benedict na sala de estudos adjacente. Papa saiu da sala e pediu que nos preparássemos para a confissão; ele iria primeiro. Papa fechou a porta com firmeza, mas escutei sua voz, suas palavras fluindo uma para dentro da outra num murmurar infinito, como o do motor de um carro sendo acelerado. Mama entrou depois, deixando a porta entreaberta, mas não consegui ouvir o que ela dizia. Jaja foi quem menos demorou. Quando ele saiu, ainda fazendo o sinal da cruz como se estivesse morrendo de pressa para ir embora, perguntei com os olhos se ele tinha se lembrado de confessar a mentira que contara a Papa-Nnukwu. Jaja assentiu. Entrei na sala, onde mal cabiam uma mesa e duas cadeiras, e empurrei a porta para ter certeza de que estava bem fechada.

— Perdoai-me, meu pai, porque pequei — disse, sentando bem na pontinha da cadeira.

Desejei estar num confessionário, pela sensação de segurança proporcionada pelo cubículo de madeira e pela cortina verde que separava o padre do penitente. Desejei poder me ajoelhar, e depois quis esconder o rosto com uma das pastas que estavam em cima da mesa do padre Benedict. Confissões face a face me levavam a pensar que o Dia do Juízo Final chegara mais cedo, faziam eu me sentir despreparada.

— E então, Kambili — disse o padre Benedict.

Ele estava bastante empertigado em sua cadeira, alisando a estola roxa que tinha nos ombros.

— Já faz três semanas que me confessei — disse eu.

Eu olhava fixamente para a parede logo abaixo da foto emoldurada do papa, cuja parte inferior estava assinada.

— Estes são os meus pecados: menti duas vezes. Quebrei o jejum da Eucaristia uma vez. Perdi a concentração durante o rosário três vezes. Por tudo o que disse e por tudo o que esqueci de dizer, peço o perdão de suas mãos e das mãos de Deus.

O padre Benedict se remexeu na cadeira.

— Continue. Você sabe que é um pecado contra o Espírito Santo omitir algo de propósito durante a confissão.

— Sim, senhor.

— Continue, então.

Desviei o olhar da parede e o encarei. Seus olhos tinham o mesmo tom de verde de uma cobra que eu vira certa vez deslizando pelo jardim perto dos hibiscos. O jardineiro dissera que não era uma cobra venenosa.

— Kambili, você precisa confessar todos os seus pecados.

— Sim, senhor. Eu confessei.

— É errado esconder coisas do Senhor. Eu lhe darei um minuto para pensar.

Assenti e olhei de novo para a parede. Será que eu fizera alguma coisa que o padre Benedict sabia e eu não? Será que Papa contara alguma coisa a ele?

— Passei mais de quinze minutos na casa do meu avô — disse finalmente. — Ele é pagão.

— Você comeu algum alimento sacrificado aos ídolos?

— Não, senhor.

— Participou de algum ritual pagão?

— Não, senhor — disse eu, fazendo uma pausa para refletir. — Mas fomos olhar as *mmuo*. Pessoas usando máscaras.

— Você gostou?

Olhei para a foto na parede e me perguntei se aquela assinatura era mesmo do papa.

— Gostei, senhor.

— Você precisa entender que é errado gostar de rituais pagãos, pois isso é desobedecer ao primeiro mandamento. Rituais pagãos são superstições falsas, e são a porta de entrada do inferno. Entendeu?

— Sim, senhor.

— Como penitência, reze dez pai-nossos, seis ave-marias e um credo dos apóstolos. E você precisa fazer um esforço consciente para converter todos aqueles que se divertem com costumes pagãos.

— Sim, senhor.

— Muito bem, reze o ato de contrição.

Enquanto eu rezava o ato de contrição, o padre Benedict murmurava bênçãos e fazia o sinal da cruz.

Papa e Mama ainda estavam sentados no sofá, com a cabeça baixa, quando saí da sala. Sentei ao lado de Jaja, abaixei a cabeça também e comecei a pagar minha penitência.

Na volta, Papa falou alto, mais alto que a "ave-maria" que estávamos ouvindo:

— Eu estou limpo agora, nós todos estamos. Se Deus nos chamar neste instante, vamos direto para o céu. Direto para o céu. Não vamos precisar ser purificados no purgatório.

Ele sorria, olhos brilhando, batucando com delicadeza no volante. E ainda estava sorrindo quando ligou para tia Ifeoma logo depois de chegarmos em casa, antes de tomar seu chá.

— Conversei com o padre Benedict e ele disse que as crianças podem fazer uma peregrinação até Aokpe, mas você precisa deixar claro que as aparições não foram comprovadas pela igreja.

Pausa.

— Meu motorista, Kevin, vai levá-las até aí.

Pausa.

— Amanhã é cedo demais. Depois de amanhã.

Longa pausa.

— Tudo bem, tudo bem. Deus abençoe você e as crianças. Tchau.

Papa desligou o telefone e voltou-se para nós.

— Vocês vão amanhã, por isso subam e arrumem as malas. Coloquem roupas para cinco dias.

— Sim, Papa — dissemos eu e Jaja ao mesmo tempo.

— Talvez, *anam asi* — disse Mama —, eles não devam visitar a casa de Ifeoma de mãos vazias.

Papa olhou para ela, parecendo surpreso com a fala dela.

— Vamos colocar um pouco de comida no carro, é claro, inhames e arroz — disse ele.

— Ifeoma mencionou que estava difícil encontrar cilindros de gás em Nsukka.

— Cilindros de gás?

— Isso, gás de cozinha. Ela disse que está usando seu velho fogão a querosene. Lembra daquela matéria sobre querosene adulterada que estava fazendo os fogões explodir e matar gente? Achei que talvez você pudesse mandar um ou dois cilindros de gás da fábrica para ela.

— Foi isso que você e Ifeoma combinaram?

— *Kpa*, eu só estava dando uma sugestão. Você é que decide.

Papa examinou o rosto de Mama durante algum tempo.

— Tudo bem — disse, virando-se de novo para Jaja e para

mim. — Vão arrumar suas malas. Podem usar vinte minutos de sua hora de estudo.

Subimos devagar a escada curva. Eu me perguntei se Jaja estava sentindo a parte de baixo do estômago dele se revirar como eu sentia. Aquela ia ser a primeira vez na vida que íamos dormir fora de casa sem Papa.

— Você quer ir para Nsukka? — perguntei quando chegamos lá em cima.

— Quero — disse ele.

Os olhos de Jaja disseram que ele sabia que eu também queria ir. Não consegui encontrar as palavras em nossa língua dos olhos para explicar que sentia um nó na garganta só de pensar em ficar cinco dias sem ouvir a voz de Papa ou seus passos na escada.

Na manhã seguinte, Kevin trouxe dois cilindros de gás da fábrica de Papa e colocou-os no porta-malas do Volvo junto com sacos de arroz, sacos de feijão, alguns inhames, cachos de bananas-da-terra verdes e abacaxis. Jaja e eu ficamos ao lado dos hibiscos, esperando. O jardineiro podava as buganvílias, domando as flores que despontavam desafiadoramente em seu topo nivelado. Ele usara o ancinho para juntar as folhas mortas e as flores cor-de-rosa que haviam caído das plumérias, e as organizara em montes que estavam prontos para ser levados dali no carrinho de mão.

— Estes são os horários de vocês para a semana que vão passar em Nsukka — disse Papa.

O pedaço de papel que me entregou era parecido com o horário que estava pregado acima da minha escrivaninha, exceto por haver duas horas de "tempo com os primos" todos os dias.

— Só não precisam seguir o horário no dia em que forem a Aokpe com sua tia — disse Papa.

Ele abraçou primeiro Jaja e depois a mim, e suas mãos estavam tremendo.

— Nunca passei mais de um dia longe de vocês — disse.

Eu não soube o que responder, mas Jaja assentiu e afirmou:

— Vemos você daqui a uma semana.

— Kevin, dirija com cuidado. Entendeu? — disse Papa quando estávamos entrando no carro.

— Sim, senhor.

— Encha o tanque na volta, em Ninth Mile, e não esqueça de me trazer o recibo.

— Sim, senhor.

Papa pediu que saíssemos do carro. Ele nos abraçou de novo, alisou nossa nuca, e nos pediu que não esquecêssemos de rezar todas as quinze dezenas do rosário durante a viagem. Mama nos abraçou mais uma vez antes de voltarmos a entrar no carro.

— Papa ainda está acenando — disse Jaja quando Kevin estava prestes a pegar a estrada e olhava pelo retrovisor.

— Ele está chorando — disse eu.

— O jardineiro também está acenando — disse Jaja.

Eu me perguntei se ele não havia me ouvido mesmo ou se apenas estava fingindo. Peguei o rosário do bolso, beijei o crucifixo e comecei a rezar.

Fiquei olhando pela janela durante a viagem, contando as carcaças enegrecidas de carros abandonadas na beira da estrada, alguns largados ali há tanto tempo que estavam cobertos de ferrugem avermelhada. Fiquei pensando nas pessoas que estavam lá dentro, me perguntando como elas haviam se sentido logo antes do acidente, antes do vidro quebrado, do metal esmagado e das chamas lambendo tudo. Não me concentrei em nenhum dos Mistérios Gloriosos, e sei que Jaja também não, pois várias vezes ele se esqueceu de começar uma dezena do rosário quando chegou a sua vez. Depois de mais ou menos quarenta minutos, vi uma placa na estrada que dizia "Universidade da Nigéria, Nsukka", e perguntei a Kevin se já estávamos chegando.

— Não — respondeu ele. — Ainda vai demorar mais um pouco.

Perto da cidade de Opi — as placas cobertas de pó que havia na frente da igreja e na frente da escola diziam "Opi" —, passamos por uma blitz. Pneus velhos e pedaços de madeira com pregos estavam espalhados pela estrada, deixando apenas um espaço estreito. Um policial fez sinal para que parássemos quando nos aproximamos. Kevin gemeu. Ele desacelerou, enfiou a mão no porta-luvas, tirou uma nota de dez nairas e atirou-a pela janela, na direção do policial. O homem fez uma continência de brincadeira, sorriu e indicou que nós podíamos seguir em frente. Kevin não teria feito isso se Papa estivesse no carro. Quando a polícia ou os soldados paravam Papa numa blitz, ele passava um tempão mostrando todos os seus documentos e deixando que fizessem buscas no carro — qualquer coisa, menos subornar. Não podemos ser parte daquilo contra o qual lutamos, dizia sempre.

— Estamos entrando em Nsukka — disse Kevin alguns minutos depois.

Estávamos passando pelo mercado. As lojas do acostamento, com suas poucas prateleiras de mercadorias, ameaçavam cair sobre a estrada estreita, já repleta de carros parados em fila dupla, ambulantes com bandejas equilibradas sobre a cabeça, motoqueiros, meninos empurrando carrinhos de mão cheios de inhames, mulheres segurando cestos e mendigos observando tudo de seus tapetes e acenando. Kevin foi dirigindo bem devagar; os buracos surgiam subitamente no meio da estrada, e ele acompanhava o movimento ziguezagueante do carro à nossa frente. Quando chegamos a um ponto logo depois do mercado em que a estrada ficava menos larga ainda, carcomida pela erosão em ambos os lados, Kevin parou para deixar os outros carros ultrapassarem.

— Estamos na universidade — disse.

Um grande arco se erguia sobre nós com as palavras "Universidade da Nigéria, Nsukka" escritas em metal negro. Os portões que ficavam abaixo do arco estavam escancarados, guardados por seguranças em uniformes marrom-escuros e boinas da mesma cor. Kevin parou e abriu as janelas.

— Boa tarde. Por favor, como faço para ir para a avenida Marguerite Cartwright? — perguntou.

O segurança mais próximo a nós, que tinha a pele do rosto enrugada como um vestido amassado, perguntou:

— Tudo bem com vocês?

Depois, informou que a avenida Marguerite Cartwright ficava bem perto; bastava seguir reto, virar à direita no primeiro cruzamento e à esquerda logo depois. Kevin agradeceu e fomos em frente. Um gramado cor de espinafre se estendia à margem da estrada. Eu me virei para observar a estátua que ficava no meio dele, de um leão negro de pé sobre as patas traseiras, com a cauda curvada para cima e o peito estufado. Só percebi que Jaja também estava olhando para ela quando ele leu em voz alta as palavras escritas no pedestal:

— Para restaurar a dignidade do homem. É o lema da universidade — acrescentou, como se eu não fosse conseguir deduzir aquilo sozinha.

A avenida Marguerite Cartwright era ladeada por gmelinas altas. Imaginei as árvores vergando durante uma tempestade da estação de chuvas, inclinando-se para tocarem umas às outras e transformando a avenida num túnel escuro. As casas de dois andares com entradas para carro cobertas de cascalho e placas que diziam "Cuidado com o cão" no jardim logo foram substituídas por bangalôs com entradas para carro grandes o suficiente para receberem dois automóveis, e depois por blocos de prédios com espaços largos na frente em vez de entradas para carros. Kevin foi dirigindo devagar, murmurando o número do prédio de tia Ifeoma como se isso fosse nos ajudar a encontrá-lo mais rápido. O prédio, que ficava no quarto bloco pelo qual passamos, era alto e sem graça, com a pintura azul descascando e antenas de televisão espetadas nas varandas. Havia três apartamentos de cada lado, e o de tia Ifeoma ficava no térreo, do lado esquerdo. Na frente dele, havia um círculo de cores vibrantes — um jardim — com uma cerca de arame farpado em volta. Rosas, hibiscos, lírios, ixoras e crótons cresciam lado a lado como numa guirlanda pintada à mão. Tia Ifeoma saiu do apartamento de short e limpando as mãos na camiseta. A pele de seus joelhos era muito escura.

— Jaja! Kambili!

Ela mal esperou sairmos do carro e veio nos abraçar, apertando-nos um contra o outro para que nós dois coubéssemos em seus braços.

— Boa tarde, dona — disse Kevin, dando a volta para abrir o porta-malas.

— Ah! Ah! Eugene pensa que estamos passando fome? Até um saco de arroz?

Kevin sorriu.

— *Oga* disse que era um presente, dona.

— Ei! — exclamou tia Ifeoma olhando lá dentro. — Cilindros de gás? Ah, *nwunye m* não devia ter se incomodado tanto.

Então ela fez uma dancinha, movendo os braços como se estivesse remando, jogando uma perna e depois a outra para a frente e pisando duro no chão. Kevin esfregou as mãos, satisfeito, como se a grande surpresa houvesse sido orquestrada por ele. Tirou um dos cilindros do porta-malas e Jaja ajudou-o a carregá-lo para dentro do apartamento.

— Seus primos já vão voltar, eles foram desejar um feliz aniversário ao padre Amadi; ele é nosso amigo e trabalha na nossa paróquia. Eu estava cozinhando, até matei uma galinha para vocês dois!

Tia Ifeoma riu e me puxou para perto de si. Ela cheirava a noz-moscada.

— Onde podemos colocar isso, dona? — perguntou Kevin.

— Deixe tudo na varanda. Amaka e Obiora guardam depois.

Tia Ifeoma ainda estava abraçada comigo quando entramos na sala de estar. A primeira coisa que notei foi como o teto era baixo. Achei que poderia tocá-lo se esticasse o braço; era tão diferente da minha casa, onde o pé-direito alto deixava nossos cômodos mais arejados e imponentes. O cheiro pungente de querosene se misturava ao aroma de curry e noz-moscada vindo da cozinha.

— Vou ver se meu arroz *jollof* está queimando! — disse tia Ifeoma, correndo para a cozinha.

Sentei no sofá marrom. As costuras das almofadas estavam aos farrapos, quase abrindo. Aquele era o único sofá na sala; ao lado dele havia cadeiras de junco, cobertas com almofadas marrons para deixá-las mais confortáveis. A mesa de centro também era de junco, e sobre ela havia um vaso em estilo oriental com uma pintura de mulheres de quimono dançando. No vaso, três longas rosas, e de um vermelho tão intenso que me perguntei se eram de plástico.

— *Nne*, não se comporte como visita. Entre, entre — disse tia Ifeoma, saindo da cozinha.

Eu entrei num pequeno corredor que tinha estantes entupidas de livros de ambos os lados. Parecia que a madeira cinza ia se quebrar se mais um livro fosse colocado sobre ela. Não havia pó nos livros; eles ou eram lidos ou eram limpos com frequência.

— Este é o meu quarto. Durmo aqui com Chima — disse tia Ifeoma, abrindo a primeira porta.

Engradados e sacos de arroz estavam empilhados contra a parede perto da porta. Ao lado de uma mesa com uma luminária, frascos de remédio e livros, havia uma bandeja cheia de latas enormes de leite em pó e de chocolate em pó Bournvita. Em outro canto, malas empilhadas. Tia Ifeoma me levou até outro quarto, com duas camas encostadas uma na outra, para abrir espaço para mais de duas pessoas. Além delas, haviam conseguido colocar duas cômodas, um espelho, uma escrivaninha e uma cadeira ali dentro. Eu me perguntei onde eu e Jaja íamos dormir e tia Ifeoma, como se estivesse lendo meus pensamentos, disse:

— Você e Amaka vão dormir aqui, *nne*. Obiora dorme na sala, e Jaja vai ficar com ele.

Ouvi Kevin e Jaja entrando no apartamento.

— Já trouxemos todas as coisas, dona. Vou embora — disse Kevin.

Ele estava na sala, mas o apartamento era tão pequeno que nem precisava levantar a voz.

— Diga a Eugene que eu agradeço. Diga que estamos bem. Dirija com cuidado.

— Sim, dona.

Kevin foi embora e, de repente, senti um aperto no peito. Quis sair correndo atrás dele e pedir que esperasse enquanto eu pegava minha mochila e voltava para o carro.

— *Nne*, Jaja, fiquem comigo na cozinha até seus primos voltarem.

Tia Ifeoma falou com muita naturalidade, como se fosse perfeitamente normal estarmos ali, como se já a tivéssemos visitado muitas vezes no passado. Jaja foi o primeiro a ir para a cozinha, e se sentou num banco baixo de madeira. Fiquei perto da porta, pois a cozinha era tão pequena que temi atrapalhar tia Ifeoma se entrasse. Ela escorreu a água do arroz na pia, verificou se a galinha estava assando direito e pilou os tomates. Os azulejos azul-claros da cozinha estavam desbotados e quebrados nas pontas, mas eram muito limpos, assim como as panelas, cujas tampas não encaixavam direito, com uma parte caindo dentro da panela. O fogão a querosene ficava numa mesa de madeira próxima à janela. A parede e as cortinas puídas da janela haviam enegrecido por causa da fumaça do querosene. Tia Ifeoma ficou tagarelando enquanto colocava o arroz de volta no fogão e picava duas cebolas-roxas, as palavras que jorravam de sua boca pontuadas por sua risada gostosa. Ela parecia estar rindo e chorando ao mesmo tempo, pois muitas vezes limpou com as costas da mão as lágrimas surgidas por causa das cebolas.

Os filhos dela apareceram alguns minutos depois. Estavam diferentes, talvez porque pela primeira vez eu os via na casa deles e não em Abba, onde eram visitas na casa de Papa-Nnukwu. Obiora tirou os óculos escuros e colocou-os no bolso do short quando entrou. Ele riu quando me viu.

— Jaja e Kambili chegaram! — disse Chima com sua vozinha.

Trocamos abraços, com nossos corpos se tocando rapidamente. Amaka mal deixou que a lateral de seu corpo encostasse na minha e logo se afastou. Estava com um batom diferente, mais para vermelho do que para marrom, e o vestido marcava seu corpo esguio.

— Como foi a viagem? — perguntou, olhando para Jaja.

— Boa — disse ele. — Achei que ia ser mais longa.

— Ah, Enugu não fica tão longe assim daqui — disse Amaka.

— Ainda não compramos o refrigerante, mãe — avisou Obiora.

— Não falei para comprar antes de sair, *gbo*? — disse tia Ifeoma, colocando os pedaços de cebola no óleo quente e se afastando.

— Vou agora. Jaja, quer vir comigo? É só até um quiosque no outro quarteirão.

— Não se esqueça dos cascos — disse tia Ifeoma.

Fiquei olhando Jaja ir com Obiora. Não pude ver seu rosto nem saber se ele estava tão confuso quanto eu.

— Deixe eu ir trocar de roupa, mãe, que depois eu frito as bananas-da-terra — disse Amaka, virando-se para sair.

— *Nne*, vá com sua prima — disse tia Ifeoma para mim.

Fui atrás de Amaka, dando um passo amedrontado atrás do outro. O chão de cimento era áspero, e meus pés não deslizavam nele como no chão liso de mármore da minha casa. Amaka tirou os brincos, colocou-os em cima da penteadeira e examinou seu reflexo no espelho de corpo inteiro. Sentei na beiradinha da cama e fiquei observando-a, me perguntando se ela sabia que eu estava ali.

— Aposto que você acha que Nsukka não é civilizada comparada com Enugu — disse ela, ainda fitando o espelho. — Falei para minha mãe que ela devia parar de forçar vocês a vir para cá.

— Eu... nós... nós queríamos vir.

Amaka deu um sorrisinho superior para o espelho, que parecia dizer que eu não precisava ter me incomodado em mentir para ela.

— Não tem nenhum lugar da moda em Nsukka, caso você ainda não tenha notado isso. Não tem Genesis nem Nike Lake aqui.

— O quê?

— Genesis e Nike Lake, os lugares da moda em Enugu. Você vai sempre lá, não vai?

— Não.

Amaka me lançou um olhar estranho.

— Mas vai de vez em quando, não vai? — insistiu.

— É... vou.

Eu jamais fora ao restaurante Genesis, e só fora ao hotel Nike Lake uma vez, quando um sócio de Papa fizera a festa de seu casamento lá. Só ficamos tempo suficiente para Papa tirar fotos com o casal e lhes entregar o presente.

Amaka apanhou um pente e passou-o nas pontas de seu cabelo curto. Ela se virou para mim e perguntou:

— Por que você baixa a voz?

— O quê?

— Você baixa a voz quando fala. Você sussurra.

— Ah — disse eu olhando para a escrivaninha, que estava cheia de coisas; livros, um espelho rachado, marcadores de texto.

Amaka largou o pente e tirou o vestido pela cabeça. Só de sutiã de renda branca e calcinha azul-clara, ficou parecida com uma cabra hausa: marrom, longa e esbelta. Eu rapidamente desviei o olhar. Jamais vira ninguém tirar a roupa; era pecado ver a nudez de outra pessoa.

— Aposto que esse som não é nada comparado com o que você tem no seu quarto em Enugu — disse Amaka.

Ela apontou para o pequeno som que havia na beirinha da penteadeira. Quis lhe explicar que não havia nenhum som no meu quarto em Enugu, mas temi que ela não fosse gostar de ouvir isso, assim como também não iria gostar de ouvir se eu tivesse um som no quarto.

Amaka colocou uma fita para tocar, mexendo a cabeça no ritmo polifônico dos tambores.

— Eu quase só ouço músicos nativos. Eles são socialmente conscientes; têm algo real a dizer. Fela, Osadebe e Onyeka são os meus preferidos. Aposto que você nunca ouviu falar deles, aposto que gosta de pop americano como os outros adolescentes.

Amaka disse "adolescentes" como se ela não fosse uma, como se adolescentes fossem pessoas que, por não ouvir música culturalmente consciente, estavam um nível abaixo dela. E disse "culturalmente conscientes" do jeito orgulhoso que as pessoas dizem uma palavra que jamais teriam imaginado aprender até aprenderem.

Continuei sentada na cama, com as mãos crispadas, querendo dizer a Amaka que eu não possuía um som, que eu mal sabia distinguir entre um tipo de música pop e outro. Mas, em vez disso, perguntei:

— Foi você que pintou isso?

A aquarela de uma mulher com uma criança parecia uma cópia da pintura a óleo da Virgem com o Menino Jesus que ficava pendurada no quarto de Papa. Só que a mulher e a criança do quadro de Amaka tinham a pele escura.

— Foi, eu pinto às vezes.

— É bonito.

Queria ter sabido antes que minha prima pintava aquarelas realistas. Queria que ela parasse de me olhar como se eu fosse um animal estranho de laboratório que devia ser explicado e catalogado.

— Tem alguém segurando vocês duas aí dentro? — gritou tia Ifeoma da cozinha.

Fui atrás de Amaka de volta para a cozinha e observei-a cortar as bananas-da-terra e fritá-las. Jaja logo chegou com os meninos, carregando as garrafas de refrigerante num saco plástico preto. Tia Ifeoma pediu que Obiora pusesse a mesa.

— Hoje nós vamos tratar Kambili e Jaja como convidados, mas a partir de amanhã eles já vão ser parte da família e ajudar com os afazeres — disse ela.

A mesa de jantar era feita de uma madeira que estalava quando o clima estava seco. A fórmica estava descascando como um grilo na muda, as fatias marrons formando anéis. As cadeiras não combinavam. Quatro eram de madeira e pareciam as cadeiras que havia no meu colégio, e as outras duas eram pretas e estofadas. Jaja e eu sentamos um ao lado do outro. Tia Ifeoma rezou e, quando meus primos disseram "amém", eu continuei de olhos fechados.

— *Nne*, nós já acabamos de rezar. Não rezamos uma missa inteira antes de cada refeição como seu pai — disse tia Ifeoma, rindo.

Eu abri os olhos e peguei Amaka me observando um segundo antes de ela desviar o olhar.

— Tomara que Kambili e Jaja venham todo dia para podermos comer assim. Galinha e refrigerante! — disse Obiora, empurrando os óculos para cima do nariz.

— Mamãe! Eu quero a coxa da galinha! — pediu Chima.

— Acho que essa gente tem colocado menos Coca-Cola nas garrafas — disse Amaka, examinando sua garrafa.

Olhei para o arroz *jollof*, as bananas fritas e a meia coxa de galinha que estavam no meu prato e tentei me concentrar, tentei engolir a comida. Os pratos também não combinavam. Chima e Obiora comiam em pratos de plástico, enquanto o resto de nós comia em pratos simples de vidro, sem flores delicadas ou linhas prateadas. Risadas flutuavam acima da minha cabeça. Palavras jorravam da boca de todos, muitas vezes sem procurar nem receber nenhuma resposta. Lá em casa, só falávamos quando tínhamos algo importante a dizer, sobretudo quando estávamos sentados à mesa. Mas meus primos pareciam simplesmente falar, falar, falar.

— Mãe, *biko*, me dê o pescoço — pediu Amaka.

— Você não me convenceu a lhe dar o pescoço da última vez, *gbo*? — perguntou tia Ifeoma, apanhando o pescoço da galinha de seu prato e colocando-o no de Amaka.

— Quando foi a última vez que comemos galinha? — perguntou Obiora.

— Pare de mastigar como um bode, Obiora! — ralhou tia Ifeoma.

— Os bodes mastigam de um jeito quando comem e de outro quando ruminam, mãe. A qual dos dois jeitos você se refere?

Eu ergui o olhar para ver Obiora mastigando.

— Kambili, tem algo de errado com a comida? — perguntou tia Ifeoma, me assustando.

Até então eu me sentira como se não estivesse ali, como se estivesse apenas observando uma mesa onde se podia dizer o que você quisesse, quando quisesse, para quem quisesse, onde o ar era livre para ser respirado à vontade.

— O arroz está bom, tia Ifeoma, muito obrigada.

— Se gostou do arroz, então coma o arroz — disse tia Ifeoma.

— Talvez ele não seja tão bom quanto o arroz chique que ela come em casa — disse Amaka.

— Amaka, deixe sua prima em paz — disse tia Ifeoma.

Eu não falei mais nada até o almoço acabar, mas ouvi cada palavra que os outros disseram, cada risada e cada piadinha. Eram meus primos que falavam quase tudo, enquanto tia Ifeoma apenas olhava, comendo devagar. Ela parecia um técnico de futebol que treinara bem seu time e estava satisfeita em ficar no banco, só assistindo.

Depois do almoço perguntei a Amaka onde eu podia me aliviar, embora soubesse que o banheiro ficava em frente ao quarto. Ela se irritou com a pergunta e fez um gesto vago na direção do corredor, dizendo:

— Onde mais podia ser?

O banheiro era tão estreito que eu podia tocar ambas as paredes se esticasse os braços. Não havia nenhum tapete macio, nenhum tecido felpudo cobrindo a tampa e o assento da privada como em casa. Ao lado da privada havia um balde. Depois de urinar, eu quis dar a descarga, mas a caixa estava vazia; a alavanca ia para cima e para baixo na minha mão, sem que nada acontecesse. Fiquei alguns minutos naquele banheiro estreito antes de ir falar com tia Ifeoma. Ela estava na cozinha, esfregando as laterais do fogão a querosene com uma esponja cheia de sabão.

— Vou ser muito muquirana com meus novos cilindros de gás — disse tia Ifeoma, sorrindo, quando me viu. — Vou usá-los só nas refeições especiais, pois assim eles duram bastante. Ainda não vou guardar esse fogão a querosene no armário.

Hesitei, pois o que eu queria dizer não tinha nada a ver com fogões a gás ou a querosene. Ouvi a risada de Obiora vindo da varanda.

— Tia, não tem água para dar a descarga.

— Você urinou?

— Foi.

— Só tem água aqui de manhã, *o di egwu*. Por isso a gente

não dá a descarga quando urina, só quando tem mesmo alguma coisa para mandar embora pela privada. Ou às vezes, quando ficamos sem água por alguns dias, a gente só vai fechando a tampa até todo mundo usar e depois dá a descarga com o balde. Isso economiza água — explicou tia Ifeoma com um sorriso triste.

— Ah — disse eu.

Amaka havia entrado na cozinha durante a fala de tia Ifeoma. Eu a observei abrir a geladeira.

— Aposto que na sua casa você dá descarga toda hora, só para manter a água fresca, mas a gente aqui não faz isso — disse.

— Amaka, *o gini*? Não gostei desse tom! — disse tia Ifeoma.

— Desculpe — murmurou Amaka, pegando uma garrafa de plástico cheia de água e colocando um pouco num copo.

Eu me aproximei da parede enegrecida pela fumaça do querosene, querendo entrar nela e desaparecer. Quis pedir desculpas a Amaka, mas não sabia do quê.

— Amanhã, vamos passear com Kambili e Jaja pelo campus — disse tia Ifeoma numa voz tão normal que me perguntei se ela repreendera Amaka apenas na minha imaginação.

— Não há nada para ver aqui. Eles vão morrer de tédio.

O telefone emitiu um toque alto e irritante, bem diferente do ronronado baixo do aparelho que tínhamos em casa. Tia Ifeoma correu para seu quarto para atender.

— Kambili! Jaja! — chamou algum tempo depois.

Eu sabia que era Papa. Esperei Jaja vir da varanda para podermos ìr juntos até o quarto. Quando chegamos ao telefone, Jaja permaneceu afastado e fez um gesto indicando que eu deveria falar primeiro.

— Olá, Papa. Boa noite — disse eu, e então me perguntei se Jaja ia contar que eu comera uma refeição depois de uma oração curta demais.

— Como vocês estão?

— Bem, Papa.

— A casa está vazia sem vocês.

— Ah.

— Estão precisando de alguma coisa?

— Não, Papa.

— Se precisarem de qualquer coisa, liguem imediatamente que eu mando Kevin levar. Vou ligar todos os dias. Não se esqueça de estudar e rezar.

— Sim, Papa.

Quando Mama veio falar, sua voz estava mais alta do que o sussurro de sempre, ou talvez fosse só por causa do telefone. Ela me contou que Sisi esquecera que nós não estávamos em casa e fizera almoço para quatro pessoas.

Quando eu e Jaja nos sentamos para jantar naquela noite, pensei em Papa e Mama sentados sozinhos em nossa enorme mesa. Comemos o arroz e a galinha que haviam sobrado do almoço. Bebemos água, pois os refrigerantes já tinham acabado. Pensei nos engradados sempre cheios de Coca, Fanta e Sprite na despensa da cozinha de casa, e bebi rápido minha água, como se assim eu pudesse mandar aqueles pensamentos pela enxurrada. Sabia que, se Amaka soubesse ler pensamentos, não ia gostar dos meus. Houve menos conversa e risadas durante o jantar, pois a TV estava ligada e meus primos levaram seus pratos para a sala de jantar. Os dois mais velhos ignoraram o sofá e as cadeiras e sentaram no chão, enquanto Chima se enroscava no sofá, equilibrando seu prato de plástico no colo. Tia Ifeoma disse que eu e Jaja devíamos ir sentar na sala também, para podermos ver melhor a TV. Esperei Jaja dizer não, explicar que não nos importávamos de ficar na mesa, e assenti, concordando.

Tia Ifeoma ficou sentada conosco, olhando com frequência para a TV enquanto comia.

— Não entendo por que eles só passam programas mexicanos de segunda categoria e ignoram todo o potencial que o nosso povo tem — murmurou ela.

— Mãe, por favor, não comece a discursar agora — pediu Amaka.

— É mais barato importar novelas mexicanas — disse Obiora, os olhos ainda grudados na televisão.

Tia Ifeoma se levantou.

— Jaja e Kambili, nós costumamos rezar um rosário toda noite antes de deitar. É claro que, depois, vocês podem ficar acordados até a hora que quiserem para assistir televisão ou fazer qualquer outra coisa.

Jaja se remexeu na cadeira e tirou seu horário do bolso.

— Tia, o horário que Papa fez para nós diz que devemos estudar todas as noites; nós trouxemos nossos livros.

Tia Ifeoma olhou espantada para a folha de papel na mão de Jaja. Ela começou a rir tanto que cambaleou, seu corpo alto dobrando como uma casuarina em dia de ventania.

— Eugene fez um horário para vocês obedecerem enquanto estiverem aqui? *Nekwanu anya*, o que é isso?

Tia Ifeoma riu mais um pouco e então estendeu o braço, pedindo o papel de Jaja. Ela se virou para mim e eu tirei o meu, dobrado cuidadosamente duas vezes, do bolso da minha saia.

— Vou guardar isso até vocês irem embora.

— Tia... — disse Jaja.

— Se vocês não contarem para Eugene, como ele vai saber que não o obedeceram, *gbo*? Vocês estão de férias aqui, e esta é a minha casa, então têm de seguir as minhas regras.

Observei tia Ifeoma entrar em seu quarto, levando nossos horários. Minha boca estava seca, minha língua grudada no céu.

— Vocês têm um horário todo dia quando estão em casa? — perguntou Amaka, deitada no chão de barriga para cima com a cabeça apoiada na almofada de uma das cadeiras.

— Temos — confirmou Jaja.

— Interessante. Então gente rica não consegue decidir o que fazer todo dia, precisa de um horário.

— Amaka! — gritou Obiora.

Tia Ifeoma surgiu trazendo um enorme rosário com contas azuis e um crucifixo de metal. Obiora desligou a TV quando os créditos começaram a deslizar tela abaixo. Ele e Amaka foram pegar seus rosários no quarto, enquanto eu e Jaja pegávamos os nossos no bolso. Nós nos ajoelhamos ao lado das cadeiras de junco e tia Ifeoma começou a primeira dezena. Quando rezamos a última ave-maria, ergui a cabeça de súbito ao ouvir uma voz forte e melodiosa. Amaka estava cantando!

— *Ka m bunie afa gi enu...*

Tia Ifeoma e Obiora também começaram a cantar, e as vozes dos três se misturaram. Olhei nos olhos de Jaja. Os dele estavam brilhantes, sugestivos. *Não!* Eu disse a ele, piscando os meus firmemente. Não estava certo. Não se devia começar a cantar no meio do rosário. Eu não cantei e Jaja também não. Amaka começou uma nova canção ao final de cada dezena, sempre escolhendo canções animadas em igbo que faziam tia Ifeoma emitir sons guturais, como uma cantora de ópera que tira as palavras da base do estômago.

Após o rosário, tia Ifeoma perguntou se conhecíamos alguma daquelas canções.

— Nós não cantamos lá em casa — respondeu Jaja.

— Mas aqui nós cantamos — disse tia Ifeoma, e me perguntei se foi por irritação que ela baixou as sobrancelhas.

Obiora ligou a TV de novo depois que tia Ifeoma nos desejou boa-noite e foi para o quarto. Sentei no sofá ao lado de Jaja, assistindo às imagens na TV, mas sem conseguir distinguir uma pessoa de pele cor de azeitona da outra. Senti como se minha sombra estivesse visitando tia Ifeoma e sua família, enquanto meu eu real estudava no meu quarto em Enugu, com o horário colado na parede à minha frente. Pouco tempo depois, levantei e fui para o quarto me arrumar para dormir. Mesmo sem meu horário, eu sabia a que horas Papa queria que eu fosse para cama. Adormeci me perguntando quando Amaka ia entrar, se ia abaixar os cantos da boca num sorriso de escárnio quando me visse dormindo.

Sonhei que Amaka me afundava numa privada cheia de bolotas marrom-esverdeadas. Minha cabeça entrava primeiro e depois a privada se expandia e meu corpo todo entrava também. Enquanto eu tentava sair dali, Amaka repetia:

— Dê a descarga! Dê a descarga! Dê a descarga!

Ainda estava tentando me livrar de Amaka quando acordei. Ela já se levantara e estava amarrando a canga sobre a camisola.

— Estamos indo buscar água na bica — disse.

Amaka não perguntou se eu queria ir, mas eu me levantei, amarrei minha canga e fui atrás dela.

Jaja e Obiora já estavam na bica que havia no minúsculo quintal; num canto, havia uma pilha de pneus velhos, pedaços de bicicleta e malas quebradas. Obiora colocou as garrafas embaixo da torneira, alinhando suas bocas com a água que saía. Jaja se ofereceu para levar a primeira garrafa cheia para a cozinha, mas Obiora disse que ele não se preocupasse e levou-a ele mesmo. Enquanto Amaka levava a garrafa seguinte, Jaja colocou uma menor debaixo da torneira e encheu-a. Ele me contou que dormira na sala, num colchão que Obiora pegara atrás da porta do quarto e cobrira com uma canga. Fiquei surpresa ao ouvir o deslumbramento em sua voz, ao ver como o castanho de suas pupilas estava mais claro. Ofereci-me para levar a garrafa seguinte, mas Amaka riu e disse que eu tinha ossos moles e não ia conseguir.

Quando terminamos, rezamos a oração da manhã na sala, uma série de rezas curtas pontuadas por canções. Tia Ifeoma rezou pela universidade, pelos professores e administradores e, por fim, pediu que encontrássemos a paz e o riso naquele dia. Quando estávamos fazendo o sinal da cruz, ergui o rosto para ver a expressão de Jaja, para ver se ele também estava perplexo em saber que tia Ifeoma e sua família pediam pelo *riso* em suas orações.

Um de cada vez, nos banhamos no banheiro estreito usando baldes de água semicheios. Esquentávamos a água enfiando uma serpentina de aquecimento no balde durante algum tempo. A limpíssima banheira tinha um buraco triangular num canto, e a água gemia como um homem com dores ao escorrer por ele. Eu me limpei com minha própria esponja e meu próprio sabonete — Mama não esquecera de colocar meus artigos de toalete na mochila — e, embora tenha pego a água com uma xícara rasa e derramado-a lentamente sobre o corpo, ainda me sentia escorregadia quando saí da banheira e pisei na toalha velha estendida no chão.

Tia Ifeoma estava sentada à mesa quando eu saí, dissolvendo algumas colheres de leite em pó numa jarra de água fria.

— Se eu deixar essas crianças misturarem o leite elas próprias, ele não vai durar nem uma semana — explicou, antes de levar a lata de leite em pó Carnation de volta para o seu quarto, onde estaria segura.

Torci para que Amaka não me perguntasse se minha mãe também fazia aquilo, pois eu gaguejaria se tivesse de lhe contar que tomávamos a quantidade que quiséssemos de leite cremoso Peak quando estávamos em casa. De café, comemos só *okpa*, que Obiora saíra para comprar em algum lugar ali perto. Eu jamais havia comido *okpa* numa refeição, só como lanche quando às vezes, na viagem até Abba, comprávamos os bolinhos de feijão-fradinho e dendê cozidos no vapor. Observei Amaka e tia Ifeoma cortando o bolinho amarelo e molhado e imitei-as. Tia Ifeoma mandou nos apressarmos. Queria mostrar o campus a mim e a Jaja e voltar a tempo de fazer comida. Convidara o padre Amadi para jantar.

— Tem certeza de que tem combustível suficiente no carro, mãe? — perguntou Obiora.

— Pelo menos tem o suficiente para a gente passear pelo campus. Tomara que chegue combustível na semana que vem, senão, quando as aulas voltarem, vou ter que ir para o trabalho andando.

— Ou pegar uma *okada* — disse Amaka, rindo.

— Vou acabar tendo que fazer isso.

— O que é *okada*? — perguntou Jaja.

Encarei-o, surpresa. Não achei que ele fosse fazer aquela pergunta ou qualquer outra pergunta.

— São mototáxis — explicou Obiora. — Ficaram mais populares do que os táxis comuns.

Tia Ifeoma parou para arrancar algumas folhas velhas que havia no jardim quando estávamos indo até o carro, reclamando que o *harmattan* estava matando suas plantas.

Amaka e Obiora gemeram e disseram:

— Não vá mexer no jardim agora, mãe.

— Isso é um hibisco, não é, tia? — perguntou Jaja, olhando uma planta que havia perto da cerca de arame farpado. — Não sabia que existiam hibiscos roxos.

Tia Ifeoma riu e tocou a flor, que era de um tom púrpura tão fechado que chegava quase a ser azul.

— Todo mundo tem essa reação quando vê essas flores pela primeira vez. Minha amiga Phillipa é professora de botânica. Ela fez alguns experimentos na época em que morava aqui. Olhe, essas são ixoras brancas, mas elas não abrem tanto quanto as vermelhas.

Jaja foi para perto de tia Ifeoma, enquanto nós ficamos parados, observando os dois.

— O *maka*, tão lindo — disse Jaja.

Ele passava um dedo sobre uma pétala da flor. A risada de tia Ifeoma se estendeu por mais algumas sílabas.

— É, sim. Precisei colocar esta cerca no jardim porque as crianças da vizinhança entravam e arrancavam minhas flores mais raras. Agora, só deixo as coroinhas da nossa igreja ou da igreja protestante pegarem.

— Mãe, *o zugo*. Vamos logo — disse Amaka.

Mas tia Ifeoma passou mais algum tempo mostrando suas flores a Jaja antes de entrarmos na caminhonete e sairmos. Quando pegou uma rua com um declive íngreme, desligou o motor e deixou o carro deslizar para baixo, com os parafusos soltos chacoalhando.

— É para economizar combustível — disse, olhando rapidamente para Jaja e para mim.

As casas pelas quais passamos tinham cercas de girassóis, e as bolinhas amarelas das flores do tamanho de uma mão aberta alegravam a folhagem. As cercas tinham muitos buracos, e por isso pude ver os quintais das casas — os tanques de metal equilibrados sobre blocos de cimento sem pintura, os balanços de pneu velho pendurados em goiabeiras, as roupas secando em varais amarrados em duas árvores. No final da rua, tia Ifeoma ligou o motor, pois a ladeira acabara.

— Essa é a escola primária da universidade — disse. — É aí que Chima estuda. Costumava ser muito melhor, mas agora olhem para as janelas sem basculantes, olhem para a sujeira dos prédios.

O grande pátio da escola, em torno do qual havia uma cerca de casuarinas podadas, era cheio de prédios altos, como se todos houvessem brotado do chão sem nenhum planejamento.

Tia Ifeoma apontou para um prédio ao lado da escola, o Instituto de Estudos Africanos, onde ficava sua sala e onde ela dava a maioria de suas aulas. O prédio era velho; dava para ver pela cor da pintura e pelas janelas, cobertas com a poeira de tantos *harmattans*, que elas jamais voltariam a brilhar. Tia Ifeoma passou por uma rotatória cheia de vincas cor-de-rosa, ao longo da qual se via um muro de tijolos brancos e pretos alternados. Ao lado da rua havia um campo que parecia um lençol verde estendido, salpicado de mangueiras com folhas desbotadas que lutavam para manter a cor apesar do vento que as deixava mais secas.

— É nesse campo que fazemos nossos bazares — disse tia Ifeoma. — E aqui ficam os alojamentos femininos. Esse é o Mary Slessor Hall. Aquele é o Okpara Hall e esse é o Bello Hall, o dormitório mais famoso, onde Amaka jura que vai morar quando entrar na faculdade e fundar seus movimentos ativistas.

Amaka riu, mas não contradisse tia Ifeoma.

— Quem sabe vocês duas não ficam no mesmo dormitório, Kambili?

Assenti automaticamente, embora tia Ifeoma não pudesse me enxergar. Eu nunca me perguntara em que universidade estudaria nem em que me formaria. Quando chegasse a hora, Papa decidiria.

Tia Ifeoma fez a curva, buzinou e acenou para dois homens carecas de camisetas *tie-dye* parados na esquina. Ela desligou o motor de novo e o carro se lançou rua abaixo. *Gmelinas* e *nims* estavam firmemente fincadas em ambos os lados. O cheiro forte e penetrante das folhas das *nims* inavadiu o carro e Amaka respirou fundo, dizendo que aquela planta curava a malária. Estávamos numa área residencial, passando por bangalôs com grandes jardins que continham roseiras, grama seca e árvores frutíferas. Aos poucos a rua foi perdendo a maciez e suas cercas vivas, e as casas se tornaram baixas e estreitas, com portas tão próximas umas das outras que quem estivesse parado na frente de uma poderia tocar a seguinte apenas esticando o braço. Ninguém fingia ter cercas aqui, ninguém fingia ser separado ou ter privacidade. Havia apenas prédios baixos construídos lado a lado entre arbustos ressecados e cajueiros. Aquelas eram as casas dos empregados da universidade, onde moravam as secretárias e os motoristas, explicou tia Ifeoma.

— Isso se eles tiverem sorte de conseguir uma vaga aqui — acrescentou Amaka.

Havíamos acabado de passar pelos prédios, quando tia Ifeoma apontou para a direita e disse:

— Aquela é a colina Odim. A vista lá do alto é lindíssima, quando a gente vai para lá, vê direitinho como Deus distribuiu as colinas e os vales, *ezi okwu*.

Quando ela deu meia-volta e retornou à rua de onde tínhamos vindo, comecei a sonhar e imaginei Deus colocando as colinas de Nsukka em seus lugares com suas imensas mãos brancas, que tinham sombras de lua crescente embaixo das unhas como as do padre Benedict. Passamos de novo pelas árvores grossas que cresciam em torno da faculdade de engenharia, pelos campos cheios de mangueiras que havia em volta dos alojamentos femininos. Tia Ifeoma queria nos mostrar o outro lado da avenida Marguerite Cartwright, onde moravam os professores mais antigos, nas casas de dois andares cercadas por suas entradas para carro cobertas de cascalho.

— Ouvi dizer que, quando eles construíram essas casas, alguns professores brancos, e todos os professores eram brancos naquela época, quiseram chaminés e lareiras — disse tia Ifeoma.

Ela deu a mesma risada indulgente que Mama dava quando falava de pessoas que consultavam curandeiros. Depois, apontou para a casa do vice-reitor, para os muros que a cercavam, e disse que a casa antes tinha uma cerca bem cuidada de cerejeiras e ixoras, até o dia em que estudantes, ao fazer um protesto, haviam pulado as árvores e queimado um carro dentro da propriedade.

— Por que eles estavam protestando? — perguntou Jaja.

— Por causa da luz e da água — disse Obiora, e eu olhei para ele.

— Faltou luz e água por um mês — acrescentou tia Ifeoma. — Os alunos disseram que não podiam estudar naquelas condições e pediram que as provas fossem adiadas, mas a administração se opôs.

— Esses muros são horrorosos — disse Amaka em inglês.

Eu me perguntei o que ela acharia dos muros da nossa casa, se algum dia nos visitasse. Os muros do vice-reitor não eram tão altos; dava para ver a grande casa de dois andares que havia atrás de algumas árvores com folhas amareladas.

— De qualquer forma, colocar muros é uma solução superficial — continuou Amaka. — Se eu fosse vice-reitora, os alunos não iam protestar. Ia ter água e luz.

— Mas se um Homem-Grande roubou o dinheiro em Abuja, o vice-reitor é obrigado a vomitar dinheiro para dar para Nsukka? — perguntou Obiora.

Voltei-me para observá-lo, lembrando de como eu era quando tinha catorze anos e lembrando de como era agora.

— Eu não ia me incomodar se alguém vomitasse um pouco de dinheiro para mim — disse tia Ifeoma, rindo daquele seu jeito de técnico de futebol admirando seu time. — Vamos à cidade ver se tem *ube* com um preço decente no mercado. Eu sei que o padre Amadi gosta de *ube*, e nós temos um pouco de milho para servir com as frutas.

— O combustível vai dar, mãe? — perguntou Obiora.

— *Amarom*, a gente pode tentar.

Tia Ifeoma deixou o carro deslizar pela rua que dava nos portões da universidade. Jaja virou-se para a estátua do leão quando passamos por ela, e seus lábios se moveram, mas nenhum som saiu de sua boca. "Para restaurar a dignidade do homem." Obiora também estava lendo a placa. Ele deu uma risadinha rápida e perguntou:

— Mas quando foi que o homem perdeu a dignidade?

Quando cruzamos o portão, tia Ifeoma tentou ligar o motor de novo. O carro roncou, mas não ligou, e ela murmurou:

— Virgem Santa, agora não, por favor.

Tia Ifeoma tentou mais uma vez. O carro só gemeu. Alguém buzinou atrás de nós e eu me virei para olhar a mulher no Peugeot 504. Ela saiu do carro e veio em nossa direção; usava uma calça frouxa e curta que o vento fazia bater contra suas panturrilhas, que eram gordas como batatas-doces.

— Meu carro também parou perto da Eastern Shop ontem — disse a mulher perto da janela de tia Ifeoma, os cachos de sua permanente sendo fustigados violentamente pelo vento. — Meu filho sugou um litro do carro do meu marido hoje de manhã, para eu poder ir ao mercado. *O di egwu.* Espero que o combustível chegue logo.

— Vamos esperar para ver, minha irmã. Como está sua família? — perguntou tia Ifeoma.

— Estamos bem. Vá com Deus.

— Vamos empurrar — sugeriu Obiora, já abrindo a porta do carro.

— Esperem.

Tia Ifeoma virou a chave de novo, o carro sacudiu e ligou. Ela saiu com os pneus cantando, como se não quisesse dar ao carro outra chance de parar.

Estacionamos ao lado de uma vendedora de *ube* na beira da estrada, suas frutas azuladas formando pirâmides sobre uma bandeja esmaltada. Tia Ifeoma tirou algumas notas amassadas da bolsa e deu a Amaka. Amaka pechinchou com a vendedora por algum tempo, depois sorriu e apontou para as pirâmides que queria. Eu me perguntei como seria fazer aquilo.

Quando voltamos ao apartamento, fui com tia Ifeoma e Amaka para a cozinha, enquanto Jaja ia com Obiora jogar futebol com as crianças do apartamento de cima. Tia Ifeoma pegou um dos enormes inhames que havíamos trazido de casa. Amaka espalhou folhas de jornal no chão para cortar o tubérculo; era mais fácil fazer assim do que colocá-lo em cima do balcão. Quando Amaka colocou as fatias de inhame dentro de uma tigela de plástico, eu me ofereci para ajudar a tirar a casca delas, e ela me entregou uma faca sem dizer nada.

— Você vai gostar do padre Amadi, Kambili — disse tia Ifeoma. — Ele é novo na nossa paróquia, mas todos na universidade já o adoram. Ele é convidado para comer na casa de todo mundo.

— Acho que ele gosta mais da nossa família — disse Amaka.

Tia Ifeoma riu.

— Amaka tem ciúmes dele.

— Você está desperdiçando inhame, Kambili! — ralhou Amaka. — Ha! Ha! É assim que você descasca inhame na sua casa?

Eu tive um sobressalto e larguei a faca. Ela caiu a poucos centímetros do meu pé.

— Desculpe — disse eu, sem saber se estava pedindo desculpas por largar a faca ou por deixar pedaços grandes demais da parte branca e macia do inhame ir embora junto com a casca.

Tia Ifeoma nos observava.

— Amaka, *ngwa*, mostre a Kambili como fazer para descascar — disse.

Amaka olhou para a mãe com os cantos da boca virados para

baixo e as sobrancelhas erguidas, como se não conseguisse acreditar que alguém não soubesse descascar fatias de inhame corretamente. Ela pegou a faca e começou a descascar uma das fatias, tirando apenas a casca marrom e mais nada. Observei o movimento cuidadoso da mão dela e o tamanho cada vez maior da casca que saía, querendo me desculpar, lamentando não saber fazer aquilo direito. Amaka fazia tão bem que a casca saía de uma só vez, formando uma única espiral suja de terra.

— Talvez eu devesse escrever isso no seu horário, como descascar um inhame — murmurou Amaka.

— Amaka! — gritou tia Ifeoma. — Kambili, pegue um pouco de água do tanque lá fora para mim.

Eu peguei o balde, grata a tia Ifeoma, grata pela chance de sair da cozinha e me refugiar da expressão de desprezo no rosto de Amaka. Amaka não falou muito o resto da tarde, até que o padre Amadi chegou, recendendo a uma água-de-colônia com cheiro de terra. Chima pulou nele e não o largou mais. Ele apertou a mão de Obiora. Tia Ifeoma e Amaka lhe deram abraços rápidos, e então tia Ifeoma o apresentou a Jaja e a mim.

— Boa noite — disse eu.

E logo acrescentei:

— Padre.

Pareceu-me quase um sacrilégio chamar de "padre" aquele homem com ar de garoto, que usava uma camiseta de gola larga e jeans tão desbotados que não dava para saber se originalmente haviam sido pretos ou azul-escuros.

— Kambili e Jaja — disse ele, como se já nos conhecesse. — Estão gostando de sua primeira visita a Nsukka?

— Eles estão odiando — disse Amaka.

Eu imediatamente quis que ela não tivesse respondido isso.

— Nsukka tem seu charme — disse padre Amadi sorrindo.

Ele tinha voz de cantor, uma voz que fazia com meus ouvidos o mesmo que o óleo de bebê Pears fazia com meu couro cabeludo, quando Mama massageava meu cabelo com ele. Não entendi direito as frases em igbo misturado com inglês que o padre Amadi disse durante o jantar, pois meus ouvidos seguiam o som, e não o sentido de suas palavras. Ele assentia enquanto mastigava o inhame e os vegetais, e não disse nada até ter engolido um bocado e tomado um gole de água. Sentia-se à vontade na casa de tia Ifeoma; sabia qual cadeira tinha um prego saliente que poderia arrancar um pedaço de sua roupa.

— Achei que eu tivesse conseguido enfiar esse prego na madeira de novo — disse padre Amadi.

Ele conversou sobre futebol com Obiora, sobre o jornalista que o governo prendera com Amaka, sobre a organização das mulheres católicas com tia Ifeoma e sobre o videogame da vizinhança com Chima.

Meus primos tagarelaram tanto quanto antes, mas esperavam o padre Amadi dizer alguma coisa primeiro para depois atacarem o assunto em resposta. Pensei nas galinhas gordas que Papa comprava para o ofertório, aquelas que levávamos para o altar junto com vinho para a comunhão, inhames e às vezes até bodes. Deixávamos as galinhas passeando no quintal até domingo de manhã, e elas corriam de forma desordenada e entusiasmada para ciscar os pedaços de pão que Sisi atirava. Meus primos corriam do mesmo jeito para as palavras do padre Amadi.

O padre Amadi fez perguntas a mim e a Jaja, nos incluindo na conversa. Eu sabia que as perguntas eram para nós dois, pois ele usava a palavra em igbo *unu* que significa "vocês", no plural, em vez de *gi*, que significa "você", no singular. Mas fiquei em silêncio, grata pelas respostas de Jaja. O padre Amadi perguntou onde estudávamos, de que matérias gostávamos mais e se praticávamos algum esporte. Quando perguntou que igreja frequentávamos em Enugu, Jaja respondeu.

— St. Agnes? Já rezei uma missa lá uma vez — contou o padre Amadi.

Foi então que me lembrei do jovem padre que começara a cantar no meio de seu sermão, e para quem Papa disse que devíamos rezar, pois pessoas como ele traziam problemas para a igreja. Muitos outros padres haviam visitado nossa igreja e rezado a missa nos últimos meses, mas eu sabia que era ele. Tive certeza absoluta. E lembrei da música que ele cantara.

— Foi mesmo? — perguntou tia Ifeoma. — Meu irmão Eugene sustenta aquela igreja quase sozinho. Bela igreja.

— *Chelukwa*. Espere um pouco. Seu irmão é Eugene Achike? O dono do *Standard*?

— Sim, Eugene é meu irmão mais velho. Achei que eu já tivesse mencionado isso — disse tia Ifeoma com um sorriso que não chegou a iluminar seu rosto.

— *Ezi okwu?* Eu não sabia — disse o padre Amadi balançando a cabeça. — Ouvi dizer que ele participa muito das decisões editoriais. O *Standard* é o único jornal que tem tido coragem de dizer a verdade ultimamente.

— Sim — concordou tia Ifeoma. — E ele tem um editor brilhante, Ade Coker, mas eu me pergunto quanto tempo vai levar para eles o trancarem numa cela para sempre. Nem o dinheiro de Eugene vai comprar tudo.

— Li em algum lugar que a Anistia Internacional vai dar um prêmio ao seu irmão — disse padre Amadi.

Ele estava assentindo devagar, com admiração, e senti um calor se espalhando pelo meu corpo todo, de orgulho, de desejo de ser associada a Papa. Quis dizer alguma coisa, lembrar àquele padre bonito que Papa não era só o irmão de tia Ifeoma ou o dono do *Standard*, mas que também era meu pai. Quis que um pouco do calor suave que havia nos olhos do padre Amadi passasse para mim e me envolvesse.

— Um prêmio? — repetiu Amaka com os olhos brilhando. — Mãe, nós podíamos comprar o *Standard* ao menos de vez em quando, assim íamos saber das novidades.

— Ou podíamos pedir que nos dessem uma assinatura, se alguém engolisse seu orgulho — disse Obiora.

— Eu nem sabia do prêmio — disse tia Ifeoma. — Mas também Eugene não iria me contar, *igasikwa*. Nós não conseguimos nem ter uma conversa. Precisei usar como desculpa uma peregrinação a Aokpe para convencê-lo a permitir que as crianças nos visitassem.

— Então está planejando ir a Aokpe? — perguntou padre Amadi.

— Na verdade eu não estava planejando, não. Mas acho que agora vamos ter de ir. Vou descobrir quando é a data da próxima aparição.

— As pessoas estão inventando esse negócio de aparição. Não houve uma época em que disseram que Nossa Senhora estava aparecendo no Hospital Bishop Shanahan? E depois que estava aparecendo em Transekulu? — perguntou Obiora.

— Aokpe é diferente. Tem todos os sinais de Lourdes — afirmou Amaka. — Além disso, já está mais do que na hora de Nossa Senhora aparecer na África. Você não acha estranho ela só aparecer na Europa? Afinal de contas ela era do Oriente Médio.

— Ela é o quê agora, a Virgem Política? — perguntou Obiora. Olhei para ele de novo. Obiora era uma versão destemida e masculina do que eu jamais poderia ter sido aos catorze anos, do que eu ainda não era. O padre Amadi riu.

— Mas ela já apareceu no Egito, Amaka. Ou pelo menos as pessoas foram aos montes para lá, da mesma forma que estão indo para Aokpe agora. *O bugodi*, como uma nuvem de gafanhotos.

— Parece que você não acredita, padre — disse Amaka, observando-o.

— Não acredito que precisemos ir a Aokpe ou a qualquer outro lugar para encontrar a Virgem. Ela está aqui, está dentro de nós, nos guiando até seu Filho.

Ele falava sem esforço, como se sua boca fosse um instrumento que emitia som quando tocado, quando aberto.

— Mas e quanto ao são Tomé que existe em todos nós, padre? A parte que precisa ver para crer? — perguntou Amaka com aquela expressão que me fazia duvidar se estava falando sério.

O padre Amadi não respondeu; em vez disso fez uma careta, e Amaka riu, revelando um buraco maior e mais angular entre os dentes que o de tia Ifeoma. Parecia que alguém havia separado seus dois dentes da frente com um instrumento de metal.

Depois do jantar fomos todos para a sala e tia Ifeoma pediu que Obiora desligasse a TV para que pudéssemos rezar antes de o padre Amadi ir embora. Chima adormecera no sofá e Obiora se apoiou nele durante todo o rosário. O padre Amadi rezou a primeira dezena e, no fim dela, começou a cantar uma música em igbo. Enquanto todos cantavam, abri os olhos e olhei para a foto da família no batismo de Chima, pendurada na parede. Ao lado dela havia uma reprodução granulada da Pietà, com a moldura de madeira quebrada nos cantos. Pressionei meus lábios, mordendo o lábio inferior, para que minha boca não começasse a cantar sozinha, para que ela não me traísse.

Guardamos nossos rosários e ficamos na sala comendo milho, *ube* e assistindo ao *Newsline* na televisão. Quando ergui os olhos, vi o padre Amadi me observando e subitamente não consegui mais morder a parte carnuda da fruta em volta da semente. Não consegui mover a língua nem engolir. Estava consciente demais de seus olhos, de que ele estava me examinando.

— Não vi você rir ou sorrir nem uma vez hoje, Kambili — disse ele por fim.

Olhei para baixo, para o milho que eu segurava. Quis pedir

desculpas por não ter rido ou sorrido, mas as palavras não saíram, e por algum tempo nem meus ouvidos funcionaram.

— Ela é tímida — explicou tia Ifeoma.

Murmurei alguma bobagem qualquer, me levantei e fui para o quarto, tomando o cuidado de fechar a porta que dava para o corredor. A voz musical do padre Amadi ecoou em meus ouvidos até eu adormecer.

O riso sempre ressoava pela casa de tia Ifeoma e, não importava de que cômodo vinha, se espalhava por todos os outros. As discussões nasciam rapidamente e rapidamente também morriam. As orações da manhã e da noite eram sempre pontuadas por canções animadas em igbo que em geral exigiam que batêssemos palmas para marcar o ritmo. Havia pouca carne nas refeições, o pedaço de cada pessoa tinha a largura de dois dedos e o comprimento de meio dedo. O apartamento estava sempre brilhando — Amaka esfregava o chão com uma escova, Obiora varria, Chima afofava as almofadas das cadeiras. Cada um tinha sua vez de lavar a louça, incluindo eu e Jaja. Depois que lavei os pratos sujos de *garri*, Amaka pegou-os da bandeja onde eu os pusera para secar e os colocou de molho na água.

— É assim que você lava pratos na sua casa? — perguntou ela. — Ou não tem uma hora para lavar pratos no seu horário chique?

Fiquei parada, olhando para ela, lamentando que tia Ifeoma não estivesse ali para responder por mim. Amaka me olhou furiosamente por mais alguns instantes e foi embora. Não me dirigiu mais nenhuma palavra até que suas amigas vieram visitá-la naquela tarde, quando tia Ifeoma e Jaja estavam no jardim e os meninos jogavam futebol em frente ao apartamento.

— Kambili, essas são minhas amigas do colégio — disse Amaka de um jeito despreocupado.

As duas meninas me cumprimentaram e eu sorri. O cabelo delas era tão curto quanto o de Amaka e elas usavam batons brilhantes e calças tão apertadas que tive certeza de que andariam de outro jeito se estivessem vestindo algo mais confortável. Eu as observei se examinando no espelho, lendo atentamente uma revista americana com uma mulher de pele marrom e cabelos cor de mel na capa e conversando sobre uma professora de matemática que não sabia as respostas dos problemas que ela mesma passava, sobre uma menina que usava uma minissaia para a aula da noite apesar de ter batatas da perna gordas e sobre um menino gatinho.

— Gatinho, *sha*, mas não bonito — enfatizou uma delas, que usava um brinco comprido em uma orelha e um pequeno de imitação de ouro na outra.

— Seu cabelo é de verdade? — perguntou a outra.

Só percebi que ela estava falando comigo quando Amaka disse:

— Kambili!

Queria dizer às meninas que meu cabelo era de verdade, que eu não usava extensões, mas as palavras não saíam. Eu sabia que elas ainda estavam conversando sobre cabelo, comentando como o meu era comprido e cheio. Queria conversar com elas, rir com elas, rir tanto até começar a pular no mesmo lugar como elas faziam, mas meus lábios insistiram em permanecer fechados. Como eu não quis gaguejar, comecei a tossir e corri para o banheiro.

Naquela noite, quando eu estava pondo a mesa para o jantar, ouvi Amaka perguntar:

— Tem certeza de que eles não são anormais, mãe? Kambili se comportou que nem uma *atulu* quando minhas amigas estavam aqui.

Amaka não levantara nem baixara a voz, e deu para ouvir claramente tudo o que ela dizia da cozinha.

— Amaka, você pode ter a opinião que quiser, mas precisa tratar sua prima com respeito. Entendeu bem? — respondeu tia Ifeoma em inglês, falando com firmeza.

— Eu só estava perguntando.

— Chamar sua prima de ovelha não é ter respeito.

— Ela é esquisita. Até Jaja é estranho. Tem alguma coisa errada com eles.

Minhas mãos tremeram quando tentei alisar um pedaço do tampo da mesa que saíra e formara um perfeito caracol. Havia uma fileira de formiguinhas cor de gengibre andando perto dele. Tia Ifeoma me mandara deixar as formigas em paz, já que elas não machucavam ninguém e, de qualquer forma, era impossível se livrar delas; eram tão antigas quanto o prédio.

Olhei em direção à sala para ver se Jaja escutara Amaka apesar de a televisão estar ligada. Mas ele estava concentrado nas imagens da tela, deitado no chão ao lado de Obiora. Parecia tão à vontade que era como se estivesse deitado ali vendo televisão desde que nascera. Na manhã seguinte, ele também pareceu assim no jardim de tia Ifeoma, como se estivesse fazendo aquilo há muito tempo, e não há poucos dias.

Tia Ifeoma me chamou para ir ao jardim também, para arrancar cuidadosamente as folhas dos crótons que haviam começado a morrer.

— Não são bonitas? — perguntou. — Olhe só, verde, rosa e amarelo nas folhas. Como se Deus tivesse brincado de colorir.

— É — disse eu.

Tia Ifeoma me olhou e eu me perguntei se estaria pensando que eu não demonstrava o mesmo entusiasmo de Jaja quando ela falava de seu jardim.

Algumas crianças do apartamento de cima desceram e ficaram nos observando. Eram mais ou menos cinco, usavam roupas manchadas de comida e tagarelavam sem parar. Falaram umas com as outras e com tia Ifeoma, e então uma delas se virou e me perguntou em que colégio de Enugu eu estudava. Gaguejei e apertei com força algumas folhas verdes de cróton, arrancando-as e vendo um líquido viscoso pingar dos galhos. Depois disso, tia Ifeoma disse que eu podia entrar se quisesse. Ela me falou de um livro que acabara de ler: estava na mesa de seu quarto, e ela tinha certeza de que eu ia gostar. Fui até o quarto de tia Ifeoma e peguei um livro com uma capa azul desbotada chamado *As viagens de Equiano, ou a vida de Gustavus Vassa, o africano*.

Fiquei sentada na varanda com o livro no colo, observando uma das crianças correr atrás de uma borboleta no jardim. A borboleta ia para cima e para baixo, e suas asas amarelas de pintinhas pretas batiam devagar, como se ela quisesse provocar a menininha. O cabelo da menina, que estava preso acima da cabeça num penteado que parecia uma bola de lã, balançava quando ela corria. Obiora também estava sentado na varanda, mas não na sombra como eu, e por isso comprimia os olhos por trás dos óculos grossos para protegê-los da luz do sol. Ele estava olhando para a menina e para a borboleta enquanto repetia o nome de Jaja devagar, acentuando ambas as sílabas, primeiro a primeira, depois a segunda.

— *Aja* significa areia ou oráculo, mas Jaja? Que nome é esse? Não é um nome igbo — declarou por fim.

— Meu nome na verdade é Chukwuka. Jaja é um apelido de infância que pegou.

Jaja estava de joelhos. Vestia apenas um short jeans, e os músculos de suas costas pareciam ondas, macios e longos como os montes de terra cujas ervas daninhas ele arrancava.

— Quando ele era bebê, só conseguia dizer Ja-Ja. Então todo mundo o chamava de Jaja — explicou tia Ifeoma, voltando-se para Jaja. — Eu disse a sua mãe que esse era um bom apelido, que você ia sair a Jaja de Opobo.

— Jaja de Opobo? O rei teimoso? — perguntou Obiora.

— Rebelde — disse tia Ifeoma. — Ele foi um rei rebelde.

— O que é rebelde, mamãe? O que esse rei fez? — perguntou Chima.

Ele também estava no jardim, e estava fazendo alguma coisa de joelhos, embora sua mãe já houvesse dito "*Kwusia*, não faça isso" e "Se fizer isso de novo, vai levar um tapa".

— Ele era rei do povo de Opobo — contou tia Ifeoma — e, quando os britânicos chegaram, recusou-se a deixar que eles controlassem todo o comércio. Ele não vendeu sua alma por um punhado de pólvora como os outros reis, e por isso os britânicos o mandaram para o exílio nas Índias Ocidentais. Ele nunca mais voltou a Opobo.

Com um regador de metal, que ela virava para que a água saísse pelos buraquinhos, tia Ifeoma continuava regando a fileira de minúsculas flores cor de banana que cresciam em ramalhetes. Já usara toda a água da maior garrafa que havíamos enchido de manhã.

— Que triste. De repente ele não devia ter sido rebelde — disse Chima.

Aproximou-se de Jaja e se agachou ao lado dele. Eu me perguntei se ele entendia o que significavam "exílio" e "vendeu a alma por um punhado de pólvora". Tia Ifeoma falava como se esperasse que sim.

— Ser rebelde pode ser bom às vezes — explicou tia Ifeoma. — A rebeldia é como a maconha. Não é ruim se for usada direito.

O tom solene que ela usou, mais do que o sacrilégio do que dizia, me fez erguer os olhos. Tia Ifeoma estava falando com Chima e Obiora, mas olhava para Jaja.

Obiora sorriu, empurrou os óculos para o alto do nariz e disse:

— Jaja de Opobo não era nenhum santo. Ele vendeu seu povo para os vendedores de escravos e, além do mais, os britânicos acabaram ganhando. A rebeldia não adiantou nada.

— Os britânicos ganharam a guerra, mas perderam muitas batalhas — disse Jaja.

Ao ouvir aquilo, meus olhos pularam diversas linhas do texto da página. Como Jaja fazia aquilo? Como conseguia falar com tanta facilidade? Será que não tinha as mesmas bolhas de ar na garganta que não deixavam as palavras saírem, só um gaguejar? Ergui os olhos para observá-lo, para observar sua pele negra coberta de gotas de suor que brilhavam no sol. Eu nunca tinha visto seu braço se mover daquele jeito, jamais tinha visto a luz penetrante que surgia em seus olhos quando ele estava no jardim de tia Ifeoma.

— O que aconteceu com seu dedo mindinho? — perguntou Chima.

Jaja olhou para baixo também, como se houvesse acabado de notar o dedo retorcido, deformado como um galho seco.

— Jaja sofreu um acidente — respondeu tia Ifeoma depressa. — Chima, vá buscar a garrafa d'água para mim. Ela já está quase vazia, então você vai conseguir carregar.

Olhei para tia Ifeoma e, quando ela me encarou, desviei o olhar. Ela sabia. Ela sabia o que havia acontecido com o dedo de Jaja.

Quando Jaja tinha dez anos, ele errara duas perguntas em

sua prova de catecismo e não fora o primeiro da turma de primeira comunhão. Papa o levou até o andar de cima da casa e trancou a porta. Jaja, aos prantos, saiu segurando a mão esquerda com a mão direita, e Papa levou-o ao Hospital St. Agnes. Papa chorou também ao carregar Jaja nos braços até o carro, como se ele fosse um bebê. Depois Jaja me contou que Papa evitara bater em sua mão direita, pois era a mão que ele usava para escrever.

— Aquela lá está quase florescendo — disse tia Ifeoma a Jaja, apontando um botão de ixora. — Mais dois dias e ela vai abrir os olhos e ver o mundo.

— Eu provavelmente não vou ver — disse Jaja. — Nós já teremos ido embora daqui a dois dias.

Tia Ifeoma sorriu.

— Não dizem que o tempo passa rápido quando a gente está feliz?

O telefone tocou e tia Ifeoma me pediu para atender, pois eu estava mais perto da porta da frente. Era Mama. Imediatamente eu soube que havia algo errado, pois era Papa quem sempre discava o telefone e falava primeiro. Além disso, eles nunca ligavam à tarde.

— Seu pai não está aqui — disse Mama, com a voz anasalada de quem precisava assoar o nariz. — Ele precisou sair esta manhã.

— Ele está bem? — eu perguntei.

— Ele está bem.

Mama hesitou e depois falou alguma coisa com Sisi. Ela voltou a falar comigo e contou que no dia anterior haviam aparecido alguns soldados nas pequenas e discretas salas onde funcionava a redação do *Standard*. Ninguém sabia como eles tinham descoberto sua localização. Eram tantos soldados que as pessoas que estavam na rua haviam dito a Papa que haviam se lembrado de fotos do fronte da época da guerra civil. Os soldados levaram todas as cópias do jornal, destruíram móveis e impressoras, trancaram as salas, levaram as chaves e colocaram tábuas sobre as portas e janelas. Ade Coker fora preso de novo.

— Estou preocupada com seu pai — disse Mama antes de eu entregar o telefone a Jaja. — Estou preocupada com seu pai.

Tia Ifeoma também ficou preocupada, porque depois do telefonema ela saiu e comprou uma edição do *Guardian*, embora nunca comprasse jornais. Eles eram caros; ela os lia na banca quando tinha tempo. A notícia sobre soldados fechando o *Standard* estava escondida numa página interna, perto de anúncios de sapatos femininos importados da Itália.

— Tio Eugene teria dado essa notícia na primeira página do seu jornal — disse Amaka, e me perguntei se seu tom era de orgulho.

Quando Papa ligou mais tarde, pediu para falar com tia Ifeoma primeiro. Depois falou com Jaja e, por último, comigo. Disse que ele estava bem, que estava tudo bem, que estava sentindo muitas saudades nossa e nos amava muito. Não mencionou o *Standard* nem o que acontecera na redação. Quando desligamos, tia Ifeoma disse:

— Seu pai quer que vocês fiquem aqui mais alguns dias.

Jaja deu um sorriso tão grande que eu vi covinhas que nem sabia que ele tinha.

O telefone tocou bem cedo, antes de qualquer um de nós haver tomado banho. Minha boca ficou seca, pois tive certeza de que era uma notícia de Papa, alguém dizendo que alguma coisa havia acontecido com ele. Os soldados tinham aparecido lá em casa; haviam atirado nele para ter certeza de que ele jamais voltaria a publicar nada. Esperei o momento em que tia Ifeoma ia chamar Jaja e eu, mas cerrei o punho com força e torci para que ela não o fizesse. Tia Ifeoma falou no telefone por alguns instantes e, quando saiu do quarto, estava triste. Sua risada não ecoou pela casa com a facilidade de sempre, e ela se irritou com Chima quando ele quis sentar ao seu lado, dizendo:

— Me deixe em paz! *Nekwa anya*, você não é mais um bebê.

Metade do lábio inferior dela desapareceu dentro de sua boca e seu maxilar tremeu enquanto ela mastigava.

O padre Amadi veio fazer uma visita na hora do jantar. Pegou uma cadeira na sala de estar e se sentou, dando goles num copo d'água que Amaka lhe trouxera.

— Joguei futebol no estádio e depois levei alguns dos meninos para a cidade, para comer *akara* e inhame frito — respondeu padre Amadi quando Amaka perguntou o que ele tinha feito naquele dia.

— Por que não me disse que ia jogar hoje, padre? — perguntou Obiora.

— Eu esqueci, me desculpe, mas passo aqui para pegar você e Jaja no fim de semana que vem para nós jogarmos.

A música de sua voz ficou mais grave enquanto ele pedia desculpas. Não consegui evitar de olhá-lo fixamente, pois sua voz me atraía como um ímã, e também porque eu não sabia que padres podiam jogar futebol. Era uma atividade tão ímpia, tão ordinária. O padre Amadi me encarou do outro lado da mesa e eu desviei o olhar depressa.

— Quem sabe Kambili não vem com a gente também? — disse ele.

Ouvir meu nome naquela voz, naquela melodia, me deixou tensa. Enchi a boca de comida, para fazê-lo acreditar que eu responderia algo se não tivesse de mastigar tanta coisa.

— Amaka costumava jogar conosco quando eu cheguei a Nsukka, mas agora ela só quer saber de escutar música africana e de sonhar sonhos irreais — disse o padre Amadi.

Meus primos riram; Amaka foi quem riu mais alto, e Jaja deu um sorriso. Mas tia Ifeoma não riu. Ela estava comendo aos bocadinhos; seus olhos estavam distantes.

— Ifeoma, o que foi? — perguntou o padre Amadi.

Tia Ifeoma balançou a cabeça e suspirou, como se houvesse acabado de perceber que não estava sozinha.

— Recebi um telefonema de Abba hoje. Meu pai está doente. Disseram que ele acordou mal três dias seguidos. Quero trazê-lo para cá.

— *Ezi okwu?* — disse o padre Amadi com o cenho franzido. — Sim, é melhor você fazer isso.

— Papa-Nnukwu está doente? — perguntou Amaka com a voz estridente. — Mãe, quando foi que você soube?

— Hoje de manhã, a vizinha dele me ligou. Ela é uma boa pessoa, Nwamgba, precisou ir até Ukpo para achar um telefone.

— Você devia ter nos contado! — gritou Amaka.

— *O gini?* Não acabei de contar? — disse tia Ifeoma, irritada.

— Quando podemos ir a Abba, mãe? — perguntou Obiora calmamente, e naquele momento, assim como em muitos outros desde que havíamos chegado, ele me pareceu bem mais velho que Jaja.

— Não tenho combustível suficiente no carro para ir nem até Ninth Mile, e não sei quando o combustível vai chegar. Não tenho dinheiro para ir de táxi. Se eu usar o transporte público, como vou trazer um velho doente comigo naqueles ônibus tão entupidos que a gente é obrigada a viajar com a cara no sovaco fedido do outro? — disse tia Ifeoma, balançando a cabeça. — Estou cansada. Estou tão cansada...

— Nós temos uma reserva de combustível na paróquia para emergências — disse o padre Amadi, muito sério. — Tenho certeza de que consigo alguns litros para você. *Ekwuzina*, não fique assim.

Tia Ifeoma assentiu e agradeceu ao padre Amadi. Mas seu rosto não se iluminou e, mais tarde, quando rezamos o rosário, sua voz não demonstrou entusiasmo ao cantar. Eu me esforcei para refletir sobre os Mistérios Gozosos, mas fiquei me perguntando onde Papa-Nnukwu ia dormir se ele viesse mesmo. Havia poucas opções no pequeno apartamento — a sala já estava cheia por causa dos meninos, e o quarto de tia Ifeoma servia de despensa, biblioteca e quarto de dormir para ela e para Chima. Teria de ser no outro quarto, que era de Amaka — e meu. Eu me perguntei se teria de confessar que tinha dormido no mesmo quarto de um pagão. Fiz uma pausa no meio da minha reflexão para rezar, pedindo que Papa jamais descobrisse que Papa-Nnukwu nos visitara e que eu dormira no mesmo quarto que ele.

No final das cinco dezenas, antes de rezarmos a salve-rainha, tia Ifeoma rezou por Papa-Nnukwu. Pediu que Deus tocasse Papa-Nnukwu e o curasse como fizera com a sogra do apóstolo Pedro. Pediu que a Virgem Maria rezasse por ele. Pediu que os anjos cuidassem dele.

Meu "amém" veio um pouco atrasado, um pouco surpreso. Quando Papa rezava por Papa-Nnukwu, ele pedia apenas que Deus o convertesse e o salvasse das chamas do inferno.

O padre Amadi chegou bem cedo na manhã seguinte, parecendo ainda menos um padre do que antes, de bermuda cáqui que ia até abaixo dos joelhos. Ele não se barbeara e, na luz clara da manhã, os pelinhos pareciam pontinhos desenhados em seu maxilar. Estacionou o carro ao lado da caminhonete de tia Ifeoma e pegou uma lata de gasolina e uma mangueira de jardim cortada, que tinha apenas um quarto do tamanho original.

— Deixe que eu sugo a gasolina, padre Amadi — disse Obiora.

— Cuidado para não engolir — disse padre Amadi.

Obiora enfiou uma ponta da mangueira na lata e envolveu a outra com a boca. Observei suas bochechas inflando como um balão e murchando. Ele rapidamente tirou a mangueira da boca e enfiou-a no tanque da caminhonete. Estava tossindo e cuspindo.

— Engoliu muito? — perguntou o padre Amadi, batendo nas costas de Obiora.

— Não — disse Obiora entre uma tosse e outra, orgulhoso.

— Muito bem! *Imana*, você sabe que sugar gasolina é uma habilidade necessária hoje em dia — disse o padre Amadi.

Seu sorriso irônico não conseguiu conspurcar sua pele lisa como argila. Tia Ifeoma saiu do apartamento usando um *bubu* preto simples. Não passara batom brilhante, e seus lábios estavam ressecados. Ela abraçou o padre Amadi.

— Obrigada, padre.

— Posso levar você a Abba esta tarde, depois do trabalho.

— Não, padre Amadi. Obrigada. Eu vou com Obiora.

Tia Ifeoma partiu com Obiora no banco do passageiro e padre Amadi foi embora logo depois. Chima foi para o apartamento da vizinha de cima. Amaka entrou em seu quarto e colocou uma música tão alta que dava para ouvir da varanda. Agora eu sabia distinguir entre um músico culturalmente consciente e outro. Ouvia a diferença entre os tons puros de Onyeka Onwenu, o poder dos metais de Fela, a sabedoria tranquilizante de Osadebe. Jaja estava no jardim com a tesoura de tia Ifeoma e eu sentei com o livro que já estava quase acabando de ler, e fiquei observando-o. Ele segurava a tesoura com ambas as mãos acima da cabeça, e ia cortando e cortando.

— Você acha que a gente é anormal? — perguntei num sussurro.

— *Gini?*

— Amaka disse que a gente é anormal.

Jaja olhou para mim e depois para as garagens que havia em frente ao jardim.

— O que anormal significa? — perguntou ele.

Era uma pergunta que não precisava nem queria uma resposta. Jaja voltou a podar as plantas.

Tia Ifeoma regressou à tarde, quando o zumbido de uma abelha no jardim estava quase me fazendo adormecer. Obiora ajudou Papa-Nnukwu a sair do carro, e ele foi se apoiando no neto até entrar no apartamento. Amaka veio correndo e apertou a lateral de seu corpo de leve contra a de Papa-Nnukwu. Os olhos dele estavam semicerrados, suas pálpebras pareciam ter pesos amarrados, mas ele sorriu e disse algo que fez Amaka rir.

— Papa-Nnukwu, *nno* — cumprimentei eu.

— Kambili — respondeu ele com voz fraca.

Tia Ifeoma quis que Papa-Nnukwu se deitasse na cama de Amaka, mas ele disse que preferia o chão. A cama tinha molas demais. Obiora e Jaja colocaram um lençol sobre o colchão extra e o estenderam no chão, e tia Ifeoma ajudou Papa-Nnukwu a se deitar nele. Seus olhos se fecharam quase imediatamente, embora a pálpebra do olho que estava perdendo a visão tenha permanecido meio aberta, como se ele estivesse espiando todos nós lá da terra do sono dos doentes. Papa-Nnukwu parecia mais alto quando estava deitado, ocupando toda a extensão do colchão, e me lembrei dele contando que só precisava esticar o braço para colher *ichekus* das árvores quando era jovem. A única árvore de *icheku* que eu já vira era enorme, com galhos que batiam no telhado de uma casa de dois andares. Mesmo assim, acreditei em Papa-Nnukwu, acreditei que ele apenas erguia as mãos para tirar as *ichekus* negras dos galhos.

— Vou fazer *ofe nsala* para o jantar. Papa-Nnukwu gosta — disse Amaka.

— Espero que ele coma. Chinyelu disse que ele mal tem conseguido beber água nos últimos dias.

Tia Ifeoma observava Papa-Nnukwu. Ela se inclinou e deu um peteleco leve nos enormes calos brancos dos pés dele. Suas solas eram cortadas por linhas estreitas, que pareciam rachaduras de parede.

— Você vai levá-lo ao centro médico hoje ou amanhã, mãe? — perguntou Amaka.

— Esqueceu, *imarozi,* que os médicos entraram em greve logo antes do Natal? Mas eu liguei para o doutor Nduoma antes de sair, e ele disse que vai passar aqui esta noite.

O dr. Nduoma morava na avenida Marguerite Cartwright também, mais para baixo, numa das casas de dois andares com placas que diziam "Cuidado com o cão" e com enormes gramados. Ele era diretor do centro médico, disse Amaka para mim e para Jaja enquanto o observávamos sair de seu Peugeot 504 horas depois. Mas, desde que a greve dos médicos começara, ele abrira uma pequena clínica na cidade. A clínica ficava entupida de gente, contou Amaka. Fora lá que ela havia tomado a injeção de cloroquina na última vez que tivera malária, e a enfermeira fervera água num fogão a querosene fumacento. Amaka ficou feliz pelo dr. Nduoma ter concordado em vir até o apartamento; só a fumaça naquela clínica abafada seria suficiente para fazer Papa-Nnukwu morrer engasgado, disse ela.

O dr. Nduoma tinha um sorriso permanente no rosto, como se fosse capaz até de dar más notícias a um paciente enquanto sorria. Ele abraçou Amaka e apertou a mão de Jaja e a minha. Amaka levou-o até seu quarto para que ele examinasse Papa-Nnukwu.

— Papa-Nnukwu está muito magrinho agora — disse Jaja.

Estávamos sentados um ao lado do outro na varanda. O sol se pusera e uma leve brisa soprava. Muitas crianças do prédio jogavam futebol no quintal. Um adulto gritou de um dos apartamentos lá em cima:

— *Nee anya*, se vocês, moleques, fizerem manchas nas paredes da garagem com essa bola, eu vou cortar as orelhas de vocês!

As crianças riam quando a bola batia nas paredes da garagem; ela estava coberta de poeira e deixava marcas redondas e marrons na pintura.

— Você acha que Papa vai descobrir?

— O quê?

Eu apertei os dedos das mãos com força. Como era possível que Jaja não soubesse do que eu estava falando?

— Que Papa-Nnukwu está aqui com a gente. Na mesma casa.

— Não sei.

O tom de voz de Jaja fez com que eu me virasse para olhar para ele. Ele não estava franzindo o cenho de preocupação, como eu tinha certeza de que eu própria devia estar.

— Foi você que contou a tia Ifeoma o que aconteceu com o seu dedo? — perguntei.

Não devia ter perguntado. Devia ter deixado para lá. Mas, pronto, saíra. Só quando eu estava sozinha com Jaja as bolhas em minha garganta permitiam que as palavras saíssem.

— Ela me perguntou e eu contei — disse Jaja, batendo o pé no chão da varanda num ritmo acelerado.

Olhei para as minhas mãos, para as unhas que Papa costumava cortar tão curtas que meus dedos ficavam doendo, na época em que eu me sentava entre as pernas dele e sua bochecha encostava gentilmente na minha, antes que eu fosse adulta o suficiente para fazer aquilo sozinha — e eu sempre as cortava até meus dedos doerem também. Será que Jaja tinha esquecido que nós não contávamos a ninguém, que havia tanto que nunca contávamos a ninguém? Quando as pessoas perguntavam, ele sempre dizia que seu dedo era assim por causa de "uma coisa" que acontecera em nossa casa. Assim, ele não mentia, e as pessoas imaginavam que tinha havido algum acidente, talvez com uma porta pesada. Eu quis perguntar a Jaja por que ele tinha contado a verdade a tia Ifeoma, mas sabia que não era preciso, sabia que ele próprio não tinha a resposta para aquela pergunta.

— Vou limpar o carro de tia Ifeoma — disse Jaja, se levantando. — Queria que tivesse água corrente para eu poder lavá-lo. Está tão empoeirado.

Eu o observei entrar no apartamento. Ele jamais lavara um carro em nossa casa. Seus ombros pareciam mais largos, e me perguntei se era possível os ombros de um adolescente ficarem mais largos em apenas uma semana. A brisa estava carregada com o cheiro da poeira e das folhas secas que Jaja podara. O aroma das especiarias que Amaka usara no *ofe nsala* vinha da cozinha e fazia cócegas em meu nariz. Naquele momento, me dei conta de que Jaja estivera batendo o pé no ritmo de uma canção igbo que tia Ifeoma e meus primos cantavam durante o rosário da noite.

Eu ainda estava sentada na varanda, lendo, quando o dr. Nduoma foi embora. Ele conversou e riu com tia Ifeoma enquanto ela o levava até o carro, dizendo que estava tentado a esquecer os pacientes que o esperavam na clínica para poder aceitar o convite dela para jantar.

— Essa sopa está com um cheiro tão bom que parece que Amaka lavou bem as mãos antes de fazê-la — disse.

Tia Ifeoma foi até a varanda e observou-o se afastar de carro.

— Obrigada, *nna m* — disse ela a Jaja, que estava limpando seu carro estacionado na frente do apartamento.

Eu jamais a ouvira chamar Jaja de *nna m* — "meu pai". Era assim que ela chamava seus filhos às vezes.

Jaja veio para a varanda também.

— Não foi nada, tia — disse ele, erguendo os ombros como alguém que estava orgulhoso em vestir roupas que não eram do seu tamanho. — O que o médico disse?

— Ele quer que seu Papa-Nnukwu faça alguns exames. Vou levá-lo ao centro médico amanhã; pelo menos os laboratórios ainda estão abertos.

Tia Ifeoma levou Papa-Nnukwu ao Centro Médico Universitário de manhã e voltou pouco depois com uma expressão de grande tristeza. Os funcionários do laboratório também estavam em greve e por isso Papa-Nnukwu não pudera fazer os exames. Tia Ifeoma olhou para o horizonte e disse que teria de encontrar um laboratório particular na cidade e, falando mais baixo, contou que os laboratórios particulares haviam aumentado tanto seus preços que um mero exame de febre tifoide custava mais do que o remédio. Ela teria de perguntar ao dr. Nduoma se Papa-Nnukwu realmente precisava de todos aqueles exames. No centro médico, não teria precisado pagar nem um kobo; pelo menos, ser professor ainda tinha essa vantagem. Tia Ifeoma deixou Papa-Nnukwu descansando e foi comprar o remédio que o dr. Nduoma passara, com rugas de preocupação cavadas na testa.

Mas naquela noite Papa-Nnukwu se sentiu bem o suficiente para se levantar e ir jantar, e os nós no rosto de tia Ifeoma se soltaram um pouco. Comemos o *ofe nsala* que sobrara e *garri*, que fora pilado por Obiora até ficar macio e grudento.

— Não é certo comer *garri* de noite — disse Amaka.

Mas ela não fez uma careta ao reclamar, como sempre fazia; em vez disso, tinha no rosto aquele sorriso fresco que mostrava o buraco entre seus dentes, o sorriso que sempre parecia ter quando Papa-Nnukwu estava por perto.

— Ele pesa no estômago quando a gente o come à noite — continuou Amaka.

Papa-Nnukwu riu.

— O que nossos ancestrais comiam à noite em sua época, *gbo*? — perguntou ele. — Mandioca pura. *Garri* é para gente moderna. Não tem nem mesmo o gosto de mandioca pura.

— Mesmo assim você precisa comer o seu inteirinho, *nna anyi*.

Tia Ifeoma pegou um pedaço do *garri* de Papa-Nnukwu; fez um buraco nele com um dos dedos, enfiou um comprimido branco e moldou o pedaço com os dedos, transformando-o numa bolinha macia. Ela colocou a bolinha no prato de Papa-Nnukwu e depois repetiu o processo com mais quatro remédios.

— Ele não toma o remédio se eu não fizer isso — disse tia Ifeoma em inglês. — Diz que os remédios são amargos, mas vocês deviam provar as nozes-de-cola que ele mastiga todo alegre... elas têm gosto de bile.

Meus primos riram.

— A moral, assim como o gosto, é relativa — disse Obiora.

— Ei! O que está falando de mim, *gbo*? — perguntou Papa-Nnukwu.

— *Nna anyi*, quero ver o senhor engolindo o remédio.

Papa-Nnukwu pegou obedientemente cada bolinha, molhou-a na sopa e engoliu. Quando as cinco haviam desaparecido, tia Ifeoma pediu que ele bebesse um pouco de água, para que os remédios dissolvessem e ajudassem o corpo dele a se curar. Papa-Nnukwu tomou um gole de água e colocou o copo na mesa.

— Quando você fica velho, passa a ser tratado como criança — murmurou.

Naquele momento, a TV fez o som arranhado de areia sendo derramada no papel e todas as luzes se apagaram. Um cobertor de escuridão pousou sobre a sala.

— Ei! — gemeu Amaka. — Esse não é um bom dia para a Companhia Elétrica roubar nossa luz. Eu queria ver um programa na televisão!

Obiora se moveu na escuridão até o canto onde ficavam duas lâmpadas de querosene e acendeu-as. Senti a fumaça do querosene quase imediatamente; ela fez meus olhos lacrimejarem e minha garganta arranhar.

— Papa-Nnukwu, conte uma história então, como faz quando estamos em Abba — pediu Obiora. — Afinal de contas, elas são bem melhores do que os programas da televisão.

— *O di mma*. Mas antes vocês precisam me contar como aquela gente que aparece na televisão faz para entrar lá.

Meus primos riram. Papa-Nnukwu sempre dizia aquilo para fazê-los rir. Deduzi isso pelo jeito como eles começaram a rir antes mesmo de ele terminar a frase.

— Conte a história que explica por que o jabuti tem o casco partido! — disse Chima com sua vozinha.

— O que eu gostaria de saber é por que o jabuti aparece tanto nas lendas do nosso povo — disse Obiora em inglês.

— Conte a história que explica por que o jabuti tem o casco partido! — repetiu Chima.

Papa-Nnukwu limpou a garganta.

— Há muito tempo, quando os animais falavam e havia poucos lagartos, houve um grande período de fome na terra dos animais. As fazendas secaram e a terra rachou. A fome matou muitos animais, e os que ficaram vivos nem tinham forças para dançar a dança do luto nos enterros. Um dia, todos os animais machos fizeram uma reunião para decidir o que podia ser feito antes que a fome acabasse com toda a aldeia.

"Todos foram cambaleando para a reunião, esquálidos e fracos. Até o rugido do Leão mais parecia o barulhinho de um camundongo. O Jabuti mal conseguia carregar o próprio casco. Só o Cão estava com cara boa. Seu pelo brilhava saudavelmente, e não dava para ver os ossos sob a pele, pois havia bastante gordura em volta deles. Todos os animais perguntaram ao Cão como ele conseguia ficar tão bem no meio de toda aquela fome. 'Eu venho comendo fezes, como sempre faço', respondeu o Cão.

"Os outros animais costumavam rir do Cão, pois todos sabiam que ele e sua família comiam fezes. Nenhum dos outros animais podia se imaginar comendo fezes. O Leão assumiu o controle da reunião e disse: 'Como nós não podemos comer fezes como o Cão, precisamos pensar em outro jeito de nos alimentar.'.

"Os animais pensaram muito até que o Coelho sugeriu que todos matassem as próprias mães e as comessem. Muitos animais discordaram disso, pois ainda lembravam da doçura do leite do peito de suas mães. Mas por fim todos concordaram que aquela era a melhor alternativa, já que todos iam morrer se nada fosse feito."

— Eu nunca ia conseguir comer a mamãe — disse Chima com uma risadinha.

— Provavelmente não seria uma boa ideia, com essa pele dura — disse Obiora.

— As mães não se incomodaram em ser sacrificadas — continuou Papa-Nnukwu. — Então, a cada semana uma mãe era morta e os animais dividiam a carne. Logo, todos estavam bem de novo. Então, alguns dias antes de chegar a vez da mãe do Cão ser morta, o Cão saiu cantando a canção de luto por sua mãe. Ela tinha morrido da doença. Os outros animais ficaram com pena do Cão e se ofereceram para enterrá-la. Como ela tinha morrido da doença, eles não podiam comê-la. O Cão recusou qualquer ajuda e disse que ele mesmo ia enterrá-la. Ele estava arrasado por ela não ter tido a honra de morrer como as outras mães, que haviam se sacrificado pela vila.

"Alguns dias depois, o Jabuti estava a caminho de sua fazenda seca para ver se havia alguns vegetais ressecados para colher. Ele parou para se aliviar perto de um arbusto, mas como o arbusto estava murcho não o escondeu muito bem. Assim, o Jabuti pôde ver através do arbusto, e viu o Cão olhando para cima e cantando. O Jabuti se perguntou se a dor tinha enlouquecido o Cão. Por que o Cão estava cantando para o céu? O Jabuti escutou bem para entender o que o Cão estava cantando: 'Nne, Nne, mãe, mãe'."

— Njemanze! — responderam meus primos em coro.

— Nne, Nne, eu estou aqui.

— Njemanze!

— Nne, Nne, mande a corda. Eu estou aqui.

— Njemanze!

— O Jabuti saiu de trás do arbusto e foi pedir satisfações ao Cão. O Cão admitiu que sua mãe não morrera de verdade, que ela fora para o céu, onde vivia com amigos ricos. Ele estava com aquela aparência tão boa porque ela lhe dava comida do céu todos os dias. "Que coisa mais abominável", gritou o Jabuti. "Quer dizer que você estava comendo fezes, hein? Espere só até a aldeia saber o que você fez."

"É claro que o Jabuti continuava tão esperto como sempre. Ele não tinha a menor intenção de contar aquilo a toda a aldeia. Ele sabia que o Cão ia se oferecer para levá-lo ao céu também. Quando o Cão o fez, o Jabuti fingiu que estava pensando no assunto antes de aceitar. Mas a saliva já escorria por suas bochechas. O Cão cantou a música de novo, uma corda desceu do céu e os dois animais subiram.

"A mãe do Cão não gostou de ver que o filho trouxera um amigo, mas mesmo assim lhes serviu bastante comida. O Jabuti comeu como um animal selvagem. Ele comeu quase todo o *fufu* e quase toda a sopa de *onugbu*, e derramou um chifre cheio de vinho de palma goela abaixo quando sua boca estava cheia de comida. Após a refeição, os dois desceram pela corda. O Jabuti disse ao Cão que não contaria seu segredo a ninguém, contanto que ele o levasse ao céu todo dia até que a chuva caísse e a fome acabasse. O Cão concordou... o que mais podia fazer? Quanto mais o Jabuti comia no céu, mais comida ele queria, até que um dia decidiu ir ao céu sozinho para comer a parte do Cão também. Ele foi até o lugar perto do arbusto seco e começou a cantar, imitando a voz do Cão. A corda veio descendo. Naquele instante, o Cão apareceu e viu o que estava acontecendo. Furioso, o Cão começou a cantar alto: 'Nne, Nne, mãe, mãe'."

— Njemanze! — responderam meus primos em coro.

— Nne, Nne, não é seu filho que está subindo.

— Njemanze!

— Nne, Nne, corte a corda. Não é seu filho que está subindo. É o esperto do Jabuti.

— Njemanze!

— Imediatamente, a mãe do Cão cortou a corda e o Jabuti, que já estava a meio caminho do céu, despencou lá de cima. O Jabuti caiu numa pilha de pedras e rachou o casco. E até hoje o Jabuti tem o casco rachado.

Chima riu.

— O jabuti tem o casco rachado! — repetiu ele.

— Você não se pergunta por que só a mãe do Cão conseguiu subir no céu? — perguntou Obiora em inglês.

— Ou quem eram os amigos ricos dela no céu? — disse Amaka.

— Deviam ser os ancestrais do Cão — respondeu Obiora.

Meus primos e Jaja riram, e Papa-Nnukwu riu também, uma risada gentil, como se ele houvesse entendido o inglês, e então se recostou e fechou os olhos. Eu olhei para todos e me arrependi de não ter respondido Njemanze! também.

Papa-Nnukwu acordara antes de todo mundo. Ele queria tomar café sentado na varanda, para ver o sol da manhã. Por isso, tia Ifeoma pediu que Obiora estendesse um tapete na varanda, e nós todos sentamos e tomamos café com Papa-Nnukwu, ouvindo-o falar dos homens que extraíam vinho de palma em sua cidadezinha, dizendo que eles saíam de casa de madrugada para subir nas palmeiras, porque as árvores davam vinho azedo depois que o sol nascia. Dava para perceber que ele sentia saudades da aldeia, que sentia saudade de ver aquelas palmeiras onde os homens subiam com um cinto de ráfia envolvendo seus corpos e o tronco da árvore.

Embora a gente tenha comido pão, *okpa* e Bournvita no café, tia Ifeoma fez um pouco de *fufu* para enterrar os remédios de Papa-Nnukwu, caixões macios e esféricos que ela fazia questão de ver se ele estava engolindo. A expressão de preocupação dela se dissipara.

— Ele vai ficar bom — disse tia Ifeoma em inglês. — Logo vai estar reclamando, querendo voltar para a aldeia.

— Ele precisa ficar aqui algum tempo — disse Amaka. — Talvez ele devesse morar aqui, mãe. Acho que aquela menina, a Chinyelu, não toma conta dele direito.

— *Igasikwa*! Ele nunca vai querer morar aqui.

— Quando você vai levá-lo para fazer os exames?

— Amanhã. O doutor Nduoma disse que eu posso fazer só dois exames em vez dos quatro. Os laboratórios particulares da cidade sempre querem pagamento à vista, por isso vou ter que passar no banco primeiro. Acho que não vai dar tempo de levá-lo hoje, pois as filas no banco estão muito longas.

Um carro entrou na propriedade naquele instante e, antes mesmo de Amaka perguntar "É o padre Amadi?" eu soube que era ele mesmo. Só vira seu pequeno Toyota *hatchback* uma vez antes, mas seria capaz de reconhecê-lo em qualquer lugar. Minhas mãos começaram a tremer.

— Ele disse que ia passar aqui para ver seu Papa-Nnukwu — disse tia Ifeoma.

O padre Amadi estava vestindo sua batina, que era larga e de mangas compridas, com uma faixa preta frouxa amarrada na cintura. Mesmo com aquela roupa de padre, seus passos firmes e seguros atraíam e prendiam meus olhos. Entrei correndo no apartamento. Podia ver o jardim claramente da janela do quarto, que tinha alguns basculantes faltando. Apertei o rosto contra a janela, perto do pequeno rasgo na tela de mosquito que Amaka culpava de deixar entrar todas as mariposas que voavam em torno da lâmpada à noite. O padre Amadi estava perto da janela, próximo o suficiente para que eu visse a maneira como seu cabelo formava ondas em sua cabeça, parecidas com as pequenas ondas de um riacho.

— A recuperação dele tem sido bem rápida, padre, *Chukwu aluka* — disse tia Ifeoma.

— Nosso Deus é fiel, Ifeoma — disse padre Amadi alegremente, como se Papa-Nnukwu fosse um parente seu.

Então contou a tia Ifeoma que estava a caminho de Isienu, para visitar um amigo que acabara de voltar de uma missão em Papua-Nova Guiné. Ele se virou para Jaja e Obiora e disse:

— Vou passar aqui esta noite para pegar vocês. Vamos jogar no estádio, com alguns meninos do seminário.

— Tudo bem, padre — responderam os dois, Jaja com uma voz vigorosa.

— Onde está Kambili? — perguntou padre Amadi.

Olhei para o meu peito, que estava arfante agora. Sem saber por quê, fiquei feliz por ele dizer meu nome, por lembrar meu nome.

— Acho que está lá dentro — respondeu tia Ifeoma.

— Jaja, diga a ela que pode vir conosco, se quiser.

Quando padre Amadi voltou naquela noite, eu fingi que estava fazendo uma sesta. Esperei até ouvir seu carro se afastando, com Jaja e Obiora dentro, antes de aparecer na sala. Não tinha sentido vontade de ir com eles, mas quando não ouvi mais o motor do carro, quis correr atrás dele.

Amaka estava na sala com Papa-Nnukwu, passando vaselina devagar nos poucos tufos de cabelo que ainda havia na cabeça dele. Depois, passou talco no rosto e no peito dele.

— Kambili — disse Papa-Nnukwu quando me viu —, sua prima pinta bem. Nos tempos antigos, ela teria sido escolhida para decorar os templos dos nossos deuses.

Ele falou devagar. Provavelmente, alguns dos remédios que estava tomando o deixavam sonolento. Amaka não me olhou; deu um último tapinha em seu cabelo — um carinho, na verdade — e sentou-se no chão diante dele. Acompanhei os movimentos ligeiros de sua mão conforme ela movia o pincel da paleta para o papel e de volta para a paleta. Amaka pintava tão rápido que achei que iam ficar só borrões no papel, até que olhei bem e vi o desenho assumindo uma forma clara — uma forma esguia e graciosa. Ouvi o tique-taque do relógio de parede, aquele que tinha uma foto de Papa apoiado em seu cajado. O silêncio era delicado. Tia Ifeoma esfregava uma panela com o fundo queimado na cozinha, e o *crec-crec-crec* da colher de metal na panela me pareceu intrusivo. Amaka e Papa-Nnukwu falavam um com o outro às vezes, com vozes baixas que se entrelaçavam. Eles se compreendiam com poucas palavras. Ao observá-los, senti um intenso desejo por algo que eu sabia que jamais teria. Quis me levantar e sair dali, mas minhas pernas não me pertenciam, não faziam o que eu queria que fizessem. Finalmente, me forcei a me erguer e fui para a cozinha; nem Papa-Nnukwu nem Amaka perceberam quando saí.

Tia Ifeoma estava sentada num banco baixo, tirando a casca marrom de taiobas quentes, jogando os tubérculos grudentos e redondos no pilão de madeira e parando para esfriar as mãos numa tigela de água gelada.

— Por que você está com essa cara, *o gini?* — perguntou ela.

— Que cara, tia?

— Há lágrimas em seus olhos.

Eu toquei meus olhos molhados.

— Alguma coisa deve ter entrado neles — expliquei.

Tia Ifeoma fez uma expressão de quem não acreditou.

— Venha me ajudar com as taiobas— disse ela por fim.

Peguei um banquinho, coloquei-o ao lado do dela e me sentei. As cascas saíam facilmente nas mãos de tia Ifeoma, mas, quando apertei uma ponta do tubérculo, a casca grossa e marrom continuou no mesmo lugar e o calor fez arder as palmas das minhas mãos.

— Molhe a mão na água antes.

Tia Ifeoma demonstrou onde e como apertar para que a casca saísse rapidamente. Observei-a pilar as taiobas, mergulhando o pau do pilão várias vezes na água para que o tubérculo não grudasse muito nele. Mesmo assim, o purê branco grudou no pau, no pilão, na mão de tia Ifeoma. Mas ela ficou satisfeita, pois o purê ia engrossar bem a sopa de *onugbu*.

— Viu como seu Papa-Nnukwu está ficando bom? — perguntou tia Ifeoma. — Faz bastante tempo que ele está sentado para Amaka poder pintar seu retrato. É um milagre. Nossa Senhora é fiel.

— Como Nossa Senhora pode interceder por um pagão, tia? Tia Ifeoma ficou em silêncio enquanto usava uma concha para colocar a pasta grossa de taioba dentro da panela de sopa; então me olhou e disse que Papa-Nnukwu não era um pagão, mas um tradicionalista, que às vezes o que era diferente era tão bom quanto o que era familiar, que quando Papa-Nnukwu fazia seu *itu-nzu* de manhã, sua declaração de inocência, era a mesma coisa do que quando rezávamos o rosário. Ela disse mais algumas outras coisas, mas não escutei, pois ouvi Amaka rindo na sala com Papa-Nnukwu e me perguntei do que eles estariam rindo, e se por acaso iam parar se eu chegasse.

Quando tia Ifeoma me acordou, o quarto estava na penumbra e o cricrilar dos grilos noturnos soava mais baixo. O canto de um galo entrou pela janela que ficava acima da minha cama.

— *Nne* — disse tia Ifeoma, dando tapinhas no meu ombro. — Seu Papa-Nnukwu está na varanda. Vá ver o que ele está fazendo.

Eu me senti completamente acordada, embora tenha precisado usar os dedos para forçar os olhos a abrir. Lembrei do que tia Ifeoma tinha dito ontem, sobre Papa-Nnukwu ser um tradicionalista e não um pagão. Mesmo assim, não soube bem por que ela queria que eu fosse ver o que ele estava fazendo na varanda.

— *Nne*, não se esqueça de não fazer barulho. Só olhe — disse tia Ifeoma, sussurrando para não acordar Amaka.

Amarrei a canga na altura do peito, colocando-a sobre minha camisola de flores brancas e rosas, e saí pé ante pé do quarto. A porta que dava para a varanda estava semiaberta e os tons arroxeados da madrugada tingiam a sala. Eu não quis acender a luz, pois Papa-Nnukwu ia perceber, por isso apenas fiquei parada ao lado da porta, encostada na parede.

Papa-Nnukwu estava sentado num banquinho de madeira, com as pernas dobradas formando triângulos. O nó frouxo de sua canga se soltara e ela escorregara da cintura e cobrira o banquinho, com suas pontas azuis desbotadas arrastando no chão. Uma lâmpada de querosene, com a chama no ponto mais baixo, estava a seu lado. A luz bruxuleante lançava um brilho cor de topázio sobre a varanda estreita, sobre os cabelos grisalhos e curtos das pernas de Papa-Nnukwu, e sobre sua pele cor de terra. Ele se abaixou para desenhar uma linha no chão com o *nzu* que tinha nas mãos. Estava falando com o rosto virado para baixo, como se se dirigisse à linha de giz, que agora parecia amarela. Falava com os deuses ou com os ancestrais; eu me lembrei de tia Ifeoma explicando que uns e outros podiam se confundir.

— Chineke! Agradeço por esta manhã! Agradeço pelo sol que nasce.

O lábio inferior de Papa-Nnukwu tremia enquanto ele falava. Talvez por isso suas palavras em igbo juntavam-se umas com as outras, de maneira que, se fossem escritas num papel, formariam uma única e longa palavra. Papa-Nnukwu abaixou-se para riscar outra linha, rapidamente, com uma determinação apaixonada que fazia sacudir a pele de seu braço, que pendia como uma bolsa de couro marrom.

— Chineke! Eu não matei ninguém, não roubei a terra de ninguém, não cometi adultério — disse, abaixando-se para desenhar uma terceira linha e fazendo o banquinho ranger. — Chineke! Eu desejei o bem dos outros. Ajudei os que não tinham nada com o pouco de que pude abrir mão.

Um galo estava cantando, um som comprido e melancólico que parecia vir de muito perto.

— Chineke! Abençoe-me. Deixe-me encontrar comida suficiente para encher o meu estômago. Abençoe minha filha Ifeoma. Dê-lhe o suficiente para sua família.

Papa-Nnukwu se remexeu no banquinho. Dava para ver que seu umbigo, que costumava ser uma bola, agora parecia uma berinjela enrugada, debruçada sobre sua barriga.

— Chineke! Abençoe meu filho Eugene. Que o sol de sua prosperidade continue a brilhar. Acabe com a maldição que puseram nele.

Ele se abaixou e desenhou mais uma linha. Fiquei surpresa de ouvi-lo rezando por Papa com a mesma sinceridade com que rezava por si mesmo e por tia Ifeoma.

— Chineke! Abençoe os filhos dos meus filhos. Deixe que seus olhos os acompanhem para longe do mal e perto do bem.

Papa-Nnukwu sorriu ao falar. Os poucos dentes que lhe restavam na frente pareciam ser de um amarelo mais forte à luz, como espigas frescas de milho. Os buracos largos em suas gengivas eram de um amarelado mais sutil.

— Chineke! Que aqueles que desejam o bem dos outros fiquem bem. Que aqueles que desejam o mal dos outros fiquem mal.

Papa-Nnukwu desenhou a última linha, mais longa do que as outras, com um gesto elaborado. Ele havia terminado.

Quando Papa-Nnukwu se levantou e se espreguiçou, seu corpo todo, como a casca da gmelina retorcida que havia em nosso jardim, refletiu as sombras douradas da chama da lâmpada em suas muitas rugas e vincos. Até as manchas de velhice que havia em suas mãos e pernas brilharam. Não desviei o olhar, embora fosse pecado ver a nudez de outra pessoa. As dobras na barriga de Papa-Nnukwu já não pareciam tão numerosas, e seu umbigo se ergueu mais alto, ainda cercado de pele. Entre suas pernas, pendia um casulo flácido que parecia não ter as rugas que cobriam o resto de seu corpo como telas de mosquito. Papa-Nnukwu apanhou sua canga e amarrou-a em volta do corpo, dando um nó na cintura. Seus mamilos eram como passas negras aninhadas entre os tufos de cabelo grisalho de seu peito. Ele ainda sorria quando me virei silenciosamente e voltei para o quarto. Eu nunca sorria depois de rezar o rosário em casa. Nenhum de nós sorria.

Papa-Nnukwu voltou para a varanda depois do café e postou-se no banquinho, com Amaka sentada sobre um tapete de plástico a seus pés. Ela esfregou gentilmente o pé dele com uma pedra-pomes, molhou-o numa tigela de plástico cheia de água, passou vaselina e depois fez o mesmo no outro pé. Papa-Nnukwu reclamou que Amaka ia deixar seus pés delicados demais, que até as pedras macias agora iam furar suas solas, porque ele nunca usava sandálias na aldeia, embora tia Ifeoma o obrigasse a usá-las quando estava em Nsukka. Mas ele não mandou Amaka parar.

— Vou pintá-lo aqui na varanda, na sombra. Quero pegar o reflexo da luz do sol em sua pele — disse Amaka quando Obiora se juntou a eles.

Tia Ifeoma apareceu, vestindo uma canga azul e uma blusa. Ia ao mercado com Obiora, que ela afirmava ser capaz de dizer quanto era o troco mais rápido do que um vendedor com uma calculadora.

— Kambili, quero que me ajude a preparar as folhas de *orah*, para eu poder começar a fazer a sopa quando eu voltar — disse tia Ifeoma.

— Folhas de *orah*? — perguntei, engolindo em seco.

— Isso. Não sabe preparar *orah*?

Balancei a cabeça.

— Não, tia.

— Então a Amaka faz — disse tia Ifeoma, tirando a canga da cintura e amarrando-a de novo.

— Por quê? — gritou Amaka. — Porque gente rica não prepara *orah* na casa deles? Ela não vai comer a sopa de *orah* também?

Tia Ifeoma lançou um olhar furioso — não para Amaka, mas para mim.

— O *ginidi*, Kambili, você não tem boca? Não deixe Amaka sem resposta!

Observei um lírio africano cair de seu galho no jardim. Os crótons balançavam à brisa do final da manhã.

— Não precisa gritar, Amaka — disse eu finalmente. — Não sei preparar as folhas de *orah*, mas você pode me mostrar como se faz.

Não sei da onde surgiram aquelas palavras tranquilas. Não quis olhar para Amaka, não quis ver a expressão de desprezo em seu rosto, não quis incitá-la a dizer outra coisa para mim, pois sabia que não ia conseguir retrucar. Achei que estava imaginando coisas quando ouvi o som, mas então olhei para Amaka — e ela estava mesmo rindo.

— Então você sabe falar alto, Kambili — disse ela.

Amaka me mostrou como preparar as folhas de *orah*. As folhas verde-claras e escorregadias tinham talos fibrosos que não ficavam macios após o cozimento, por isso eles precisavam ser cuidadosamente arrancados. Equilibrei a bandeja cheia delas no colo e comecei a trabalhar, arrancando os talos e colocando as folhas numa tigela aos meus pés. Já havia terminado quando tia Ifeoma chegou, cerca de uma hora depois, e se atirou sobre um banquinho, abanando-se com um jornal. Gotas de suor haviam tirado o pó de arroz de seu rosto, formando linhas paralelas de pele escura em suas bochechas. Jaja e Obiora estavam pegando os alimentos no carro, e tia Ifeoma pediu que Jaja colocasse o cacho de bananas-da-terra no chão da varanda.

— Amaka, *ka*? Adivinhe quanto foi isso?

Amaka examinou o cacho com um ar crítico antes de dizer um valor. Tia Ifeoma balançou a cabeça e contou que as bananas haviam custado quarenta nairas a mais do que Amaka dissera.

— Ei! Por esse cacho pequeno? — gritou Amaka.

— Os mercadores dizem que é difícil transportar os produtos porque não há combustível, e aí acrescentam o valor do transporte ao preço, *o di egwu* — explicou tia Ifeoma.

Amaka apanhou as bananas e apertou cada uma entre os dedos, como se, fazendo isso, pudesse entender por que elas custavam tanto dinheiro. Levou-as para dentro no momento em que padre Amadi chegou em seu carro e estacionou na frente do prédio. O para-brisa refletiu a luz do sol e brilhou. Ele subiu depressa os degraus que levavam à varanda, segurando sua batina como uma noiva segura o vestido. O padre Amadi cumprimentou Papa-Nnukwu primeiro, antes de abraçar tia Ifeoma e apertar as mãos dos meninos. Ofereci minha mão para que ele a apertasse, com o lábio inferior começando a tremer.

— Kambili — disse ele, segurando minha mão por um pouco mais de tempo do que segurara a dos meninos.

— Está indo para algum lugar, padre? — perguntou Amaka, aparecendo na varanda. — Deve estar morrendo de calor com essa batina.

— Vou dar algumas coisas para um amigo meu, o padre que veio de Papua-Nova Guiné. Ele vai voltar para lá na semana que vem.

— Papua-Nova Guiné. Como é esse lugar, hein? — perguntou Amaka.

— Ele contou que atravessou um rio de canoa, com crocodilos bem embaixo dele. Disse que não sabe o que aconteceu primeiro, se ouviu os crocodilos abrindo e fechando a boca ou descobriu que havia feito xixi nas calças.

— Espero que eles não mandem você para um lugar assim — disse tia Ifeoma, rindo, ainda se abanando e bebericando um copo d'água.

— Não quero nem pensar em você indo embora, padre — disse Amaka. — Ainda não sabe para onde vai nem quando, *okwia*?

— Não. Acho que no ano que vem.

— Quem está mandando você embora? — perguntou Papa-Nnukwu com aquele jeito súbito que me fazia perceber que ele estava entendendo todas as palavras ditas em igbo.

— O padre Amadi faz parte de um grupo de padres *ndi* missionários, e eles vão para países diferentes tentar converter as pessoas — explicou Amaka.

Ela quase nunca misturava palavras em inglês quando falava com Papa-Nnukwu, como todos nós fazíamos sem querer.

— *Ezi okwu?* — disse Papa-Nnukwu, fitando padre Amadi com seu olho leitoso. — É isso mesmo? Nossos filhos crescem e viram missionários na terra dos brancos?

— Nós vamos para a terra dos brancos e para a terra dos negros, senhor — disse padre Amadi. — Qualquer lugar que precise de um padre.

— Muito bem, meu filho. Mas você não deve jamais mentir para eles. Nunca os ensine a desrespeitar seus pais — disse Papa-Nnukwu, desviando o olhar e balançando a cabeça.

— Ouviu, padre? — perguntou Amaka. — Não minta para aquelas pobres almas ignorantes.

— Vai ser difícil, mas vou tentar — disse padre Amadi em inglês, seus olhos enrugando nos cantos ao sorrir.

— Sabe, padre, é que nem fazer *okpa* — disse Obiora. — A gente mistura a farinha de feijão-fradinho com o dendê e depois cozinha no vapor por horas. Você acha que dá para ficar só com a farinha de feijão-fradinho? Ou só com o dendê?

— Do que você está falando? — perguntou padre Amadi.

— De religião e tirania — disse Obiora.

— Sabia que tem um ditado que diz que não são só os homens nus do mercado que são loucos? — disse o padre Amadi. — Sua loucura voltou e está perturbando você de novo, *okwia*?

Obiora riu e Amaka também, aquela risada bem alta que aparentemente só padre Amadi conseguia arrancar dela.

— Falou como um missionário de verdade, padre — disse Amaka. — Quando as pessoas desafiam você, é só chamá-las de loucas.

— Está vendo como sua prima fica nos olhando quietinha? — perguntou padre Amadi, me indicando. — Ela não desperdiça energia com discussões intermináveis. Mas sua mente está cheia de pensamentos, dá para perceber.

Olhei para ele, espantada. Havia manchas redondas e molhadas de suor em suas axilas, escurecendo a alvura de sua batina. Os olhos dele permaneceram fixos no meu rosto e eu desviei o olhar. Era perturbador demais fitá-lo daquele jeito; fazia-me esquecer quem estava ali do lado, onde eu estava sentada, de que cor era minha saia.

— Kambili, você não quis vir conosco da outra vez.

— Eu... eu... eu estava dormindo.

— Bem, hoje você vai comigo. Só você — disse o padre Amadi. — Vou passar aqui para pegá-la quando eu voltar da cidade. Vamos ao estádio jogar futebol. Você pode jogar ou só assistir.

Amaka começou a rir.

— Kambili está morrendo de medo — disse.

Ela me olhava, mas não era o olhar com o qual eu estava

acostumada, aquele em que seus olhos me culpavam por coisas que eu não sabia o que eram. Era um olhar diferente, mais suave.

— Não há por que ter medo, *nne*. Você vai se divertir no estádio — disse tia Ifeoma.

Eu me virei para lançar-lhe o mesmo olhar apavorado. Pequenas gotas de suor cobriam seu nariz como espinhas. Ela parecia tão feliz, tão em paz, e eu me perguntei como alguém perto de mim podia se sentir assim, quando havia fogo líquido me queimando por dentro, quando o medo misturado à esperança se agarrava nos meus calcanhares.

Depois que o padre Amadi foi embora, tia Ifeoma disse:

— Vá se aprontar, para não deixá-lo esperando quando ele voltar. É melhor pôr um short, pois, mesmo que você não jogue, vai fazer muito calor até o sol se pôr, e a maioria das arquibancadas não tem proteção.

— Isso porque eles passaram dez anos construindo aquele estádio. O dinheiro foi para o bolso de algumas pessoas — murmurou Amaka.

— Não tenho short, tia — disse eu.

Tia Ifeoma não perguntou por que não, talvez porque já soubesse o motivo. Ela pediu que Amaka me emprestasse um short. Esperei que Amaka desse um sorriso de escárnio, mas ela me entregou um short amarelo como se fosse normal eu não ter um. Eu me demorei vestindo o short, mas não fiquei muito tempo na frente do espelho, como Amaka fazia, pois ia sentir a culpa me beliscando. A vaidade era pecado. Jaja e eu nos olhávamos no espelho apenas para nos certificar de que nossos botões estavam nas casas certas.

Ouvi o Toyota estacionar na frente do apartamento algum tempo depois. Peguei o batom de Amaka de cima da penteadeira e passei-o nos lábios. Ficou estranho, não tão glamouroso quanto ficava em Amaka; nem tinha o mesmo brilho cor de bronze.

Esfreguei a boca para tirá-lo. Meus lábios ficaram pálidos, de um marrom sem graça. Passei o batom de novo, e minhas mãos tremeram.

— Kambili! O padre Amadi está buzinando lá fora! — gritou tia Ifeoma.

Tirei o batom com as costas da mão e saí do quarto.

O carro do padre Amadi tinha o mesmo cheiro que ele, um aroma limpo que me fez pensar num céu azul sem nuvens. Seu short me parecera mais comprido da última vez em que eu o vira, passando bastante da altura dos joelhos. Mas agora ele estava encolhido, expondo uma coxa musculosa e pontilhada de pelos negros. O espaço entre nós dois era pequeno demais, estreito demais. Foi sempre na condição de penitente que eu me aproximara tanto assim de um padre, durante a confissão. Mas era difícil me sentir penitente agora, com a colônia de padre Amadi no fundo dos meus pulmões. Senti culpa, pois não conseguia me concentrar nos meus pecados, só conseguia pensar em como ele estava perto de mim.

— Eu estou dormindo no mesmo quarto que meu avô. Ele é um pagão — disse eu num impulso.

O padre Amadi me encarou brevemente e, antes que ele virasse a cabeça de volta, eu me perguntei se aquela luz em seus olhos significava que estava achando graça de mim.

— Por que você diz isso? — perguntou ele.

— É pecado.

— Por que é pecado?

Olhei atônita para o padre Amadi. Era como se ele houvesse pulado uma fala no roteiro.

— Eu não sei.

— Foi seu pai quem lhe disse isso.

Olhei para o outro lado, para a janela. Não ia acusar Papa, já que padre Amadi obviamente não concordava com aquilo.

— Jaja me falou um pouco de seu pai no outro dia, Kambili.

Mordi o lábio inferior. O que Jaja contara a ele? O que havia de errado com Jaja, afinal? O padre Amadi não disse mais nada até chegarmos ao estádio, onde ele rapidamente examinou as poucas pessoas que estavam correndo na pista. Seus meninos ainda não haviam chegado, por isso o campo de futebol estava vazio. Sentamos numa das poucas arquibancadas que tinha proteção contra o sol.

— Por que não jogamos tênis antes de os meninos chegarem?

— Eu não sei jogar.

— Você sabe jogar handebol?

— Não.

— E vôlei?

Olhei para ele, e logo virei a cabeça para o outro lado. Perguntei-me se Amaka um dia o pintaria, se ela capturaria aquela pele lisa como argila, as sobrancelhas retas, que estavam um pouco erguidas agora, enquanto ele me observava.

— Joguei vôlei no colégio uma vez — contei. — Mas parei porque... eu não era muito boa, e ninguém gostava de me escolher para o seu time.

Mantive os olhos fixos nas arquibancadas desoladas e sem pintura, abandonadas há tanto tempo que as pequenas plantas tinham começado a empurrar suas cabecinhas verdes pelas rachaduras do cimento.

— Você ama Jesus? — perguntou padre Amadi, ficando de pé.

Levei um susto.

— Amo. Amo, sim.

— Então prove. Tente me alcançar, prove que ama Jesus.

Ele mal acabara de falar, quando saiu correndo e eu só vi o lampejo azul de sua camiseta. Não parei para pensar; fiquei de pé e corri atrás dele. O vento soprou em meu rosto, olhos, orelhas. O padre Amadi era como um vento azul, difícil de pegar. Eu só o alcancei quando ele parou ao lado de uma das traves do campo de futebol.

— Então você não ama Jesus — provocou ele.

— Você corre rápido demais — disse eu, ofegante.

— Vou deixar você descansar e depois lhe dar outra chance de me mostrar que ama o Senhor.

Corremos outras quatro vezes. Eu não o alcancei. Finalmente desabamos sobre a grama e ele me passou uma garrafa de água.

— Você tem boas pernas para correr. Devia praticar mais.

Desviei o olhar. Ninguém jamais me dissera algo parecido. Parecia próximo demais, íntimo demais, que os olhos dele estivessem nas minhas pernas, em qualquer parte do meu corpo.

— Você não sabe sorrir? — perguntou o padre Amadi.

— O quê?

Ele esticou o braço e deu um leve puxão nos cantos da minha boca.

— Sorria.

Eu quis sorrir, mas não consegui. Meus lábios e minhas bochechas estavam paralisados, congelados apesar do suor que escorria pelas laterais do meu nariz. Eu estava consciente demais do olhar dele sobre mim.

— O que é essa mancha avermelhada na sua mão? — perguntou ele.

Olhei para minha mão, para a mancha de batom tirada às pressas que ainda estava nas costas suadas da minha mão. Eu não tinha percebido que havia passado tanto.

— É... uma mancha — disse eu.

— De batom?

Assenti.

— Você usa batom? Já usou batom na vida?

— Não.

Senti o sorriso surgindo em meu rosto devagar, esticando meus lábios e minhas bochechas, um sorriso de vergonha e alegria. O padre Amadi sabia que eu havia tentado usar batom pela primeira vez naquele dia. Sorri. E sorri de novo.

— Bom dia, padre! — disseram oito meninos em coro ao nosso redor, atirando-se sobre nós.

Todos eram mais ou menos da minha idade, usavam shorts cheios de buracos e camisetas que já haviam sido lavadas tantas vezes que eu não sabia de que cor eram originalmente, e tinham casquinhas de mordidas de mosquito parecidas nas pernas. O padre Amadi tirou a camiseta regata e jogou-a no meu colo antes de ir se juntar aos meninos no campo de futebol. Com o torso nu, seus ombros formavam um largo quadrado. Eu não olhei para a camiseta regata em meu colo ao aproximar muito lentamente a mão dela. Meus olhos estavam no campo de futebol, nas pernas do padre Amadi, que corriam, na bola preta e branca, nas muitas pernas dos meninos, que pareciam uma perna só. Minha mão finalmente tocou a camiseta em meu colo e movia-se sobre ela com hesitação, como se ela respirasse, como se fosse uma parte do padre Amadi, quando ele apitou para que os meninos fizessem um intervalo para beber água. Ele pegou no carro laranjas descascadas e água em sacos plásticos em forma de cone. Todos sentaram na grama para chupar as laranjas, e vi o padre Amadi rir alto com a cabeça jogada para trás, e os cotovelos apoiados no gramado. Perguntei-me se os meninos se sentiam da mesma maneira que eu quando estavam com ele, se ele era tudo que eles podiam ver.

Fiquei segurando a camiseta do padre Amadi enquanto via

o resto do jogo. Um vento frio começara a soprar, resfriando o suor em meu corpo, quando o padre Amadi emitiu o som que indicava o fim do jogo, dois apitos curtos e um mais longo. Os meninos se reuniram em volta dele, com as cabeças abaixadas, enquanto ele rezava.

— Tchau, padre — disseram eles em coro enquanto o padre Amadi vinha andando em minha direção, confiante como um galo que toma conta de todas as galinhas.

No carro, ele pôs uma fita para tocar. Era um coro cantando músicas de agradecimento em igbo. Eu conhecia a primeira: Mama a cantava às vezes, quando Jaja e eu levávamos nossos boletins para casa. O padre Amadi cantou junto com a fita. Sua voz era mais bonita que a do cantor principal da gravação. Quando a primeira música acabou, ele abaixou o volume e perguntou:

— Gostou do jogo?

— Gostei.

— Eu vejo Jesus no rosto deles, no rosto daqueles meninos.

Olhei para ele. Não conseguia fazer uma conexão entre o Cristo louro pendurado na cruz polida que havia em St. Agnes e as pernas cheias de picadas dos meninos.

— Eles moram em Ugwu Oba. A maioria não vai mais à escola, porque as famílias não têm dinheiro. Ekwueme... lembra dele, o de camiseta vermelha?

Assenti, embora não me lembrasse. Todas as camisetas me pareceram iguais e sem cor.

— O pai dele era motorista aqui na universidade. Mas eles o demitiram para cortar gastos, e Ekwueme teve de sair da Escola de Ensino Médio de Nsukka. Está trabalhando como motorista de ônibus agora, e está indo muito bem. Esses meninos me inspiram — disse o padre Amadi, cantando junto com o coro. — *I na-asi m esona ya! I na-asi m esona ya!*

Balancei a cabeça no ritmo da música. Mas não precisávamos

da fita, pois o som da voz dele já era uma melodia. Eu me senti em casa, senti que estava no lugar onde deveria estar há muito tempo. O padre Amadi cantou por alguns instantes; depois, abaixou o volume até que as vozes do coro virassem um murmúrio.

— Você não me fez nenhuma pergunta — disse ele.

— Não sei o que perguntar.

— Devia ter aprendido a arte do questionamento com Amaka. Por que a copa das árvores vai para cima e as raízes vão para baixo? Por que o céu existe? O que é a vida? Por quê, simplesmente por quê?

Eu ri. O som foi esquisito, como se eu estivesse ouvindo a risada de um estranho numa gravação. Acho que nunca tinha me ouvido rir antes.

— Por que você virou padre? — perguntei subitamente.

Eu me arrependi logo depois, desejando que as bolhas em minha garganta tivessem me impedido de fazer a pergunta. É claro que ele tinha recebido o chamado, o mesmo chamado sobre o qual as irmãs da minha escola falavam quando nos pediam para sempre tentar ouvi-lo quando rezávamos. Às vezes eu imaginava Deus me chamando, com uma voz possante e com sotaque britânico. Ele não diria meu nome direito; colocaria a tônica na segunda sílaba em vez de na primeira, como o padre Benedict.

— Eu queria ser médico. Mas um dia fui à igreja e ouvi o sermão de um padre que me transformou para sempre — disse o padre Amadi.

— Ah.

— Eu estava brincando — disse ele, me olhando surpreso por eu não ter percebido. — É bem mais complicado do que isso, Kambili. Eu tinha muitas perguntas quando era criança. O sacerdócio foi o que mais se aproximou de respondê-las.

Fiquei curiosa para saber que perguntas eram aquelas e se

o padre Benedict se indagara as mesmas coisas. Então me dei conta, com uma tristeza furiosa e irracional, que a pele perfeita do padre Amadi não seria passada a uma criança, que seus ombros quadrados não sustentariam seu filho pequeno quando este quisesse tocar o ventilador de teto.

— *Ewo*, estou atrasado para uma reunião do conselho da paróquia — disse ele, olhando para o relógio. — Vou deixar você em casa e ir embora direto.

— Sinto muito.

— Por quê? Passei uma tarde muito agradável com você. Precisa vir de novo comigo ao estádio. Se for preciso, vou amarrar suas mãos e pernas e arrastá-la — afirmou o padre Amadi, rindo.

Olhei para o painel do carro, para o adesivo azul e dourado da Legião de Maria. Será que padre Amadi não sabia que eu não queria que ele fosse embora nunca? Que eu não precisava ser persuadida a ir ao estádio, ou a qualquer outro lugar, com ele? Os eventos da tarde passaram como um filme em minha mente quando eu saí do carro diante do prédio de tia Ifeoma. Eu sorrira, correra, rira. Meu peito estava repleto de alguma coisa parecida com espuma de banho. Leve. A leveza era tão doce que eu podia sentir seu gosto na língua, tinha a doçura de um caju maduro, amarelo-vivo.

Tia Ifeoma estava parada atrás de Papa-Nnukwu na varanda, massageando seus ombros. Cumprimentei os dois.

— Kambili, *nno* — disse Papa-Nnukwu.

Ele parecia cansado; seus olhos estavam opacos.

— Você se divertiu? — perguntou tia Ifeoma, sorrindo.

— Sim, tia.

— Seu pai ligou à tarde — disse ela em inglês.

Encarei-a, examinando a pinta negra que havia acima de sua boca, desejando que desse sua risada gostosa e me dissesse que era uma piada. Papa nunca ligava à tarde. Além do mais, ele tinha telefonado antes de ir trabalhar, por que ligaria de novo? Algo devia estar errado.

— Alguém da nossa aldeia... certamente um membro da extensão da nossa família... contou a ele que eu fui buscar seu avô — disse tia Ifeoma ainda em inglês, para que Papa-Nnukwu não entendesse. — Seu pai disse que eu deveria ter contado a ele, que ele tinha o direito de saber que o avô de vocês estava aqui em Nsukka. Ele reclamou muito sobre o fato de um pagão estar na mesma casa que seus filhos.

Tia Ifeoma balançou a cabeça, como se aquilo fosse apenas uma pequena excentricidade de Papa. Mas não era. Papa ficaria furioso por nem Jaja nem eu termos mencionado isso nas vezes em que ele ligara. Minha cabeça estava rapidamente se enchendo de sangue, ou de água, ou de suor. Fosse o que fosse, eu sabia que ia desmaiar quando ela estivesse cheia.

— Ele disse que ia passar aqui amanhã para levar vocês dois para casa, mas eu o acalmei. Disse a ele que ia levar você e Jaja depois de amanhã, e acho que ele aceitou. Vamos torcer para eu encontrar combustível — disse tia Ifeoma.

— Tudo bem, tia — disse eu, virando-me para entrar no apartamento, sentindo-me tonta.

— Ah, e seu pai tirou o editor dele da prisão — disse tia Ifeoma.

Mas eu mal escutei.

Amaka me sacudiu, embora seus movimentos já houvessem me acordado. Eu estava oscilando na fronteira entre o sono e a vigília, imaginando Papa aparecendo para vir nos buscar, imaginando a fúria em seus olhos avermelhados, a enxurrada de palavras em igbo vindas de sua boca.

— Vamos pegar água. Jaja e Obiora já foram — disse Amaka, se espreguiçando.

Ela dizia isso toda manhã agora. E também me deixava carregar uma garrafa de água.

— *Nekwa*, Papa-Nnukwu ainda está dormindo. Ele vai ficar zangado porque os remédios o fizeram dormir demais e ele não acordou a tempo de ver o sol nascer.

Ela se abaixou e sacudiu-o gentilmente.

— Papa-Nnukwu, Papa-Nnukwu, *kunie*.

Ele não se moveu, e Amaka virou seu corpo devagar. A canga dele se soltara, revelando um short branco com um elástico frouxo na cintura.

— Mãe! Mãe! — gritou Amaka, passando freneticamente a mão sobre o peito de Papa-Nnukwu, procurando pelo batimento de seu coração. — Mãe!

Tia Ifeoma entrou correndo no quarto. Ela não amarrara sua canga sobre a camisola, e eu discerni a curva descendente de seus seios e a leve protuberância de sua barriga sob o tecido transparente. Ela caiu de joelhos e agarrou o corpo de Papa-Nnukwu, sacudindo-o.

— *Nna anyi! Nna anyi!* — gritou tia Ifeoma com a voz desesperadamente alta, como se assim pudesse fazer Papa-Nnukwu ouvi-la melhor e reagir. — *Nna anyi!*

Quando ela parou de falar, segurando o pulso de Papa-Nnukwu, pousando a cabeça sobre seu peito, o silêncio foi quebrado apenas pelo canto do galo do vizinho. Eu prendi a respiração — subitamente ela pareceu alta demais e talvez fosse impedir tia Ifeoma de ouvir o coração de Papa-Nnukwu.

— *Ewuu*, ele foi dormir. Ele foi dormir — disse tia Ifeoma finalmente, enterrando a cabeça no ombro de Papa-Nnukwu, balançando para a frente e para trás.

Amaka puxou a mãe.

— Pare com isso, mãe, faça respiração boca a boca nele! Pare!

Tia Ifeoma continuou a balançar e, por um instante, como o corpo de Papa-Nnukwu estava se movendo para a frente e para trás também, eu me perguntei se ela não estaria errada e se ele não estaria apenas dormindo mesmo.

— *Nna m o!* Meu pai!

A voz de tia Ifeoma ecoou tão pura e alta que pareceu estar vindo do teto. Era o mesmo tom, com a mesma penetrante profundidade que eu ouvia às vezes em Abba, quando pessoas de luto dançavam perto de nossa casa, segurando uma fotografia do membro morto da família, chorando.

— *Nna m o!* — gritou tia Ifeoma, ainda agarrada a Papa--Nnukwu.

Amaka tentou afastá-la dele algumas vezes, mas sem muita convicção. Obiora e Jaja entraram correndo no quarto. Imaginei nossos ancestrais de um século atrás, os ancestrais para quem Papa-Nnukwu rezava, correndo para defender sua aldeia, voltando para casa com as cabeças dos inimigos balançando em longos espetos.

— O que foi, mãe? — perguntou Obiora, com a bainha da calça grudada na perna, molhada de água da torneira.

— Papa-Nnukwu está vivo — disse Jaja em inglês.

Falou com firmeza, como se assim pudesse transformar aquilo em realidade. Era o mesmo tom de voz que Deus deve ter usado ao dizer "Faça-se a Luz". Jaja estava apenas com a calça do pijama, e ela também estava molhada. Pela primeira vez notei que ele tinha alguns pelos no peito.

— *Nna m o!* — disse tia Ifeoma, ainda agarrada a Papa--Nnukwu.

Obiora começou a emitir uma respiração barulhenta que raspava em sua garganta. Ele se inclinou sobre tia Ifeoma e envolveu-a, afastando-a devagar do corpo de Papa-Nnukwu.

— O *zugo*, já chega, mãe. Ele está com os outros.

A voz de Obiora estava estranha. Ele ajudou tia Ifeoma a se levantar e levou-a para sentar na cama. Tia Ifeoma tinha nos olhos a mesma expressão estupefata que Amaka, parada ali, observando Papa-Nnukwu.

— Vou chamar o doutor Nduoma — disse Obiora.

Jaja se inclinou e cobriu o corpo de Papa-Nnukwu com a canga, mas não cobriu o rosto dele, embora a canga fosse longa o suficiente. Eu quis me aproximar e tocar Papa-Nnukwu, tocar os tufos de cabelo brancos em que Amaka passava óleo, alisar a pele enrugada de seu peito. Mas não ousei. Papa ficaria indignado. Fechei os olhos para que, se Papa perguntasse se Jaja tocara o corpo de um pagão — parecia uma ofensa maior, tocar Papa-Nnukwu após a morte —, eu pudesse dizer não sem mentir, pois não vira tudo que Jaja fizera. Meus olhos continuaram fechados por muito tempo, e pareceu-me que meus ouvidos estavam fechados também, pois, embora eu ouvisse o som de vozes, não conseguia entender o que elas diziam. Quando finalmente abri os olhos, Jaja estava sentado no chão, ao lado da forma coberta de Papa-Nnukwu. Obiora estava na cama com tia Ifeoma, que disse:

— Acordem Chima, para que possamos contar a ele antes que os funcionários da funerária apareçam.

Jaja se levantou para ir acordar Chima. Ele enxugou as lágrimas que rolavam por suas faces.

— Vou limpar o lugar onde está o *ozu*, mãe — disse Obiora.

Ele estava emitindo sons estrangulados de vez em quando, chorando do fundo de sua garganta. Eu sabia que não estava chorando alto porque era o *nwoke* da casa, o homem que tia Ifeoma tinha a seu lado.

— Não — disse tia Ifeoma. — Eu faço isso.

Ela se levantou e abraçou Obiora, e eles ficaram enlaçados

por um longo tempo. Fui para o banheiro, com a palavra *ozu* zumbindo nos ouvidos. Papa-Nnukwu era um *ozu* agora, um cadáver.

A porta do banheiro não cedeu quando tentei abri-la, e empurrei com mais força, para ter certeza de que estava mesmo trancada. Às vezes, ela emperrava por causa da forma como a madeira se expandia e se contraía. Foi então que ouvi os soluços de Amaka. Eram soluços altos e guturais; ela ria da mesma forma que chorava. Não aprendera a arte de chorar em silêncio; não precisara fazê-lo. Quis ir embora dali, deixá-la sozinha com sua dor. Mas minha calcinha já estava ficando molhada, e eu tive de mudar o peso de uma perna para a outra para segurar a urina.

— Amaka, por favor, preciso ir ao banheiro — sussurrei.

Ela não respondeu e eu repeti a frase, alto. Não quis bater; bater seria uma intrusão rude em suas lágrimas. Por fim, Amaka destrancou a porta e abriu-a. Urinei o mais rápido que pude, porque sabia que ela estava do lado de fora esperando para entrar de novo e soluçar atrás da porta trancada.

Os dois homens que vieram com o dr. Nduoma carregaram o corpo rijo de Papa-Nnukwu nos braços, um segurando suas axilas, o outro seus calcanhares. Eles não haviam conseguido pegar a maca no centro médico porque os funcionários da administração também estavam em greve. O dr. Nduoma disse "*Ndo*" para todos nós, com seu sorriso ainda no rosto. Obiora disse que queria acompanhar o *ozu* até o necrotério; queria ver os homens colocando-o no refrigerador. A palavra "refrigerador" flutuou dentro de minha cabeça. Eu sabia que o lugar onde eles colocavam cadáveres no necrotério era diferente, mas imaginei o corpo de Papa-Nnukwu sendo dobrado e guardado numa geladeira como a que havia em nossa cozinha.

Obiora concordou em não ir ao necrotério, mas foi atrás dos homens e observou-os com atenção enquanto colocavam o *ozu* dentro da ambulância. Ele espiou a traseira do carro pelo vidro para se certificar de que o *ozu* fora colocado sobre um tapete, e não deixado em cima do chão enferrujado.

Depois que a ambulância partiu, com o dr. Nduoma indo logo atrás em seu carro, eu ajudei tia Ifeoma a levar o colchão de Papa-Nnukwu para a varanda. Ela esfregou-o bem com detergente Omo e com a mesma escova que Amaka usava para limpar a banheira.

— Você viu o rosto de seu Papa-Nnukwu na morte, Kambili? — perguntou tia Ifeoma, apoiando o colchão limpo sobre o gradil de metal para secar.

Eu balancei a cabeça. Não havia olhado para o rosto dele.

— Ele estava sorrindo — disse ela. — Ele estava sorrindo.

Virei o rosto, para que tia Ifeoma não visse minhas lágrimas e eu não visse as dela. Ninguém falou muito no apartamento; o silêncio era pesado e preocupado. Até Chima ficou enroscado num canto a maior parte da manhã, desenhando quietinho. Tia Ifeoma cozinhou algumas fatias de inhame, e nós as comemos molhando-as em dendê com pedacinhos de pimentão dentro. Amaka saiu do banheiro horas depois de nós termos comido, com os olhos inchados e a voz rouca.

— Vá comer, Amaka, eu fiz inhame cozido — disse tia Ifeoma.

— Eu não terminei de pintar o quadro dele. Ele disse que nós íamos terminar hoje.

— Vá comer, *inugo* — repetiu tia Ifeoma.

— Ele ainda estaria vivo se o centro médico não estivesse em greve — insistiu Amaka.

— Chegou a hora dele — disse tia Ifeoma. — Ouviu bem? Chegou a hora dele, só isso.

Amaka ficou encarando tia Ifeoma durante algum tempo

e depois virou o corpo. Eu quis abraçá-la, dizer *"ebezi na"* para ela e enxugar suas lágrimas. Queria cair em prantos na frente dela, com ela. Mas sabia que podia deixá-la com raiva. E ela já estava com bastante raiva. Além disso, eu não tinha o direito de prantear Papa-Nnukwu com Amaka; ele fora muito mais Papa-Nnukwu dela do que meu. Amaka passara óleo no cabelo dele, enquanto eu me mantinha afastada e me perguntava o que Papa diria se soubesse. Jaja enlaçou Amaka e começou a andar com ela até a cozinha. Ela tirou o braço dele, como se quisesse provar que não precisava de apoio, mas não se afastou enquanto eles caminhavam. Fiquei olhando os dois, lamentando não ter feito aquilo antes de Jaja.

— Alguém acabou de estacionar na frente do nosso apartamento — disse Obiora.

Ele havia tirado os óculos para chorar, mas agora os colocara de novo, e empurrou-os para cima do nariz antes de levantar e ir lá para fora.

— Quem é? — perguntou tia Ifeoma, cansada, sem se importar nem um pouco com a resposta.

— Tio Eugene.

Fiquei congelada, sentindo a pele dos meus braços derreter e se misturar aos braços de junco da cadeira. A morte de Papa-Nnukwu obscurecera tudo mais, empurrando o rosto de Papa para um lugar indistinto em minha mente. Mas agora esse rosto ganhara vida de novo. Ele estava na porta, olhando para Obiora. Eu não me lembrava daquelas sobrancelhas cheias; nem daquele tom de pele marrom. Talvez, se Obiora não houvesse dito "Tio Eugene", eu não teria sabido que era Papa, que aquele estranho alto de túnica bem cortada era Papa.

— Boa tarde, Papa — disse eu mecanicamente.

— Kambili, como você está? Onde está Jaja?

Jaja saiu da cozinha naquele momento e encarou Papa, atônito.

— Boa tarde, Papa — cumprimentou ele após algum tempo.

— Eugene, eu pedi que você não viesse — disse tia Ifeoma com a mesma voz cansada de quem não se importava muito. — Eu disse que levaria os meninos amanhã.

— E eu não podia deixá-los aqui nem mais um dia — disse Papa, examinando a sala e em seguida olhando na direção da cozinha e do banheiro, como se estivesse esperando Papa-Nnukwu aparecer numa nuvem de fumaça pagã.

Obiora pegou a mão de Chima e levou-o para a varanda.

— Eugene, nosso pai adormeceu — anunciou tia Ifeoma.

Papa encarou-a por alguns instantes, e a surpresa foi arregalando seus olhos estreitos, que ficavam vermelhos com tanta facilidade.

— Quando? — perguntou.

— Esta manhã. Ele morreu dormindo. Os homens do necrotério o levaram há poucas horas.

Papa se sentou, pousou lentamente a cabeça entre as mãos e eu me perguntei se ele estava chorando e se seria aceitável eu chorar também. Mas quando Papa ergueu o rosto não vi nenhum vestígio de lágrimas em seus olhos.

— Você chamou um padre para lhe dar a extrema-unção? — perguntou.

Tia Ifeoma ignorou-o e continuou a olhar suas mãos, que estavam em seu colo.

— Ifeoma, você chamou um padre? — perguntou Papa.

— É só isso que você vai dizer, hein, Eugene? Não tem mais nada a dizer, *gbo*? Nosso pai morreu! Sua cabeça está virada, por acaso? Você não vai me ajudar a enterrar nosso pai?

— Não posso participar de um enterro pagão, mas podemos conversar com o padre da paróquia e fazer um enterro católico.

Tia Ifeoma se levantou e começou a gritar. Sua voz estava trêmula.

— Eu prefiro vender o túmulo do meu marido morto, Eugene, a fazer um enterro católico para o nosso pai! Ouviu bem? Eu disse que prefiro vender o túmulo de Ifediora! O nosso pai era católico? Estou lhe perguntando, Eugene, ele era católico? *Uchu gba gi!*

Tia Ifeoma estalou os dedos para Papa; ela estava jogando uma maldição nele. As lágrimas rolavam por suas faces. Ela emitiu sons estrangulados quando se virou e foi para o seu quarto.

— Kambili, Jaja, venham — disse Papa, ficando de pé.

Ele nos abraçou ao mesmo tempo, um abraço apertado. E beijou o alto de nossas cabeças antes de dizer:

— Vão arrumar as malas.

Fui para o quarto, mas a maior parte das minhas roupas já estava na mochila. Fiquei olhando a janela com os basculantes faltando e a rede rasgada, me perguntando o que aconteceria se eu fizesse um buraco maior e saísse por ali.

— *Nne.*

Tia Ifeoma entrou no quarto em silêncio e passou a mão nas minhas trancinhas. Ela me entregou meu horário, ainda dobrado duas vezes.

— Diga ao padre Amadi que eu fui embora, que nós fomos embora. Despeça-se dele por nós — disse eu, me virando.

Tia Ifeoma enxugara suas lágrimas e tinha o mesmo ar destemido de sempre.

— Farei isso — garantiu.

Ela segurou minha mão enquanto caminhávamos para a porta da frente. Lá fora, o vento *harmattan* soprava com força, balançando as plantas no jardim circular, dobrando os galhos e a vontade das árvores, colocando mais uma camada de poeira sobre os carros. Obiora carregou nossas mochilas até a Mercedes, onde Kevin esperava com o porta-malas aberto. Chima começou a chorar; eu sabia que era porque ele não queria que Jaja fosse embora.

— Chima, *o zugo*. Você vai ver Jaja em breve. Eles vão vir nos visitar de novo — disse tia Ifeoma, abraçando-o com força.

Papa não confirmou o que tia Ifeoma dissera. Em vez disso, para fazer com que Chima se sentisse melhor, ele disse "*o zugo*, já chega", abraçou-o e deu algumas notas de naira a tia Ifeoma, para que ela comprasse um presente para ele, o que o fez sorrir. Amaka piscou os olhos rapidamente ao se despedir, e eu não soube se era por causa do vento poeirento ou se era para segurar mais lágrimas. A poeira em seus cílios ficou bonita, como rímel cor de cacau. Amaka colocou algo embrulhado em celofane preto em minhas mãos e então se virou e correu para dentro do apartamento. Dava para ver através do embrulho; era o quadro não terminado de Papa-Nnukwu. Eu o escondi depressa em minha mochila e entrei no carro.

Mama estava na porta de casa quando chegamos em nossa propriedade. Seu rosto estava inchado e a área em torno de seu olho direito estava do tom preto-arroxeado de um abacate maduro demais. Ela sorriu.

— *Umu m*, bem-vindos. Bem-vindos — disse, nos abraçando ao mesmo tempo e enterrando a cabeça primeiro no pescoço de Jaja, depois no meu. — Parece que faz tanto tempo, muito mais do que dez dias.

— Ifeoma estava ocupada demais cuidando de um pagão — disse Papa, servindo-se da garrafa de água que Sisi colocara na mesa. — Nem os levou a Aokpe em peregrinação.

— Papa-Nnukwu está morto — disse Jaja.

Mama levou subitamente a mão ao peito.

— *Chi m!* Quando foi isso?

— Esta manhã — disse Jaja. — Ele morreu dormindo.

Mama abraçou o próprio corpo.

— *Ewuu*, então ele foi descansar, *ewuu*.

— Ele foi ser julgado — disse Papa, colocando o copo sobre a mesa. — Ifeoma não teve juízo, não chamou um padre antes de ele morrer. Quem sabe ele houvesse se convertido antes de morrer.

— Talvez ele não quisesse se converter — disse Jaja.

— Que ele descanse em paz — disse Mama rapidamente.

Papa olhou para Jaja.

— O que você disse? Foi isso que aprendeu quando estava morando na mesma casa que um pagão?

— Não — disse Jaja.

Papa olhou primeiro para Jaja, depois para mim, balançando a cabeça lentamente, como se houvéssemos mudado de cor.

— Vão tomar banho e desçam para jantar — ordenou.

Jaja subiu a escada na minha frente e eu tentei colocar meus pés exatamente nos lugares onde ele colocara os seus. A oração de Papa antes do jantar foi mais longa do que o normal; pediu que Deus purificasse seus filhos e removesse o espírito que os fizera mentir para ele e não contar que estavam na mesma casa que um pagão.

— É o pecado da omissão, Senhor — explicou, como se Deus não soubesse.

Eu disse amém bem alto. Jantamos feijão e arroz com pedaços de galinha. Enquanto eu comia, pensei em como cada pedaço de galinha que havia em meu prato seria cortado em três na casa de tia Ifeoma.

— Papa, o senhor pode me dar a chave do meu quarto, por favor? — disse Jaja, pousando o garfo sobre o prato.

Estávamos no meio do jantar. Inalei fundo e prendi a respiração. As chaves de nossos quartos sempre haviam ficado com Papa.

— O quê? — perguntou Papa.

— A chave do meu quarto. Queria que o senhor me desse. *Makana*, gostaria de ter um pouco de privacidade.

As pupilas de Papa dispararam de um lado para o outro dentro do branco de seus olhos.

— O quê? Para que você quer privacidade? Para cometer um pecado contra seu próprio corpo? É isso que você quer fazer, se masturbar?

— Não — disse Jaja, mexendo a mão e derrubando seu copo d'água.

— Viu o que aconteceu com meus filhos? — Papa perguntou ao teto. — Viu como ficar com um pagão os fez mudar, ensinou o mal a eles?

Terminamos o jantar em silêncio. Depois, Jaja foi com Papa lá para cima. Fiquei com Mama na sala de estar, me perguntando por que Jaja pedira a chave de seu quarto. É claro que Papa jamais a daria a ele, ele sabia disso, sabia que Papa jamais nos deixaria trancar nossas portas. Por um segundo, me perguntei se Papa estaria certo, se estar com Papa-Nnukwu fizera Jaja ficar malvado, se fizera nós dois ficarmos malvados.

— É estranho estar de volta, *okwia?* — perguntou Mama.

Ela examinava amostras de tecido, para escolher um tom para as cortinas novas. Trocávamos as cortinas todos os anos, perto do fim do *harmattan*. Kevin trazia amostras para Mama ver, ela escolhia algumas e mostrava a Papa, para que ele pudesse tomar a decisão final. Papa em geral escolhia a preferida dela. Bege-escuro no ano passado. Cor de areia no ano anterior.

Eu quis dizer a Mama que era estranho estar de volta, sim, que nossa sala era vazia demais, que havia um pedaço grande demais de piso de mármore brilhando de tanto Sisi poli-lo e que não ficava embaixo de nenhum móvel. Nosso teto era alto demais. Nossos móveis não tinham vida; as mesas de vidro não mudavam de pele durante o *harmattan*, o cumprimento dos sofás de couro era de uma frieza úmida, os tapetes persas eram suntuosos demais para passar alguma emoção. Mas eu disse apenas:

— Você limpou a estante.

— Limpei.

— Quando?

— Ontem.

Olhei para o olho de Mama. Ele estava abrindo agora, mas devia ter estado completamente fechado no dia anterior, de tão inchado.

— Kambili!

A voz de Papa ressoou claramente lá em cima. Prendi a respiração e fiquei paralisada.

— Kambili!

— Vá, *nne* — disse Mama.

Subi a escada devagar. Papa estava no banheiro, com a porta entreaberta. Bati na porta e fiquei parada, me perguntando por que ele me chamara estando no banheiro.

— Entre — disse, de pé ao lado da banheira. — Entre na banheira.

Olhei espantada para Papa. Por que ele estava me pedindo para entrar na banheira? Olhei o chão do banheiro; não havia um galho em lugar nenhum. Talvez ele fosse me mandar ficar no banheiro, iria lá para baixo, sairia pela porta da cozinha e quebraria o galho de uma das árvores do quintal. Quando Jaja e eu éramos mais novos, da segunda à quinta série do ensino fundamental, Papa nos mandava ir pegar os galhos nós mesmos. Sempre escolhíamos galhos de casuarina, pois eles eram mais maleáveis, não tão dolorosos quanto os galhos mais duros das gmelinas ou dos abacateiros. E Jaja molhava os galhos na água gelada, pois dizia que isso fazia com que doesse menos quando eles batiam em seu corpo. Mas, quanto mais velhos ficávamos, menores eram os galhos que pegávamos, até que Papa começou a ir pegá-los ele mesmo.

— Entre na banheira — repetiu Papa.

Entrei na banheira e fiquei parada, olhando para ele. Não parecia que Papa ia pegar um galho, e senti o medo, ardente e inflamado, encher minha bexiga e meus ouvidos. Não sabia o que ele ia fazer comigo. Era mais fácil quando eu via o galho, porque podia esfregar as palmas das mãos e retesar os músculos das panturrilhas para me preparar. Mas Papa jamais me pedira para ficar de pé dentro da banheira. Então percebi a chaleira no chão, ao lado dos pés de Papa, a chaleira verde que Sisi usava para ferver água para o chá e para o *garri*, aquela que apitava quando a água começava a ferver. Papa apanhou-a.

— Você sabia que seu avô ia para Nsukka, não sabia?

— Sim, Papa.

— Você pegou o telefone e me contou isso, *gbo*?

— Não.

— Você sabia que ia dormir na mesma casa que um pagão, não sabia?

— Sim, Papa.

— Então você viu o pecado claramente e mesmo assim caminhou na direção dele?

Assenti.

— Sim, Papa.

— Kambili, você é preciosa — disse ele, com a voz tremendo, como alguém que fazia um discurso num velório, embargado de emoção. — Devia almejar a perfeição. Não devia ver o pecado e caminhar na direção dele.

Papa baixou a chaleira dentro da banheira e inclinou-a na direção dos meus pés. Derramou a água quente nos meus pés, lentamente, como se estivesse fazendo uma experiência e quisesse ver o que ia acontecer. Estava chorando, as lágrimas jorrando por seu rosto. Vi o vapor úmido antes de ver a água. Vi a água sair da chaleira, fluindo quase que em câmera lenta, fazendo um arco no ar até chegar aos meus pés. A dor do contato foi tão pura, tão escaldante, que não senti nada por um segundo. Então, comecei a gritar.

— É isto que você faz consigo mesma quando caminha na direção do pecado. Queima os pés — disse ele.

Eu quis dizer "Sim, Papa", porque ele tinha razão, mas a queimadura nos pés estava subindo, em movimentos rápidos de dor lancinante, até minha cabeça, meus lábios, meus olhos. Papa me segurava com uma de suas mãos enormes, derramando cuidadosamente a água com a outra. Eu não sabia que aquela voz que soluçava — Desculpe! Desculpe! — era minha até que a água parou de cair e percebi que minha boca se movia e as palavras ainda saíam por ela. Papa largou a chaleira e enxugou as lágrimas. Fiquei parada na banheira quente; estava sentindo medo demais para me mexer — a pele dos meus pés ia ser arrancada se eu tentasse sair dali.

Papa colocou as mãos embaixo das minhas axilas para me carregar, mas ouvi Mama dizer:

— Deixe eu fazer isso, por favor.

Eu não tinha percebido que Mama havia entrado no banheiro. Lágrimas escorriam por seu rosto. Seu nariz estava escorrendo também, e me perguntei se ela ia limpá-lo antes que o catarro chegasse a sua boca, antes que tivesse de sentir seu gosto. Mama juntou sal com água fria e gentilmente passou a mistura arenosa em meus pés. Ela me ajudou a sair da banheira e fez menção de me carregar nas costas até meu quarto, mas eu balancei a cabeça. Mama era pequena demais. Nós duas podíamos cair. Ela só falou quando chegamos ao meu quarto.

— É melhor você tomar Panadol — disse.

Assenti e permiti que ela me desse os comprimidos, embora soubesse que eles não iam adiantar muito para a dor dos pés, que agora latejavam num ritmo constante e ardente.

— Você foi ao quarto de Jaja? — perguntei.

Mama assentiu. Ela não me falou dele, e eu também não perguntei nada.

— A pele dos meus pés vai estar inchada amanhã — disse eu.

— Seus pés vão estar bons quando estiver na hora de voltar para a escola — afirmou Mama.

Depois que Mama saiu, fiquei olhando para a porta fechada, para sua superfície lisa, e pensei nas portas de Nsukka com sua pintura azul descascando. Pensei na voz musical do padre Amadi, no grande buraco que havia entre os dentes da frente de Amaka e que aparecia quando ela ria, em tia Ifeoma mexendo o ensopado em seu fogão a querosene. Pensei em Obiora empurrando os óculos para cima do nariz e em Chima enroscado no sofá, dormindo profundamente. Eu me levantei e cambaleei até minha mochila para pegar o quadro de Papa-Nnukwu. Ele ainda estava embrulhado em celofane preto. Embora estivesse num bolso lateral da minha mochila que ficava meio escondido, tive medo de desembrulhá-lo. Papa ia descobrir de algum jeito. Ele ia sentir o cheiro daquele quadro em sua casa. Passei o dedo sobre o celofane, sobre as pinceladas finas de tinta que se mesclavam para formar a figura esguia de Papa-Nnukwu, com seus braços dobrados relaxados e as longas pernas esticadas à sua frente.

Eu acabara de cambalear de volta para a cama, quando Papa abriu a porta e entrou. Ele sabia. Quis me remexer e mudar de posição na cama, como se isso fosse esconder o que eu acabara de fazer. Quis examinar seus olhos para saber o que ele sabia, saber como ele descobrira que o quadro estava ali. Mas não fiz isso, não conseguia. Medo. Eu já conhecia o medo, porém quando o sentia ele nunca era o mesmo da outra vez, como se viesse em sabores e cores diferentes.

— Tudo o que eu faço por você, faço pelo seu próprio bem — disse Papa. — Sabia?

— Sim, Papa — respondi, sem ainda ter certeza se ele descobrira o quadro.

Papa sentou na cama e segurou minha mão.

— Uma vez eu cometi um pecado contra o meu corpo — contou ele. — E o bondoso padre, aquele com o qual morei quando estudava em St. Gregory's, ele entrou e me viu. Pediu que eu fervesse água para o chá. Colocou a água numa tigela e me fez pôr as mãos nela.

Papa estava olhando bem nos meus olhos. Eu não sabia que ele um dia tinha cometido um pecado, que era capaz de fazer isso.

— Nunca mais pequei contra o meu corpo de novo. O bondoso padre fez isso pelo meu bem — explicou.

Depois que Papa saiu do quarto, não pensei nas mãos dele sendo mergulhadas na água do chá, com a pele saindo e seu rosto contorcido em dor. Em vez disso, pensei no quadro de Papa-Nnukwu dentro da minha mochila.

Não tive oportunidade de falar do quadro para Jaja até o dia seguinte, um sábado, quando ele entrou no meu quarto na hora de estudar. Jaja estava de meias grossas, pisando cuidadosamente com um pé atrás do outro, assim como eu. Mas não falamos dos nossos pés enfaixados. Depois que Jaja sentiu o quadro com o dedo, disse que também tinha algo para me mostrar. Descemos a escada e fomos para a cozinha. A coisa também estava embrulhada em papel celofane preto, e Jaja a colocara dentro da geladeira, atrás de algumas garrafas de Fanta. Quando viu meu olhar de interrogação, explicou que aqueles não eram apenas galhos; eram galhos de hibiscos roxos. Jaja ia dá-los ao jardineiro. Ainda estava na época do *harmattan* e a terra tinha sede, mas tia Ifeoma dissera que os galhos podiam criar raízes e crescer se fossem molhados regularmente, que os hibiscos não gostavam de muita água, mas também não gostavam de ficar muito secos.

Os olhos de Jaja brilharam quando ele falou dos hibiscos, quando os tirou da geladeira para que eu pudesse tocar os galhos frios e úmidos. Ele contara a Papa sobre eles, mas mesmo assim os colocou rapidamente de volta na geladeira quando o ouviu se aproximando.

O almoço foi mingau de inhame, e o cheiro encheu a casa antes mesmo de nos sentarmos à mesa. Era um cheiro bom — pedaços de peixe seco boiando em molho amarelo junto com vegetais e inhame em cubos. Depois da oração, enquanto Mama servia a comida, Papa disse:

— Esses funerais pagãos são caros. Um grupo pede uma vaca, um curandeiro exige um bode para um deus de pedra, depois outra vaca para a aldeia e outra para a *umuada*. Ninguém nunca se pergunta por que os tais deuses nunca comem os animais e, em vez disso, são esses homens gananciosos que os repartem entre si. A morte de uma pessoa é só uma desculpa para os pagãos se banquetearem.

Eu me perguntei por que Papa estaria dizendo aquilo, o que o levara a pensar no assunto. Ficamos em silêncio enquanto Mama acabava de nos servir.

— Mandei dinheiro para Ifeoma pagar o funeral. Dei tudo que ela precisava — disse Papa e, após uma pausa, acrescentou — Para o funeral do *nna anyi*.

— Deus seja louvado — disse Mama, e eu e Jaja repetimos.

Sisi apareceu antes de termos terminado de almoçar para dizer a Papa que Ade Coker estava no portão com outro homem. Adamu os mandara esperar no portão; ele sempre fazia isso quando alguém nos visitava durante uma refeição do fim de semana. Achei que Papa fosse mandá-los esperar no pátio até termos terminado de almoçar, mas ele disse a Sisi para mandar Adamu os deixar entrar e abrir a porta da frente. Papa disse a oração do fim das refeições enquanto ainda tínhamos comida em nossos pratos, e nos pediu para continuar comendo, afirmando que logo voltaria.

Os convidados entraram e se sentaram na sala de estar. Eu não podia vê-los da mesa de jantar, mas, enquanto comia, me esforcei para entender o que diziam. Sabia que Jaja fazia a mesma coisa. Vi como sua cabeça estava levemente inclinada, os olhos focados no espaço vazio à sua frente. Os homens conversavam em voz baixa, mas era fácil entender o nome Nwankiti Ogechi, principalmente quando Ade Coker falava, porque ele não baixava tanto a voz quanto Papa e o outro homem.

Ele estava dizendo que o assistente de Big Oga — Ade Coker se referia ao chefe de Estado como Big Oga até nos editoriais que escrevia — telefonara para dizer que Big Oga estava disposto a lhe dar uma entrevista exclusiva.

— Mas eles querem que eu cancele a matéria sobre Nwankiti Ogechi. Veja que homem mais imbecil, ele me disse que eles sabiam que alguns imprestáveis haviam me contado histórias que eu planejava usar na matéria, e que essas histórias eram mentiras...

Ouvi Papa interrompê-lo, falando baixo, e o outro homem acrescentou alguma coisa depois, algo sobre os Figurões de Abuja não quererem que uma matéria como aquelas saísse agora que a Commonwealth ia se reunir.

— Sabe o que isso significa? Minhas fontes estavam certas. Eles mataram mesmo Nwankiti Ogechi — disse Ade Coker. — Por que não se importaram quando eu escrevi a última matéria sobre ele? Por que estão se importando agora?

Eu sabia a que matéria Ade se referia, pois ela saíra no *Standard* há cerca de seis semanas, pouco depois de Nwankiti Ogechi ter desaparecido sem deixar rastros. Eu lembrava do enorme ponto de interrogação negro acima da manchete "Onde está Nwankiti?" E lembrava que a matéria estava recheada de frases preocupadas dos parentes e colegas dele. Era menos impressionante do que a primeira matéria que eu lera no *Standard* sobre Nwankiti, intitulada "Um santo entre nós" e que falava de seu ativismo, das manifestações pró-democracia que ele organizava e que lotavam o estádio de Surulere.

— Eu disse a Ade que devíamos esperar, senhor — disse o outro homem. — Deixe que ele faça a entrevista com Big Oga. Podemos publicar a matéria sobre Nwankiti Ogechi depois.

— De jeito nenhum! — exclamou Ade e, se eu não houvesse reconhecido aquela voz levemente estridente, teria sido difícil imaginar que aquele homem sorridente e gorducho pudesse falar assim, com tanta raiva. — Eles não querem que o povo fique falando de Nwankiti Ogechi agora. É simples! E você sabe o que isso significa, significa que eles o mataram! Que história é essa de Big Oga tentar me subornar com uma entrevista? Que história é essa?

Papa interrompeu-o naquele ponto, mas não consegui ouvir grande parte do que disse, pois ele falava baixo e de forma tranquila, como se estivesse tentando acalmar Ade. Só consegui escutar quando ele disse:

— Vamos para o meu escritório. Meus filhos estão comendo.

Eles passaram por nós a caminho da escada. Ade sorriu ao nos cumprimentar, mas foi um sorriso forçado.

— Posso comer sua comida para você? — brincou ele, fingindo que ia atacar meu prato.

Depois do almoço, quando eu estava sentada no meu quarto, estudando, me esforcei para ouvir o que Papa e Ade Coker diziam no escritório. Porém não consegui. Jaja passou pela porta do escritório algumas vezes, mas quando o olhei, ele balançou a cabeça — também não conseguira ouvir nada com a porta fechada.

Foi naquela noite, antes do jantar, que os agentes do governo apareceram, os homens vestidos de negro que arrancaram os hibiscos antes de irem embora, os homens que Jaja disse terem vindo subornar Papa com um caminhão cheio de dólares, os homens que Papa pediu que saíssem de nossa casa.

Quando recebemos a edição seguinte do *Standard*, eu sabia que ela teria Nwankiti Ogechi na primeira página. A matéria era cheia de detalhes, de raiva, e de frases de alguém chamado A Fonte. Alguns soldados haviam atirado em Nwankiti Ogechi num bosque em Minna. Depois, jogaram ácido em seu corpo para fazer sua pele derreter, para matá-lo mesmo depois de ele já estar morto.

Durante a hora da família, enquanto Papa e eu jogávamos xadrez, e Papa ganhava, escutamos no rádio que a Nigéria fora suspensa da Commonwealth por causa do assassinato e que o Canadá e a Holanda estavam retirando seus embaixadores do país como protesto. O locutor leu uma pequena parte do release enviado à imprensa pelo governo canadense, que se referia a Nwankiti Ogechi como "um homem honrado".

Papa ergueu os olhos do tabuleiro e disse:

— Ia acabar dando nisso. Eu sabia que ia acabar dando nisso.

Alguns homens apareceram lá em casa logo depois do jantar, e ouvi Sisi dizer a Papa que eles eram da Coalizão Democrática. Eles ficaram no pátio com Papa e, embora eu tenha tentado, não consegui ouvir a conversa. No dia seguinte, mais pessoas apareceram durante o jantar. E mais ainda um dia depois. Todos pediram que Papa tomasse cuidado. Pare de ir trabalhar em seu carro oficial. Não frequente lugares públicos. Lembre-se daquela bomba que explodiu no aeroporto quando um advogado especializado em direitos civis estava viajando. Lembre-se daquela outra que explodiu no estádio durante uma reunião pró-democracia. Tranque suas portas. Lembre-se do homem que foi morto a tiros em seu quarto por homens de máscaras negras.

Mama contou tudo para mim e para Jaja. Ela pareceu assustada quando falou, e eu quis dar tapinhas em seu ombro e dizer que nada de ruim ia acontecer com Papa. Eu sabia que ele e Ade Coker trabalhavam com a verdade, e sabia que nada de ruim ia acontecer com ele.

— Vocês acham que os homens sem Deus têm bom senso? — Papa perguntava toda noite durante o jantar, muitas vezes após um longo silêncio.

Ele me parecia estar bebendo muita água durante o jantar, e eu ficava observando-o, me perguntando se suas mãos estavam tremendo de verdade ou se era só minha imaginação.

Jaja e eu não conversamos sobre as inúmeras pessoas que vieram à nossa casa. Eu queria fazê-lo, mas Jaja virava o rosto quando eu trazia o assunto à baila com meus olhos, e desconversava quando eu o mencionava. A única vez em que o ouvi falar sobre isso foi quando tia Ifeoma ligou para perguntar como Papa estava, porque ela ouvira falar do furor que a matéria do *Standard* causara. Papa não estava em casa, por isso ela conversou com Mama. Depois, Mama passou o telefone para Jaja.

— Tia, eles não vão fazer nada com Papa — ouvi Jaja dizer. — Eles sabem que ele tem muitos conhecidos fora do país.

Enquanto eu escutava Jaja dizer a tia Ifeoma que o jardineiro plantara os hibiscos, mas que ainda era cedo demais para saber se eles iam vingar, me perguntei por que ele jamais falara aquilo de Papa para mim.

Quando peguei o telefone, a voz de tia Ifeoma soou próxima e alta. Após nossos cumprimentos, respirei fundo e disse:

— Cumprimente o padre Amadi por mim.

— Ele pergunta sempre por você e por Jaja — disse tia Ifeoma. — Espere, *nne*, Amaka quer falar com você.

— Kambili, *ke kwanu*?

A voz de Amaka estava diferente ao telefone. Informal. Menos pronta a iniciar uma discussão. Menos pronta a dar um sorrisinho irônico — ou talvez eu só achasse isso porque não podia ver o sorrisinho dali.

— Estou bem — disse eu. — Obrigada. Obrigada pelo quadro.

— Achei que você ia gostar de ficar com ele — disse Amaka, e sua voz ainda ficava rouca quando ela falava de Papa-Nnukwu.

— Obrigada — sussurrei.

Eu jamais imaginara que Amaka pensasse em mim, que soubesse o que eu queria ou que achasse que eu era capaz de querer algo.

— Sabia que o *akwam ozu* de Papa-Nnukwu é na semana que vem?

— Sabia.

— Nós vamos nos vestir de branco. Preto é deprimente demais, principalmente aquele tom que as pessoas usam quando estão de luto, que parece cor de madeira queimada. Eu vou ser a primeira a fazer a dança dos netos — disse, parecendo orgulhosa.

— Ele vai descansar em paz — disse eu.

Perguntei-me se Amaka percebera que eu também queria usar branco e participar da dança dos netos no funeral.

— Vai, sim — concordou ela, hesitando por um segundo.
— Graças ao tio Eugene.

Não soube o que responder. Senti como se estivesse pisando num chão onde uma criança derramara talco, onde eu teria de pisar com cuidado se não quisesse escorregar e cair.

— Papa-Nnukwu se preocupava muito em ter um funeral decente — disse Amaka. — Agora eu sei que ele vai descansar em paz. Tio Eugene deu tanto dinheiro para minha mãe que ela vai comprar sete vacas para o funeral!

— Que bom — balbuciei.

— Espero que você e Jaja possam vir para cá na Páscoa. As aparições ainda estão acontecendo, então dessa vez talvez a gente possa ir a Aokpe, se isso for fazer o tio Eugene concordar. E eu vou receber a crisma no Domingo de Páscoa, e quero que você e Jaja estejam aqui.

— Eu também quero ir — disse eu, sorrindo, porque as palavras que eu acabara de dizer, e toda aquela conversa com Amaka, pareciam saídas de um sonho.

Pensei na minha crisma, no ano passado em St. Agnes. Papa comprara meu vestido de renda branca e um véu macio cheio de camadas, que as mulheres no grupo de oração de Mama tocaram ao me cercarem depois da missa. O bispo tivera dificuldades de erguer o véu da frente do meu rosto para fazer o sinal da cruz em minha testa e dizer:

— Ruth, receba, por este sinal, o Dom do Espírito Santo.

Ruth. Fora Papa quem escolhera meu nome de crisma.

— Você já escolheu um nome de crisma? — perguntei.

— Não — disse Amaka. — *Ngwanu*, minha mãe quer lembrar algo a tia Beatrice.

— Cumprimente Chima e Obiora para mim — disse eu, antes de entregar o telefone a Mama.

Quando voltei ao meu quarto, fiquei olhando para o meu

livro e me perguntei se o padre Amadi realmente perguntara por nós, ou se tia Ifeoma só dissera aquilo por educação, para que parecesse que ele se lembrava de nós assim como nós nos lembrávamos dele. Mas tia Ifeoma não era assim. Ela não teria dito aquilo se ele não houvesse perguntado de verdade. Fiquei curiosa para saber se ele perguntara por nós dois, por mim e por Jaja ao mesmo tempo, como quem pergunta por duas coisas que andam sempre juntas. Milho e *ube*. Arroz e ensopado. Inhame e azeite. Ou se nos separara, se perguntara por mim e depois por Jaja. Quando ouvi Papa chegando em casa do trabalho, saí do meu devaneio e olhei para o meu livro. Até então, eu estivera desenhando bonequinhos de palito num papel e escrevendo "Padre Amadi" nele várias vezes. Rasguei o papel.

E rasguei muitos outros nas semanas seguintes. Todos tinham "Padre Amadi" escrito várias vezes. Em alguns, eu tentava desenhar o som da voz dele usando os símbolos musicais. Em outros, formava as letras de seu nome usando numerais romanos. Mas eu não precisava escrever o nome do padre Amadi para vê-lo. Reconheci um pouco de seu caminhar, daquele andar confiante, nos passos do jardineiro. Vi seu corpo esguio e musculoso em Kevin e, quando as aulas voltaram, até um lampejo de seu sorriso em Madre Lucy. Fui jogar vôlei com as outras meninas no segundo dia de aula. Nem ouvi os sussurros que diziam "riquinha metida" ou as risadinhas de escárnio. Não notei os beliscões que elas davam umas nas outras, achando graça de mim. Fiquei parada, com as mãos crispadas, até ser escolhida por um dos times. Vi apenas o rosto cor de argila do padre Amadi e ouvi somente: "Você tem pernas boas para correr".

Choveu muito no dia em que Ade Coker morreu, uma chuva estranha e furiosa no meio do *harmattan* seco. Ade Coker estava tomando café com sua família quando recebeu um pacote por um serviço de entrega. Sua filha estava sentada do outro lado da mesa, com seu uniforme da escola primária. O bebê também estava ali perto, na cadeirinha. Sua mulher estava dando cereal Cerelac na boca do bebê. Ade Coker explodiu ao abrir o pacote — um pacote que todos saberiam ter sido mandado pelo chefe de Estado, mesmo que sua mulher, Yewande, não tivesse contado que Ade Coker olhara para o envelope e dissera "Tem o sinete da Câmara" antes de abri-lo.

Quando Jaja e eu chegamos em casa da escola, estávamos praticamente encharcados só de caminhar do carro até a porta da frente; a chuva estava tão forte que formara uma pequena piscina perto dos hibiscos. Meus pés coçavam dentro das minhas sandálias de couro molhadas. Papa estava enroscado num sofá da sala de estar, soluçando. Ele parecia muito pequeno. Papa, que era tão alto que às vezes precisava abaixar a cabeça para passar por algumas portas, que precisava pedir que seu alfaiate usasse tecido extra para fazer suas calças. Agora ele parecia pequeno; parecia um rolo de tecido amassado.

— Eu devia ter obrigado Ade a segurar aquela matéria — disse Papa. — Devia tê-lo protegido. Devia ter impedido que publicasse a matéria.

Mama o apertou contra si, encostando a cabeça dele em seu peito.

— Não — disse ela. — O *zugo*. Não diga isso.

Jaja e eu ficamos olhando. Pensei nos óculos de Ade Coker e imaginei as lentes grossas e azuladas se espatifando, a armação branca derretendo e virando uma gosma grudenta. Mais tarde, depois que Mama nos contou o que acontecera, e como acontecera, Jaja disse:

— Foi a vontade de Deus, Papa.

Papa sorriu para Jaja e deu tapinhas gentis em suas costas.

Papa organizou o funeral de Ade Coker; ele fez uma poupança para Yewande Coker e as crianças e comprou uma casa nova para elas. Pagou enormes bônus a todos os funcionários do *Standard* e pediu-lhes que fizessem um longo recesso. Enormes olheiras apareceram sob seus olhos durante essas semanas, como se alguém houvesse sugado a pele delicada, deixando os olhos fundos.

Foi então que meus pesadelos começaram, pesadelos em que eu via os restos queimados de Ade Coker esparramados em sua mesa de jantar, no uniforme de sua filha, na tigela de cereal de seu bebê, nos ovos de seu prato. Em alguns desses pesadelos, eu era a filha e os restos queimados eram de Papa.

Semanas após a morte de Ade Coker, ainda havia olheiras cavadas sob os olhos de Papa, e havia também uma lentidão em seus movimentos, como se suas pernas fossem pesadas demais para serem erguidas e suas mãos pesadas demais para balançarem ao longo do corpo. Ele levava mais tempo para responder quando lhe perguntavam alguma coisa, para mastigar sua comida, e até para encontrar as passagens certas da Bíblia para ler. Mas rezava bem mais e, em algumas noites, quando eu me levantava para fazer xixi, ouvia-o gritando da varanda que dava para o jardim. Embora eu ficasse algum tempo escutando sentada na privada, nunca conseguia entender o que ele estava dizendo. Quando contei isso a Jaja, ele deu de ombros e disse que Papa devia estar falando em línguas, embora nós dois soubéssemos que Papa não gostava que as pessoas falassem em línguas, porque era isso que os pastores falsos das igrejas-cogumelo pentecostais faziam.

Mama disse muitas vezes a mim e a Jaja que era para nós nos lembrarmos de abraçar Papa com mais força, para que ele soubesse que o estávamos apoiando, pois ele estava sofrendo muitas pressões. Soldados haviam aparecido em uma das fábricas levando ratos mortos numa caixa. Eles fecharam a fábrica, dizendo que os ratos haviam sido encontrados ali e poderiam espalhar doenças através dos biscoitos. Papa não ia mais às outras fábricas com a mesma frequência de sempre. Em alguns dias, o padre Benedict chegava à nossa casa antes de Jaja e eu irmos para a escola e ainda estava no escritório de Papa quando voltávamos. Mama contou que eles estavam rezando novenas especiais. Papa nunca saía do escritório para se certificar de que Jaja e eu estávamos seguindo nossos horários em dias como esse, por isso Jaja ia até meu quarto para conversar, ou só para ficar sentado em minha cama enquanto eu estudava, antes de ir para o seu.

Foi num desses dias que Jaja entrou em meu quarto, fechou a porta e perguntou:

— Posso ver o quadro de Papa-Nnukwu?

Meus olhos se fixaram na porta. Eu nunca olhava o quadro quando Papa estava em casa.

— Ele está com o padre Benedict — disse Jaja. — Não vai entrar aqui.

Peguei o quadro na minha mochila e o desembrulhei. Jaja examinou-o, passando seu dedo deformado sobre a tinta, o dedo que mal tinha tato.

— Eu tenho os braços de Papa-Nnukwu — disse Jaja. — Dá para perceber? Eu tenho os braços dele.

Ele parecia estar num transe, como se houvesse esquecido onde estava e quem era. Como se houvesse esquecido que mal tinha tato naquele dedo.

Eu não mandei Jaja parar com aquilo nem comentei que era o dedo deformado que ele estava usando para tocar o quadro. Não guardei o quadro imediatamente. Em vez disso, me aproximei de Jaja, e nós dois ficamos observando o quadro em silêncio por um longo tempo. Tempo longo o suficiente para o padre Benedict ir embora. Eu sabia que Papa ia entrar no meu quarto para dar boa-noite, para beijar minha testa. Sabia que ele ia estar com seu pijama cor de vinho que dava um leve brilho vermelho aos seus olhos. Sabia que Jaja não ia ter tempo de colocar o quadro de volta na mochila e que Papa ia vê-lo e imediatamente estreitar os olhos, inflar as bochechas, fazendo-as parecer uma *udala* ainda verde, e começar a jorrar palavras em igbo pela boca.

E foi o que aconteceu. Talvez fosse o que eu e Jaja quiséssemos que acontecesse, sem ter consciência disso. Talvez todos tenhamos mudado depois de Nsukka — até Papa — e as coisas estivessem destinadas a não ser mais as mesmas, a não estar mais em sua ordem original.

— O que é isso? Vocês todos viraram pagãos? O que estão fazendo com esse quadro? Onde o arrumaram? — perguntou Papa.

— O *nkem*. Ele é meu — disse Jaja, pressionando o quadro contra o peito e protegendo-o com os braços.

— É meu — disse eu.

Papa oscilou um pouco de um lado a outro, como uma pessoa prestes a cair aos pés de um pastor carismático após a imposição das mãos. Papa não oscilava daquele jeito com frequência. Ver aquele gesto era como sacudir uma garrafa de Coca-Cola e saber que um jato de espuma sairia quando você a abrisse.

— Quem trouxe o quadro para dentro desta casa?

— Eu — disse eu.

— Eu — disse Jaja.

Se Jaja me olhasse, eu poderia deixar claro para ele que não deveria se culpar. Papa arrancou o quadro de Jaja. Suas mãos se moveram rapidamente, trabalhando juntas. O quadro se fora. Ele já representava algo perdido, algo que eu jamais tivera, que jamais teria. Agora, mesmo aquela lembrança se fora, e em volta dos pés de Papa estavam espalhados pedaços de papel pintados de cores terrais. Os pedaços eram muito pequenos, muito precisos. De repente, enlouquecidamente, imaginei o corpo de Papa-Nnukwu sendo cortado em pedaços daquele tamanho e guardado numa geladeira.

— Não! — gritei.

Corri para os pedaços no chão como se quisesse salvá-los, como se salvá-los fosse salvar Papa-Nnukwu. Atirei-me no chão, deitei sobre os pedaços de papel.

— O que aconteceu com você? — perguntou Papa. — O que há de errado com você?

Fiquei deitada no chão, enroscada como o feto no útero que havia numa foto do meu livro *Ciência integrada para escolas do ensino médio*.

— Levante-se! Afaste-se desse quadro!

Fiquei deitada, sem reagir.

— Levante-se! — repetiu Papa.

Mesmo assim, não me mexi. Ele começou a me chutar. As

fivelas de metal de seus chinelos doíam em minha pele como mordidas de mosquitos gigantes. Papa falou sem parar, descontroladamente, misturando igbo com inglês, carne macia com ossos afiados. Ímpios. Idolatria pagã. Fogo do inferno. O ritmo dos chutes foi aumentando, e eu pensei na música de Amaka, na música culturalmente consciente que às vezes começava com um saxofone tranquilo e, numa reviravolta, virava um canto luxurioso. Eu me enrosquei mais sobre mim mesma, sobre os pedaços do quadro; eles eram macios como penas. Ainda tinham o cheiro metálico da paleta de tintas de Amaka. A dor me queimava agora, estava mais parecida com mordidas, porque o metal caía sobre feridas expostas na lateral do meu corpo, em minhas costas, em minhas pernas. Chute. Chute. Chute. Talvez fosse um cinto agora, pois a fivela de metal parecia pesada demais. Pois eu podia ouvir algo cortando o ar. Uma voz baixa dizia:

— Por favor, *biko*. Por favor.

Mais pancadas. Mais tapas. Algo molhado e salgado esquentou minha boca. Fechei os olhos e me entreguei ao silêncio.

Quando abri os olhos, soube imediatamente que não estava em minha cama. O colchão era mais firme que o meu. Tentei me levantar, mas a dor percorreu meu corpo todo em pequenas pontadas.

— *Nne*, Kambili. Graças a Deus!

Mama ficou de pé e pousou a mão em minha testa, e depois o rosto no meu.

— Graças a Deus. Graças a Deus, você acordou.

O rosto dela estava molhado de lágrimas. Seu toque foi suave, mas enviou agulhas de dor por cada pedaço de mim, começando pela cabeça. Foi como no dia em que Papa derramara água quente em meus pés, só que agora era meu corpo todo que queimava. Mesmo pensar em qualquer movimento era doloroso demais.

— Meu corpo está pegando fogo — disse eu.

— Psiu — disse Mama. — Descanse. Graças a Deus, você está acordada.

Eu não queria estar acordada. Não queria sentir a dor pulsando em mim. Não queria sentir o pesado martelo batendo em minha cabeça. Até respirar era uma agonia. Um médico vestido de branco estava no quarto, no pé da minha cama. Eu conhecia aquela voz; ele era um dos fiéis incumbidos da leitura de trechos da Bíblia em nossa igreja. Falava de forma lenta e precisa, da mesma maneira como fazia a primeira e a segunda leituras, mas mesmo assim eu não consegui ouvir tudo. Costela quebrada. Recuperação corria bem. Hemorragia interna. Ele se aproximou e ergueu a manga da minha blusa devagar. Eu sempre tivera medo de tomar injeção — sempre que pegava malária, rezava para poder tomar Novalgina e não injeções de cloroquina. Mas agora a picada de uma agulha não foi nada. Preferiria tomar injeções todo dia a sentir aquela dor no corpo. O rosto de Papa estava próximo do meu. Tão perto que seu nariz quase tocou o meu, mas mesmo assim vi que seus olhos estavam mansos, que ele falava e chorava ao mesmo tempo.

— Minha filha preciosa. Nada vai acontecer com você. Minha filha preciosa.

Eu não sabia se aquilo era um sonho. Fechei os olhos.

Quando os abri de novo, o padre Benedict estava debruçado sobre mim. Ele fazia o sinal da cruz com óleo em meus pés; o óleo tinha cheiro de cebola, e até o leve toque dele me machucou. Papa estava ali perto. Ele também rezava baixinho, a mão pousada sobre a lateral do meu corpo. Fechei os olhos.

— Não significa nada. Eles dão a extrema-unção a qualquer pessoa que esteja muito doente — sussurrou Mama depois que Papa e o padre Benedict saíram.

Fiquei olhando o movimento dos lábios dela. Eu não estava muito doente. Ela sabia disso. Por que estava dizendo que eu estava muito doente? Por que eu estava no hospital St. Agnes?

— Mama, chame tia Ifeoma.

Mama virou o rosto.

— *Nne*, você precisa descansar.

— Chame tia Ifeoma. Por favor.

Mama tocou minha mão. O rosto dela estava inchado de tanto chorar e seus lábios estavam ressecados, com pedaços de pele transparente saindo. Quis poder me levantar e abraçá-la, mas também quis empurrá-la para longe, com tanta força que sua cadeira cairia para trás.

O rosto do padre Amadi estava debruçado sobre o meu quando abri os olhos. Estava sonhando aquilo, imaginando, mas mesmo assim desejei que não fosse doer tanto sorrir, para que eu pudesse sorrir para ele.

— No começo eles não conseguiam achar uma veia, e fiquei com muito medo.

Era a voz de Mama, real e próxima. Eu não estava sonhando.

— Kambili. Kambili, você está acordada?

A voz do padre Amadi era mais grave, menos melodiosa que nos meus sonhos.

— *Nne*, Kambili, *nne*.

Era a voz de tia Ifeoma; o rosto dela surgiu ao lado do de padre Amadi. Ela prendera seu cabelo trançado num enorme coque que parecia uma cesta de ráfia equilibrada no topo da cabeça. Tentei sorrir. Senti enjoo. Algo escapava de dentro de mim, fugia, levando minha força e minha sanidade, e eu não podia impedir.

— O remédio faz ela perder a consciência — explicou Mama.

— *Nne*, seus primos lhe mandaram beijos. Quiseram vir, mas tinham de ir à escola. O padre Amadi está aqui comigo. *Nne*...

Tia Ifeoma agarrou minha mão e eu estremeci, afastando-a. Até o esforço de tirar a mão doeu. Quis manter os olhos abertos, ver o padre Amadi, sentir o cheiro de sua água-de-colônia, ouvir sua voz, mas minhas pálpebras estavam se fechando.

— Isso não pode continuar *nwunye m* — disse tia Ifeoma. — Quando uma casa está pegando fogo, a gente sai correndo antes que o teto caia em cima da nossa cabeça.

— Nunca foi assim. Ele nunca a puniu desse jeito — disse Mama.

— Kambili vai para Nsukka quando sair do hospital.

— Eugene não vai deixar.

— Eu falo com ele. Nosso pai está morto, então não há nenhum pagão ameaçador em minha casa. Quero que Kambili e Jaja fiquem conosco, pelo menos até a Páscoa. Faça uma mala você também e venha para Nsukka. Vai ser mais fácil para você ir embora quando as crianças não estiverem lá.

— Nunca foi assim.

— Não ouviu o que eu disse, *gbo?* — disse tia Ifeoma, erguendo a voz.

— Ouvi.

As vozes foram ficando distantes demais, como se Mama e tia Ifeoma estivessem num barco entrando rapidamente no mar e as ondas houvessem engolido suas vozes. Antes de perder suas vozes, me perguntei para onde o padre Amadi teria ido. Abri os olhos horas depois. Estava escuro, e as lâmpadas estavam apagadas. À luz fraca que vinha do corredor e entrava por baixo da porta fechada, vi o crucifixo na parede e a silhueta de Mama numa cadeira ao pé da minha cama.

— *Kedu?* Vou ficar aqui a noite toda. Durma. Descanse — disse Mama.

Ela se levantou e sentou em minha cama. Acariciou meu travesseiro; eu sabia que estava com medo de me tocar e me causar alguma dor.

— Seu pai passou as últimas três noites na cabeceira de sua cama. Ele não dormiu nem um minuto.

Foi difícil virar a cabeça para o outro lado, mas eu o fiz mesmo assim.

Minha professora particular veio pela primeira vez na semana seguinte. Mama disse que Papa entrevistara dez pessoas antes de escolhê-la. Era uma jovem noviça e ainda não fizera sua profissão religiosa final. As contas de seu rosário, que estava enrolado na cintura de seu hábito azul-celeste, farfalhavam quando ela se movia. Fios de cabelo louro e fino saíam por baixo do lenço que usava na cabeça. Quando ela segurou minha mão e disse *"Kee ka ime?"*, fiquei atônita. Nunca ouvira uma pessoa branca falar igbo, e ela falou muito bem. Ela falava suavemente em inglês quando estávamos tendo aulas e em igbo quando não estávamos, embora passasse a maior parte do tempo calada nessas horas. Ela criava seu próprio silêncio, permanecendo sentada, remexendo seu rosário, enquanto eu fazia meus deveres de compreensão de texto. Mas ela sabia muitas coisas; eu via isso no brilho de seus olhos cor de amêndoa. Sabia, por exemplo, que eu conseguia mover mais partes do meu corpo do que eu falava para o médico, mas não contava nada a ninguém. Até a dor quente na lateral do meu corpo ficara morna, e a palpitação na cabeça diminuíra. Mas eu dizia ao médico que tudo continuava tão ruim quanto antes e gritava quando ele tentava apalpar minhas costelas. Não queria sair do hospital. Não queria ir para casa.

Fiz minhas provas na cama do hospital enquanto Madre Lucy, que as trouxera pessoalmente, esperava numa cadeira ao lado de Mama. Ela me deu um tempo extra para fazer cada prova, mas terminei bem antes de o tempo acabar. Madre Lucy trouxe meu boletim alguns dias depois. Eu fiquei em primeiro. Mama não cantou sua música alegre em igbo. Disse apenas:

— Deus seja louvado.

As meninas da minha turma me visitaram naquela tarde, com os olhos arregalados de espanto e admiração. Tinham ouvido dizer que eu sofrera um acidente. Disseram que esperavam que eu voltasse para a escola com um gesso, para que todas pudessem assinar. Chinwe Jideze me trouxe um cartão enorme que dizia "Melhoras para uma pessoa especial", e ela sentou na minha cama e conversou comigo, com sussurros confidenciais, como se sempre tivéssemos sido amigas. Até me mostrou seu boletim — ficara em segundo. Antes de todas irem embora, Ezinne perguntou:

— Agora você vai parar de sair correndo depois das aulas, não vai?

Naquela noite, Mama me contou que eu ia receber alta em dois dias. Mas eu não ia para casa, ia passar uma semana em Nsukka, e Jaja ia comigo. Ela não sabia como tia Ifeoma convencera Papa, mas ele concordara com ela, dizendo que o ar de Nsukka seria bom para mim, para minha recuperação.

A chuva molhava o chão da varanda, apesar de o sol estar brilhando e de eu ter de apertar os olhos para olhar para fora da porta da sala de tia Ifeoma. Mama costumava dizer a Jaja e a mim que Deus não conseguia decidir o que mandar para a terra, se chuva ou sol. Ficávamos sentados em nossos quartos olhando as gotas da chuva brilhando à luz do sol e esperando Deus decidir.

— Kambili, quer uma manga? — perguntou Obiora de trás de mim.

No início da tarde, quando chegamos, ele quis me ajudar a entrar no apartamento e Chima insistira em carregar minha mochila. Era como se eles temessem que minha doença estivesse escondida em algum lugar dentro de mim e fosse dar o bote se eu me cansasse demais. Tia Ifeoma dissera a eles que minha doença era séria, que eu quase morrera.

— Mais tarde eu como uma — disse eu, me virando para olhar para ele.

Obiora estava atirando uma manga amarela contra a parede

da sala. Ele fazia isso até que a parte de dentro virasse uma polpa macia. Aí, dava uma mordida numa das extremidades da fruta para fazer um buraquinho e chupava a polpa até sobrar apenas a semente chacoalhando dentro da casca, como uma pessoa que vestisse roupas grandes demais. Amaka e tia Ifeoma também estavam comendo mangas, mas com facas, cortando a parte laranja e macia em fatias.

Fui para a varanda e fiquei de pé ao lado do gradil de metal molhado, vendo a chuva diminuir até parar. Deus decidira-se pelo sol. Havia um cheiro de frescor no ar, aquele aroma comestível que a terra quente exala após o primeiro toque da chuva. Eu me imaginei indo até o jardim, onde Jaja estava ajoelhado, pegando a lama com os dedos e comendo-a.

— *Aku na-efe!* Os *aku* estão voando! — gritou uma criança do apartamento de cima.

O ar estava ficando repleto de asas transparentes, batendo, batendo. As crianças saíram correndo dos apartamentos segurando jornais dobrados e latas vazias de Bournvita. Elas atingiam os *aku* com os jornais e então se abaixavam para pegá-los e colocá-los nas latas. Algumas crianças ficavam só correndo de um lado para o outro, golpeando os *aku* só de brincadeira. Outras se agachavam para ver aqueles que haviam perdido suas asas rastejando no chão, para observá-los enquanto se seguravam um no outro e formavam uma espécie de cordão negro, um colar que se movia.

— É interessante como as pessoas comem *aku*. Mas, se você pedir que comam os cupins sem asa, eles se recusam. Mas os sem asa estão só a uma ou duas fases dos *aku* — disse Obiora.

Tia Ifeoma riu.

— Como você mudou, Obiora. Há alguns anos, era sempre o primeiro a sair correndo atrás deles.

— Além do mais, não devia falar das crianças com tanto desprezo — provocou Amaka. — Afinal, você é uma delas.

— Eu nunca fui criança — disse Obiora, indo para a porta.

— Aonde você vai? — perguntou Amaka. — Perseguir *aku*?

— Não vou correr atrás desses cupins voadores, vou só olhar — disse Obiora. — Observar.

Amaka riu e tia Ifeoma imitou-a.

— Posso ir também, mãe? — pediu Chima, já caminhando na direção da porta.

— Pode. Mas você sabe muito bem que a gente não frita *aku*.

— Vou dar os que eu pegar para Ugochukwu. O pessoal da casa dele frita *aku* — disse Chima.

— Cuidado para eles não voarem para dentro de seus ouvidos, *inugo*! Ou você vai ficar surdo! — gritou tia Ifeoma, enquanto Chima já corria para fora.

Tia Ifeoma colocou suas pantufas e foi para cima conversar com uma vizinha. Fiquei sozinha com Amaka, nós duas paradas lado a lado diante do gradil. Ela deu um passo à frente para se apoiar no gradil, e seu ombro tocou o meu. O velho desconforto entre nós desaparecera.

— Você virou a queridinha do padre Amadi — disse Amaka, usando o mesmo tom de brincadeira que usara com Obiora, sem ter ideia do pulo doloroso que meu coração deu. — Ele ficou muito preocupado quando você estava doente. Falou tanto em você. E *amam*, não foi só preocupação de padre.

— O que ele disse?

Amaka se virou para examinar minha expressão ansiosa.

— Você gosta dele, não gosta?

"Gostar" não era uma palavra forte o suficiente. Não se aproximava do que eu sentia, da maneira como sentia. Mas eu disse:

— Gosto.

— Você e todas as outras meninas do campus.

Apertei o gradil com mais força. Sabia que Amaka não ia

me contar mais nada se eu não perguntasse. Afinal, ela queria que eu me abrisse mais.

— O que você quer dizer? — perguntei.

— Ah, todas as meninas da igreja gostam do padre Amadi. Até algumas mulheres casadas. As pessoas vivem tendo essas paixonites pelos padres. É excitante ter Deus como rival — explicou Amaka, passando a mão pelo gradil e fazendo as gotas de água se misturarem umas às outras. — Você é diferente. Nunca ouvi o padre Amadi falar de ninguém desse jeito. Ele diz que você nunca ri. Diz que é muito tímida, mas que ele sabe que há muita coisa se passando em sua cabeça. Insistiu em levar minha mãe de carro para ir visitá-la em Enugu. Eu disse a ele que estava agindo como um homem cuja esposa estava doente.

— Eu fiquei feliz quando ele foi ao hospital.

Foi fácil dizer isso, deixar as palavras jorrarem da boca. Os olhos de Amaka ainda estavam fixos em mim.

— Foi o tio Eugene que fez isso com você, *okwia*? — perguntou ela.

Larguei o gradil, com uma súbita vontade de me aliviar. Ninguém perguntara, nem mesmo o médico do hospital ou o padre Benedict. Eu não sabia se Papa contara a eles. Ou se nem sequer dera uma desculpa.

— Foi tia Ifeoma quem lhe contou? — perguntei.

— Não, mas eu adivinhei.

— Foi. Foi ele — disse eu, indo para o banheiro, sem me virar para ver a reação de Amaka.

Faltou luz naquela noite, logo antes de o sol se pôr. A geladeira sacudiu, estremeceu e ficou em silêncio. Só notei como era alto o zumbido que ela emitia quando ele parou. Obiora levou as lâmpadas de querosene para a varanda e sentamos em torno delas, dando tapas nos minúsculos insetos que seguiam cegamente a luz amarela e batiam contra as lâmpadas de vidro. O padre Amadi apareceu mais tarde, com milho torrado e *ube* embrulhados em jornais velhos.

— Padre, você é tudo de bom! Eu estava pensando justamente nisso, milho e *ube* — disse Amaka.

— Trouxe isso com a condição de você não começar nenhuma discussão hoje — disse padre Amadi. — Só vim ver como Kambili está.

Amaka riu e levou o embrulho lá para dentro para colocá-lo num prato.

— É bom ver que você voltou ao normal — disse padre Amadi, me examinando de cima a baixo, como se quisesse ter certeza de que não faltava nada.

Eu sorri. Ele indicou que eu devia me levantar para receber um abraço. O corpo dele tocando o meu foi tenso e delicioso. Eu me afastei. Quis que Chima, Jaja, Obiora, tia Ifeoma e Amaka desaparecessem por alguns instantes. Quis estar sozinha com ele. Quis contar a ele o calor que sentia por ele estar ali, dizer que minha cor preferida era o tom de argila da pele dele.

Uma vizinha bateu na porta e entrou com um recipiente plástico cheio de *aku*, folhas de *anara* e pimentões vermelhos. Tia Ifeoma disse que não achava que eu devia comer aquilo, pois podia fazer mal ao meu estômago. Vi Obiora achatar uma folha de *anara* na palma da mão. Ele salpicou os *aku*, que haviam sido fritos e virado chips crocantes, e os pimentões na folha e enrolou-a. Um pouco do recheio saiu quando ele enfiou a folha enrolada na boca.

— Nosso povo diz que, mesmo depois que o *aku* sai voando, ele acaba caindo na boca do sapo — disse padre Amadi, enfiando a mão na tigela e jogando alguns para dentro da boca. — Quando eu era criança, adorava correr atrás de *aku*. Mas só de brincadeira, pois se você quiser mesmo pegá-los, precisa esperar até de noitinha, quando eles perdem as asas e caem.

Ele parecia nostálgico. Fechei os olhos e deixei sua voz me acariciar, deixei-me imaginá-lo como uma criança, antes de seus ombros se tornarem quadrados, perseguindo os *aku*, pisando na terra fofa da chuva que acabara de cair.

Tia Ifeoma disse que eu não ia ajudar a pegar água por enquanto, até ela ter certeza de que eu estava forte o suficiente. Por isso, acordei depois de todo mundo, quando os raios de sol já entravam fortes no quarto, fazendo o espelho brilhar. Amaka estava na janela da sala quando eu cheguei. Aproximei-me e fiquei ao lado dela. Ela estava olhando para a varanda, onde tia Ifeoma conversava com uma mulher, sentada num banquinho. A mulher sentada ao lado de tia Ifeoma tinha olhos inteligentes e penetrantes e lábios sisudos, e não usava nenhuma maquiagem.

— A gente não pode cruzar os braços e permitir que isso aconteça, *mba*. Onde já se viu ter uma universidade com apenas um administrador? — disse tia Ifeoma, se inclinando para a frente e franzindo os lábios, o que fez pequenos sulcos surgirem em seu batom cor de bronze. — Um conselho administrativo elege um vice-reitor. É assim que funciona desde que a universidade foi fundada, é assim que deve funcionar, *oburia*.

A mulher manteve os olhos focados no nada, assentindo sem parar do jeito que as pessoas fazem quando estão pensando nas palavras certas. Quando ela por fim disse algo, falou lentamente, como se estivesse se dirigindo a uma criança teimosa.

— Disseram que há uma lista circulando por aí, Ifeoma, de professores que são desleais à universidade. Disseram que essas pessoas podem ser demitidas. Disseram que seu nome está na lista.

— Não sou paga para ser leal. Quando falo a verdade, vira deslealdade.

— Ifeoma, você pensa que é a única que sabe a verdade? Acha que nós todos também não sabemos! Mas, *gwakenem*, por acaso a verdade vai alimentar seus filhos? A verdade vai pagar pela escola deles e comprar suas roupas?

— E quando é que nós vamos protestar, ê? Quando os soldados virarem professores e os alunos tiverem de ir às aulas com armas apontadas para a cabeça? Quando nós vamos protestar?

Tia Ifeoma erguera a voz. Mas o fogo em seus olhos não estava focado na mulher; estava furiosa com algo maior do que a mulher que tinha diante de si.

A mulher se levantou. Ela alisou a saia *abada* amarela e azul que mal deixava à mostra as pantufas marrons que tinha nos pés.

— Precisamos ir embora. A que horas é sua aula?

— Duas.

— Você tem combustível?

— *Ebekwanu*? Não.

— Eu deixo você lá. Tenho um pouco de combustível.

Observei tia Ifeoma e a mulher caminharem devagar até a porta, como se estivessem sentindo o peso tanto do que haviam dito quanto do que não haviam dito. Amaka esperou tia Ifeoma sair e fechar a porta para se afastar da janela e ir se sentar numa cadeira.

— Minha mãe falou que você precisa se lembrar de tomar o analgésico, Kambili — disse ela.

— Sobre o que tia Ifeoma estava conversando com a amiga dela? — perguntei.

Eu sabia que antes não teria perguntado nada. Teria ficado curiosa, mas não teria perguntado.

— Sobre ter um administrador só — disse Amaka, como se eu pudesse entender todo o assunto imediatamente.

Ela estava passando a mão por toda a cadeira, sem parar.

— É o equivalente ao chefe de Estado na universidade — explicou Obiora. — A universidade vai virar um microcosmo do país.

Só então me dei conta de que ele estava ali, deitado no chão da sala lendo um livro. Jamais ouvira alguém usar a palavra "microcosmo".

— Estão mandando nossa mãe calar a boca — disse Amaka. — Cale a boca se não quiser perder o emprego, pois você pode ser despedida *pá*, assim.

Amaka estalou os dedos para ilustrar como tia Ifeoma podia ser despedida rapidamente.

— Ia ser bom se eles a despedissem, pois aí a gente ia poder ir para os Estados Unidos — disse Obiora.

— *Mechie onu* — disse Amaka, mandando Obiora calar a boca.

— Para os Estados Unidos? — perguntei, olhando de Amaka para Obiora.

— Tia Phillipa está chamando minha mãe para ir para lá. Pelo menos quem mora lá recebe salário quando trabalha — disse Amaka com amargura, como se estivesse acusando alguém de alguma coisa.

— E o trabalho dela vai ser reconhecido nos Estados Unidos, sem essa politicagem boba — disse Obiora, assentindo, já concordando consigo mesmo caso ninguém mais o fizesse.

— A mamãe disse para você que estava pensando em se mudar, *gbo*? — perguntou Amaka, fazendo movimentos rápidos e enfiando a mão com força na cadeira.

— Você sabe há quanto tempo eles não a promovem? — retrucou Obiora. — Ela já devia ter virado professora sênior há muitos anos.

— Tia Ifeoma lhe contou isso? — perguntei estupidamente,

sem nem saber direito o que queria dizer, só porque não conseguia pensar em mais nada para falar, pois não imaginava mais a vida sem a família de tia Ifeoma, sem Nsukka.

Nem Obiora nem Amaka responderam. Eles se encaravam em silêncio, com raiva, e tive a sensação de que não haviam se dirigido a mim quando falavam. Fui lá para fora e fiquei debruçada no gradil da varanda. Chovera a noite toda. Jaja estava ajoelhado no jardim, arrancando ervas daninhas. Ele não precisava mais molhar as plantas, porque o céu se encarregava disso. Formigueiros haviam surgido na terra vermelha e fofa do jardim, como castelos em miniatura. Respirei fundo e prendi o ar, para sentir bem o cheiro das folhas verdes molhadas de chuva, da forma como imagino que um fumante faria para sentir bem o resto de seu cigarro. Os arbustos de alamanda que formavam a cerca do jardim estavam repletos de flores amarelas e cilíndricas. Chima estava abaixando os galhos das flores e enfiando os dedos dentro delas, uma depois da outra. Fiquei olhando enquanto ele examinava cada flor, procurando por uma pequena o suficiente para caber em seu mindinho.

Naquela noite, padre Amadi nos fez uma visita antes de seguir para o estádio. Queria que todos nós fôssemos com ele. Estava treinando alguns meninos de Ugwu Agidi para o campeonato local de salto em altura. Obiora pegara um videogame emprestado das crianças do apartamento de cima, e os meninos estavam reunidos em torno da TV na sala. Não queriam ir ao estádio, pois não iam poder ficar com o videogame durante muito tempo.

Amaka riu quando padre Amadi a chamou para ir.

— Não tente ser educado, padre, você sabe muito bem que prefere ficar sozinho com sua namorada — disse ela.

O padre Amadi sorriu e não disse nada.

Fui sozinha com ele. Minha boca estava tensa de vergonha durante todo o trajeto até o estádio. Fiquei grata por ele não dizer nada sobre o comentário de Amaka, por ficar falando do cheiro doce das chuvas e cantando junto com os entusiasmados coros em igbo que saíam de seu som. Os meninos de Ugwu Agidi já estavam lá quando chegamos ao estádio. Eram versões mais altas e mais velhas dos meninos que eu vira da outra vez; seus shorts cheios de buracos não eram menos puídos e suas camisetas desbotadas também não. O padre Amadi ergueu a voz — que ficava quase sem música quando ele fazia isso — para encorajá-los e apontar suas deficiências. Quando os meninos não estavam prestando atenção, ele subiu um pouco a vara sobre a qual eles teriam de saltar e gritou:

— Mais uma vez: um, dois, três, já!

E os meninos pularam, um após o outro. O padre Amadi fez a mesma coisa mais algumas vezes antes de os meninos se darem conta e dizerem:

— Ha! Ha! *Padi, Padi!*

O padre Amadi riu e disse que acreditava que os meninos podiam saltar mais alto do que pensavam. E que eles haviam acabado de provar que ele estava certo.

Naquele instante, percebi que era isso que tia Ifeoma fazia com os meus primos, obrigando-os a ir cada vez mais alto graças à forma como falava com eles, graças ao que esperava deles. Ela fazia isso o tempo todo, acreditando que eles iam conseguir saltar. E eles saltavam. Comigo e com Jaja, era diferente. Nós não saltávamos por acreditarmos que podíamos; saltávamos porque tínhamos pânico de não conseguir.

— O que anuvia seu rosto? — perguntou padre Amadi, sentando ao meu lado.

O ombro dele tocou o meu. O novo cheiro de suor e o velho cheiro de água-de-colônia preencheram minhas narinas.

— Nada.

— Fale-me do nada, então.

— Você acredita nesses meninos — disse eu num impulso.

— Acredito — disse ele, me observando. — E preciso acreditar neles por mim mesmo, mais até do que eles precisam de mim para acreditar em si mesmos.

— Por quê?

— Porque preciso acreditar em algo que eu jamais questiono.

O padre Amadi pegou a garrafa de água e deu um grande gole. Vi sua garganta fazendo ondas enquanto a água descia por ela. Desejei ser aquela água, indo para dentro dele, para poder estar com ele, me misturar a ele. Jamais sentira tanta inveja da água. O padre Amadi me encarou e virei o rosto, me perguntando se ele vira o desejo em meus olhos.

— Seu cabelo precisa ser trançado — disse ele.

— Meu cabelo?

— É. Vou levá-la até a mulher que trança o cabelo de sua tia no mercado.

O padre Amadi tocou meu cabelo. Mama o trançara no hospital, mas, como eu estava tendo dores de cabeça terríveis, não apertara muito as tranças. Elas estavam começando a soltar, e padre Amadi passou os dedos pelos cabelos soltos como se quisesse alisá-los, fazendo movimentos delicados. Estava olhando bem nos meus olhos. Estava próximo demais. Seu toque era tão leve que eu quis empurrar minha cabeça contra sua mão, para sentir melhor sua pressão. Quis desmaiar sobre ele. Quis apertar sua mão contra minha cabeça e minha barriga, para que ele sentisse o calor que me percorria.

O padre Amadi soltou meu cabelo e eu o observei se levantar e correr de volta até o lugar onde os meninos estavam.

Era cedo demais quando os movimentos de Amaka me acordaram na manhã seguinte; o quarto ainda não fora tocado pelos raios lilases da madrugada. Eu a vi amarrando a canga em volta do peito. Alguma coisa estava errada; ela não amarrava a canga só para ir ao banheiro.

— Amaka, *o gini*?

— Ouça.

Eu ouvi a voz de tia Ifeoma vindo da varanda e me perguntei por que ela havia acordado tão cedo. Depois, ouvi a música. Era uma melodia curta cantada por um grupo grande de pessoas, e estava entrando pela janela.

— Os alunos estão protestando — explicou Amaka.

Eu me levantei e a segui até a sala. Os alunos estavam protestando? O que aquilo significava? Será que estávamos em perigo? Jaja e Obiora estavam na varanda com tia Ifeoma. O ar frio pesou em meus braços nus, como se estivesse cheio de gotas de chuva que relutavam em cair.

— Desliguem as luzes de segurança — disse tia Ifeoma. — Se eles passarem por aqui e virem as luzes, podem atirar pedras no prédio.

Amaka desligou as luzes. A melodia ficou mais clara agora, alta e ressoante. Devia ter pelo menos quinhentas pessoas no protesto.

— Fora, administrador! Você não usa calça, ô! Fora, Chefe de estado! Você não usa calça, ô! Não tem água! Não tem luz! Não tem gasolina!

— Estão falando tão alto que achei que estavam em frente à nossa casa — disse tia Ifeoma.

— Eles vão vir até aqui? — perguntei.

Tia Ifeoma me enlaçou e me puxou para perto dela. Ela cheirava a talco.

— Não, *nne*, isso não é com a gente. Quem mora perto do

vice-reitor é que tem de se preocupar. Da última vez, os alunos queimaram o carro de um professor sênior.

Os gritos foram ficando mais altos, mas não estavam se aproximando. Os alunos estavam entusiasmados agora. Uma coluna grossa de fumaça subia e se misturava ao céu estrelado. Por entre os gritos, dava para ouvir o barulho de vidro sendo quebrado.

— Fora, administrador, o povo falou! Fora, administrador, o povo falou! Não vai, não? Ah, vai!

Gritos acompanhavam o coro. Uma voz se ergueu sobre as outras, e a multidão deu vivas. O vento frio da noite, pesado com o cheiro de queimado, trouxe a nossos ouvidos trechos claros do discurso vibrante em linguagem rudimentar que estava sendo feito a uma rua de distância.

— Oceis, Leãos e Leoas! A gente quer pessoa que usa cueca limpa, né? Em Abi, o Chefi di estado usa cueca mixuruca? Ele larga a cueca limpa? Não!

— Olhem — disse Obiora, baixando a voz como se o grupo de cerca de quarenta alunos que passava correndo pudesse ouvi-lo.

Os alunos pareciam um riacho negro que fluía rápido, iluminados pelas tochas e galhos em chamas que seguravam.

— Talvez eles estejam tentando alcançar os que estão mais lá embaixo no campus — disse Amaka depois que os alunos haviam passado.

Continuamos lá fora, ouvindo, durante mais algum tempo, até que tia Ifeoma nos mandou entrar e ir para cama.

Naquela tarde tia Ifeoma chegou em casa trazendo notícias do protesto. Fora o pior de todos desde que eles haviam se tornado comuns fazia alguns anos. Os alunos tinham colocado fogo na residência do administrador exclusivo; a casa de hóspedes, localizada atrás dela, também ficara completamente arrasada. Além disso, seis carros da universidade haviam sido queimados.

— Dizem que o administrador e sua mulher saíram escondidos no porta-malas de um velho Peugeot 404, *o di egwu* — contou tia Ifeoma, brandindo uma circular.

Quando eu li a circular, senti um aperto desconfortável no peito, parecido com a azia que tive quando comi *akara* oleoso demais. Ela estava assinada pelo responsável pelas matrículas. Dizia que a universidade estava fechada até segunda ordem em razão dos danos causados a seus imóveis e carros e à atmosfera de tumulto. Eu me perguntei o que aquilo significava, se significava que tia Ifeoma iria embora em breve e que eu não ia mais poder vir a Nsukka.

Durante minha agitada sesta, sonhei que o administrador exclusivo derramava água quente nos pés de tia Ifeoma na banheira de nossa casa em Enugu. Então, tia Ifeoma pulava para fora da banheira e, como era um sonho, pulava para dentro dos Estados Unidos. Eu lhe pedia para voltar, mas ela não olhava para trás.

Naquela noite eu ainda pensava no sonho quando estávamos todos sentados na sala, vendo televisão. Ao ouvir um carro se aproximar e estacionar na frente do apartamento, crispei minhas mãos trêmulas, certa de que era o padre Amadi. Mas a batida na porta foi diferente da dele; foi uma batida forte, rude, intrusiva.

Tia Ifeoma pulou da cadeira.

— *Onyezi*? Quem quer quebrar minha porta, hein?

Ela abriu só um pouquinho a porta, mas duas mãos enormes se enfiaram pelo buraco e a escancararam à força. As cabeças dos quatro homens que entraram no apartamento batiam no umbral da porta. Subitamente, o apartamento ficou apertado, pequeno demais para os uniformes e chapéus azuis que os homens usavam, para o cheiro de fumaça de cigarro e suor que entrou com eles, para os músculos salientes nas mangas de suas camisas.

— O que é isso? Quem são vocês? — perguntou tia Ifeoma.

— Estamos aqui para fazer uma busca em sua casa. Estamos procurando documentos cujo objetivo é sabotar a paz da universidade. Fomos informados de que você está colaborando com os grupos de estudantes radicais que organizaram os protestos...

A voz era mecânica, a voz de uma pessoa que recitava algo que lia. O homem que falava tinha marcas tribais no rosto todo; não havia nem um pedaço de pele sem linhas gravadas. Os outros três homens foram entrando rapidamente no apartamento enquanto ele dizia tudo aquilo. Um abriu as gavetas da cômoda, deixando todas abertas. Dois foram para os quartos.

— Quem mandou vocês aqui? — perguntou tia Ifeoma.

— Nós somos de uma unidade especial de segurança de Port Harcourt.

— Vocês têm algum documento para me mostrar? Não podem ir entrando assim na minha casa!

— Olhe para essa mulher *yeye*, ô! Já falei que nós somos da unidade especial de segurança! — disse o homem com as marcas tribais, que se arquearam ainda mais em seu rosto quando ele franziu o cenho e empurrou tia Ifeoma para o lado.

— Quem vocês pensa qui é para entrar aqui assim? O qui qué isso? — disse Obiora se levantando, com o medo nos olhos não completamente escondido pela virilidade proposital de seu linguajar rudimentar.

— Obiora, *nodu ani* — disse tia Ifeoma baixinho.

Obiora se sentou depressa. Ele pareceu aliviado por ter recebido aquela ordem. Tia Ifeoma murmurou para todos nós que devíamos permanecer sentados sem dizer uma palavra, e então foi para dentro do apartamento atrás dos homens. Eles não procuraram nada nas gavetas que abriram, só atiraram no chão as roupas e o quê mais estivesse lá dentro. Viraram de cabeça para baixo todas as caixas e malas que havia no quarto de tia Ifeoma, mas não examinaram seu conteúdo. Espalharam tudo, porém não procuraram nada. Quando estavam indo embora, o homem com as marcas tribais disse a tia Ifeoma, apontando um dedo gorducho com uma unha curvada para seu rosto:

— Cuidado, muito cuidado.

Ficamos em silêncio até que o som do carro deles desapareceu.

— A gente precisa procurar a polícia — disse Obiora.

Tia Ifeoma sorriu; o movimento de seus lábios não iluminou seu rosto.

— Eles são a polícia — explicou. — Estão juntos nisso.

— Por que a estão acusando de encorajar os protestos, tia? — perguntou Jaja.

— É tudo mentira. Eles querem me assustar. Desde quando os alunos precisaram de alguém para lhes dizer quando protestar?

— Não consigo acreditar que eles entraram à força em nossa casa e reviraram tudo — disse Amaka. — Não consigo acreditar.

— Graças a Deus, Chima está dormindo — disse tia Ifeoma.

— A gente precisa ir embora — afirmou Obiora. — Mãe, a gente precisa ir embora. Você falou com a tia Phillipa desde aquela última vez?

Tia Ifeoma balançou a cabeça. Estava guardando os livros e as toalhas de mesa que tinham sido tirados das gavetas da cômoda. Jaja foi ajudá-la.

— Como assim, ir embora? Por que precisamos fugir do nosso próprio país? Por que não podemos consertá-lo? — perguntou Amaka.

— Consertar o quê? — disse Obiora com um sorrisinho irônico bastante pronunciado.

— Então temos de fugir? Essa é a resposta, fugir? — perguntou Amaka com a voz estridente.

— Não é fugir, é ser realista. Quando chegar a hora de estudarmos na universidade, todos os professores bons vão ter se cansado de todo esse absurdo e já vão ter se mudado para o exterior.

— Calem a boca, vocês dois, e venham arrumar a casa! — ordenou tia Ifeoma.

Foi a primeira vez que ela não observou, orgulhosa, as discussões dos meus primos.

Uma minhoca serpenteava pela banheira, perto do ralo, quando fui tomar banho de manhã. Seu corpo marrom-arroxeado contrastava com a brancura da banheira. O encanamento era velho, Amaka explicara, e toda estação de chuvas as minhocas entravam na banheira. Tia Ifeoma tinha mandado uma carta reclamando do encanamento para o departamento de manutenção, mas é claro que ia levar anos até alguém tomar alguma providência. Obiora disse que gostava de examinar as minhocas; ele descobrira que elas só morriam quando a gente derramava sal nelas. Se fossem cortadas em duas, cada metade simplesmente crescia e virava uma minhoca inteira.

Antes de entrar na banheira, apanhei o corpo em forma de corda da minhoca com um galho arrancado de uma vassoura e joguei-o na privada. Eu sabia que não podia dar a descarga, pois não havia nada ali dentro, e seria um desperdício de água. Os meninos iam ter de fazer xixi vendo uma minhoca flutuando na água da privada.

Quando saí do banho, vi que tia Ifeoma deixara um copo de leite para mim. Ela também fatiara minha *okpa*, e pedaços vermelhos de pimenta estavam salpicados sobre as fatias amarelas.

— Como está se sentindo, *nne*? — perguntou ela.

— Bem, tia.

Eu nem me lembrava mais que um dia desejara nunca mais abrir os olhos, que o fogo habitara o meu corpo. Peguei o copo e olhei para aquele leite curiosamente bege e granulado.

— É leite de soja feito em casa — disse tia Ifeoma. — Muito nutritivo. Um dos professores de agricultura vende.

— Tem gosto de chá de giz — disse Amaka.

— Como é que você sabe? Já bebeu chá de giz? — perguntou tia Ifeoma.

Ela riu, mas vi rugas finas como as pernas de uma aranha em volta de sua boca e o olhar distante de seus olhos.

— Não consigo mais comprar leite — acrescentou tia Ifeoma, cansada. — Você devia ver como os preços do leite em pó disparam todo dia, parece que tem alguém correndo atrás deles.

A campainha tocou. Meu estômago dava um salto sempre que eu ouvia aquele som, embora soubesse que o padre Amadi costumava bater de leve na porta.

Era uma aluna de tia Ifeoma, usando uma calça jeans apertada. A pele de seu rosto era bem clara, mas só por causa dos cremes clareadores — suas mãos eram da cor marrom-escura de Bournvita sem leite. Ela segurava uma imensa galinha cinza. Disse que a galinha era um símbolo do anúncio formal de seu casamento, que ela vinha fazer a tia Ifeoma. Quando seu noivo soube que a universidade fechara mais uma vez, explicou a menina, disse que não podia mais esperar até ela se formar, já que ninguém sabia quando a universidade iria reabrir. O casamento ia ser no mês seguinte. A menina não se referiu ao noivo pelo nome, mas por *"dim"*, "meu marido", com o tom orgulhoso de quem ganhara um prêmio, jogando de um lado para o outro seu cabelo trançado e pintado de um dourado avermelhado.

— Não sei se vou voltar a estudar quando as aulas voltarem. Quero ter um filho antes. Não quero que *dim* pense que casou comigo para ter uma casa vazia — disse ela com uma risadinha aguda e feminina.

Antes de ir embora, a menina anotou o endereço de tia Ifeoma, para poder mandar um convite. Tia Ifeoma ficou parada, olhando para a porta.

— Ela nunca foi muito inteligente, então eu não devia ficar chateada — disse com ar pensativo.

Amaka riu e exclamou:

— Mãe!

A galinha cacarejou. Ela estava deitada de lado, pois suas pernas haviam sido amarradas.

— Obiora, por favor, mate esta galinha e coloque-a no freezer antes que ela perca peso, já que não temos nada para lhe dar de comer — disse tia Ifeoma.

— Tem faltado luz demais na última semana. Acho que devíamos comer a galinha toda hoje — disse Obiora.

— Que tal a gente comer metade, colocar a outra metade no freezer e rezar para que a Companhia Elétrica traga a luz de volta para ela não estragar? — sugeriu Amaka.

— Tudo bem — concordou tia Ifeoma.

— Eu mato a galinha — disse Jaja, e nós todos nos viramos para olhá-lo.

— *Nna m*, você nunca matou uma galinha, matou? — perguntou tia Ifeoma.

— Não. Mas vou conseguir.

— Tudo bem — disse tia Ifeoma.

Olhei-a atônita ao ver a facilidade com que dissera aquilo. Será que estava distraída por estar pensando em sua aluna? Será que achava mesmo que Jaja ia conseguir matar uma galinha?

Fui com Jaja para o quintal e fiquei olhando enquanto ele prendia as asas da galinha com o pé. Ele virou a cabeça dela para trás. A faca brilhou, encontrando a luz do sol e emitindo faíscas.

A galinha parara de cacarejar; talvez houvesse decidido aceitar o inevitável. Desviei o olhar no momento em que Jaja cortou o pescoço cheio de penas, mas vi a galinha dançando ao ritmo frenético da morte. Ela bateu as asas cinza na lama vermelha, se retorcendo toda. Finalmente parou, numa explosão de penas sujas. Jaja a apanhou e mergulhou-a na bacia de água quente que Amaka trouxera. Havia uma precisão em Jaja, uma resolução fria, clínica. Ele começou a arrancar as penas rapidamente e não falou mais nada até a galinha haver sido reduzida a uma forma magricela coberta por uma pele branco-amarelada. Só percebi como são longos os pescoços das galinhas ao ver as penas daquela sendo arrancadas.

— Se tia Ifeoma for embora, eu quero ir com eles — disse Jaja.

Eu não respondi. Havia muita coisa que eu queria dizer e muita coisa que eu não queria dizer. Dois abutres nos sobrevoaram e pousaram no chão, tão próximos que eu poderia tê-los agarrado se houvesse dado um pulo rápido. Suas cabeças carecas brilharam à luz do sol da manhã.

— Viu como os abutres estão chegando mais perto agora? — perguntou Obiora. Ele e Amaka tinham vindo até o quintal e estavam encostados na porta dos fundos. — Estão ficando cada vez mais famintos. Ninguém mais mata galinhas, e eles têm menos entranhas para comer.

Pegou uma pedra e jogou-a nos abutres. Eles voaram e pousaram nos galhos da mangueira, a pouca distância dali.

— Papa-Nnukwu costumava dizer que os abutres perderam prestígio — disse Amaka. — Antigamente as pessoas gostavam deles porque quando vinham comer as entranhas dos animais usados nos sacrifícios, isso significava que os deuses estavam felizes.

— Hoje em dia, eles deviam ter o bom senso de esperar que a gente mate a galinha antes de pousar — disse Obiora.

O padre Amadi chegou depois que Jaja cortara a galinha e Amaka colocara metade dela numa sacola plástica para pôr no freezer. Tia Ifeoma sorriu quando padre Amadi disse a ela que ia me levar para trançar o cabelo.

— Você está fazendo o meu trabalho para mim, padre. Obrigada — disse ela. — Cumprimente Mama Joe. Diga a ela que vou aparecer lá em breve para trançar o cabelo para a Páscoa.

O barraco de Mama Joe no mercado Ogige era tão pequeno que mal cabia o banquinho alto onde ela se sentava e o mais baixo, que ficava à sua frente. Eu me sentei no banquinho mais baixo. O padre Amadi ficou esperando do lado de fora, perto dos carrinhos de mão, porcos, pessoas e galinhas que passavam, pois seu corpo forte não cabia no barraco. Mama Joe usava um chapéu de lã, apesar de o suor ter feito manchas amarelas debaixo das mangas de sua blusa. Mulheres e crianças trabalhavam nos barracos ao lado, torcendo cabelo, ondulando cabelo, trançando cabelo com laços de fita. Havia placas de madeira com letras tortas apoiadas em cadeiras quebradas na frente dos barracos. As mais próximas diziam "MAMA CHINEDU CABELEIREIRA ESPECIAL" e "SALÃO INTERNACIONAL MAMA BOMBOY". As mulheres e crianças chamavam todas as mulheres que passavam por ali.

— Deixe a gente trançar seu cabelo! Deixe a gente deixar você bonita! Eu tranço muito bem pra você!

Mas a maioria das mulheres se desvencilhava delas e seguia em frente.

Mama Joe me cumprimentou como se tivesse passado a vida toda trançando meu cabelo. Se eu era sobrinha de tia Ifeoma, eu era especial. Ela quis saber como tia Ifeoma estava.

— Não vejo aquela boa mulher há quase um mês. Eu estaria nua se não fosse por sua tia, que me dá as roupas velhas dela. Sei que ela também não tem muito. Ela se esforça tanto para criar bem aquelas crianças. *Kpau!* Uma mulher forte — disse Mama Joe.

Seu igbo saía de forma estranha, com algumas palavras deixadas pelo caminho; era difícil entender. Ela dissera ao padre Amadi que ia levar uma hora para terminar. Ele comprou uma garrafa de Coca-Cola e colocou-a no pé do meu banquinho para mim.

— Ele é seu irmão? — perguntou Mama Joe, vendo-o se afastar.

— Não. Ele é padre — respondi, querendo dizer também que ele era o homem cuja voz mandava em meus sonhos.

— Você disse que ele é *padi*?

— É.

— Um *padi* católico de verdade?

— É — disse eu, me perguntando se havia padres católicos de mentira.

— Toda essa masculinidade desperdiçada — disse ela, penteando gentilmente meu cabelo cheio.

Mama Joe largou o pente e desembaraçou algumas pontas com os dedos. Era uma sensação estranha, pois meu cabelo sempre fora trançado por minha mãe.

— Viu o jeito como ele olha para você? — perguntou ela. — Isso significa alguma coisa, pode acreditar.

— Ah — disse eu, pois não sabia o que Mama Joe esperava que eu dissesse.

Mas ela já estava gritando algo com Mama Bomboy do outro lado do corredor. Mama Joe foi transformando meu cabelo em trancinhas apertadas, tagarelando sem parar com Mama Bomboy e com Mama Caro, cuja voz eu ouvia, mas a quem eu não podia ver, pois ela estava a alguns barracos de distância. A cesta coberta que ficava na entrada do barraco de Mama Joe se moveu. Uma concha marrom espiralada rastejou por baixo dela. Eu quase dei um pulo — não sabia que a cesta estava cheia de caramujos vivos, que Mama Joe vendia. Ela se levantou, pegou o caramujo e jogou-o de volta no cesto.

— Que Deus tire o poder do demônio — murmurou.

Mama Joe estava fazendo a última trança quando uma mulher apareceu no barraco e pediu para ver os caramujos. Mama Joe tirou a tampa da cesta.

— São grandes — disse ela. — Os filhos da minha irmã pegaram hoje, perto do lago Adada.

A mulher pegou o cesto e sacudiu, procurando as conchas grandes. Por fim disse que eles não eram muito grandes, não, e foi embora. Mama Joe gritou para a mulher enquanto ela se afastava:

— Quem tem estômago ruim não devia espalhar sua má vontade para os outros! Você não vai encontrar caramujos tão grandes em nenhum outro lugar do mercado!

Ela apanhou um caramujo ousado que rastejava para fora da cesta aberta. Atirou-o de volta lá dentro e murmurou:

— Que Deus tire o poder do demônio.

Eu me perguntei se era o mesmo caramujo de antes: rastejando para fora, sendo atirado de volta para dentro e então rastejando de novo para fora. Determinado. Tive vontade de comprar o cesto todo só para soltar aquele caramujo.

Mama Joe terminou de trançar meu cabelo antes de o padre Amadi voltar. Ela me deu um espelho vermelho, quebrado bem no meio, para que eu visse meu novo penteado aos pedaços.

— Obrigada. Está bonito — disse eu.

Ela ajeitou uma trancinha que não precisava ser ajeitada.

— Um homem não traz uma jovem para fazer o cabelo a

não ser que ame essa jovem, ouça o que estou dizendo. É impossível — garantiu Mama Joe.

E eu assenti, pois mais uma vez não soube o que dizer.

— Impossível — repetiu Mama Joe, como se eu houvesse discordado.

Uma barata saiu correndo de detrás do seu banquinho e ela matou-a com o pé descalço.

— Que Deus tire o poder do demônio.

Mama Joe cuspiu na palma da mão, esfregou-a na outra, puxou a cesta para mais perto de si e começou a rearranjar os caramujos. Eu me perguntei se ela cuspira na mão antes de fazer meu cabelo. Uma mulher de canga azul com uma sacola enfiada debaixo do braço comprou todo o cesto de caramujos logo antes de o padre Amadi vir me buscar. Mama Joe gritou *"nwanyi oma"* para a mulher, embora ela não fosse nada bonita, e eu imaginei os caramujos fritos e crocantes, cadáveres retorcidos flutuando na sopa da mulher.

— Obrigada — eu disse ao padre Amadi enquanto caminhávamos até o carro.

Ele dera tanto dinheiro a Mama Joe que ela protestara, sem muita convicção, dizendo que não devia aceitar aquilo tudo para trançar o cabelo da sobrinha de tia Ifeoma.

O padre Amadi recusou meu agradecimento com bom humor, como alguém que acredita ter apenas cumprido seu dever.

— *O maka*, as tranças ressaltam seu rosto — disse ele olhando para mim. — Sabe, ainda não temos ninguém para fazer o papel de Nossa Senhora em nossa peça. Você devia se candidatar. Quando eu estava no seminário, a menina mais bonita entre as noviças do convento sempre fazia o papel de Nossa Senhora.

Respirei fundo e rezei para não gaguejar.

— Eu não sei atuar. Nunca atuei.

— Mas pode tentar.

O padre Amadi virou a chave na ignição e o motor ligou com um grunhido e uma sacudida. Antes de virar na rua cheia de carros do mercado, ele me olhou e disse:

— Você pode fazer qualquer coisa, Kambili.

Cantamos canções em igbo enquanto ele dirigia. Eu ergui minha voz até ela ficar suave e melodiosa como a dele.

Havia lâmpadas brancas acesas na placa verde em frente à igreja. As palavras "Paróquia St. Peter's, Universidade da Nigéria" piscavam quando eu e Amaka entramos na igrejinha cheirando a incenso. Eu me sentei ao lado dela no banco da frente, com nossas coxas se tocando. Estávamos sozinhas; tia Ifeoma fora à missa matinal com os outros.

St. Peter's não tinha as imensas velas ou o altar de mármore trabalhado de St. Agnes. As mulheres não amarravam direito os lenços na cabeça para cobrir o mais possível o cabelo. Eu as observei enquanto elas se aproximavam para o ofertório. Algumas só colocavam véus negros transparentes sobre o cabelo; outras usavam calças, até mesmo jeans. Papa ficaria escandalizado. O cabelo de uma mulher precisa estar coberto na casa de Deus, e uma mulher não pode usar as roupas de um homem, principalmente na casa de Deus, diria ele.

Imaginei o crucifixo simples de madeira que ficava acima do altar oscilando para a frente e para trás quando padre Amadi ergueu a hóstia para a consagração. Seus olhos estavam fechados e vi que ele não estava mais atrás daquele altar coberto por uma toalha de algodão branco; estava em outro lugar, que só ele e Deus conheciam. O padre Amadi me deu a comunhão e, quando seus dedos passaram em minha língua, eu quis cair a seus pés. Mas as vozes estrondosas do coral me levantaram e me deram forças para andar de volta até o meu lugar.

Depois que rezamos o pai-nosso, o padre Amadi não disse: "Ofereçam a saudação em Cristo um ao outro". Ele começou a cantar uma canção em igbo.

— *Ekene nke udo... ezigbo nwanne m nye m aka gi*. A saudação em Cristo. Querida irmã, querido irmão, me deem suas mãos.

As pessoas se deram as mãos e se abraçaram. Amaka me abraçou, e então se virou para dar um abraço rápido nos membros da família que estava sentada atrás de nós. O padre Amadi sorriu para mim do altar e moveu os lábios. Não entendi bem o que ele disse, mas sabia que ia pensar naquilo sem parar. Ainda estava pensando, me perguntando o que o padre Amadi dissera, quando ele nos levou para casa depois da missa.

O padre Amadi disse a Amaka que ainda não recebera o nome de crisma dela. Ele precisava reunir todos os nomes e passá-los para o capelão examinar no dia seguinte, um sábado. Amaka disse que não tinha interesse em escolher um nome em inglês e o padre Amadi riu e se ofereceu para ajudá-la a escolher um nome, se ela quisesse. Fiquei olhando pela janela durante o trajeto. Estava faltando luz, por isso parecia que havia um gigantesco cobertor negro-azulado sobre o campus. As ruas por que passamos pareciam túneis escurecidos pelas cercas vivas que as ladeavam. As luzes douradas das lâmpadas de querosene bruxuleavam nas janelas e varandas das casas, como os olhos de cem gatos selvagens.

Tia Ifeoma estava na varanda, sentada num banquinho em

frente a uma amiga dela. Obiora estava no tapete, sentado entre duas lâmpadas de querosene. Ambas as lâmpadas tinham a luz baixa, enchendo a varanda de sombras. Amaka e eu cumprimentamos a amiga de tia Ifeoma, que usava um *bubu tie-dye* e tinha o cabelo curto e natural. Ela sorriu e perguntou:

— *Kedu?*

— O padre Amadi mandou um abraço para você, mãe. Ele não podia ficar aqui, ia receber visitas na casa paroquial — disse Amaka, indo pegar uma das lâmpadas de querosene.

— Fique com a lâmpada. Jaja e Chima estão com uma vela acesa lá dentro. Feche a porta para os insetos não irem atrás de você — disse tia Ifeoma.

Tirei meu lenço e me sentei ao lado de tia Ifeoma, vendo os insetos apinhar-se ao redor das lâmpadas. Havia muitos besourinhos minúsculos com uma protuberância nas costas, como se houvessem esquecido de fechar as asas direito. Eles não eram tão ativos quanto as pequenas moscas amarelas que às vezes se afastavam da lâmpada e iam um pouco perto demais dos meus olhos. Tia Ifeoma estava contando como os agentes de segurança tinham invadido o apartamento. A luz mortiça deixava suas feições indistintas. Ela fazia pausas frequentes para imprimir dramaticidade à história, e embora sua amiga ficasse dizendo *"Gini mezia?"*, ou seja, "E aí, o que aconteceu?", tia Ifeoma dizia *"Chelu nu"*, ou seja, "Espere", e demorava bastante antes de seguir em frente.

A amiga de tia Ifeoma ficou em silêncio por um longo tempo quando ela terminou de contar a história. Os grilos tomaram conta da conversa; o cricrilar deles parecia vir de muito perto, embora eles devessem estar a quilômetros de distância.

— Você soube o que aconteceu com o filho do professor Okafor? — perguntou a amiga de tia Ifeoma por fim.

Ela falava mais igbo do que inglês, mas todas as suas palavras em inglês saíam com um sotaque britânico consistente, diferente do de Papa, que só surgia quando ele estava diante de gente branca, e às vezes sumia em algumas palavras, de forma que metade da frase ficava com sotaque nigeriano e a outra metade com sotaque britânico.

— Que Okafor? — perguntou tia Ifeoma.

— O Okafor que mora na avenida Fulton. O filho dele, Chidifu.

— Aquele que é amigo de Obiora?

— Isso, esse mesmo. Ele roubou as provas do pai e vendeu aos alunos dele.

— *Ekwuzina*! Aquele menininho?

— Isso. E agora que a universidade foi fechada os alunos foram até a casa de Okafor exigir o dinheiro de volta. É claro que o menino já tinha gasto tudo. Okafor bateu tanto no filho ontem que quebrou o dente da frente do menino. E esse é o mesmo Okafor que se recusa a denunciar as coisas erradas na universidade e que faz de tudo para agradar os Homens-Grandes de Abuja. Ele é que faz a lista dos professores desleais. Ouvi dizer que ele incluiu meu nome e o seu.

— Também ouvi dizer isso. *Mana*, o que isso tem a ver com Chidifu?

— Você deve tratar as feridas de um câncer ou o próprio câncer? A gente não tem dinheiro para dar aos nossos filhos. Não tem dinheiro para comprar carne. Não tem dinheiro para comprar pão. Aí seu filho rouba e você fica surpreso? É preciso curar o câncer, ou as feridas vão continuar aparecendo.

— *Mba*, Chiaku. É impossível justificar um roubo.

— Não estou justificando. Só estou dizendo que Okafor não devia ficar surpreso nem desperdiçar energia quebrando um galho no corpo de seu pobre filho. É isso que acontece quando você fica de braços cruzados e não faz nada para impedir a tirania. Seu filho vira alguém que você não reconhece.

Tia Ifeoma deu um suspiro fundo e olhou para Obiora, talvez se perguntando se ele também poderia virar alguém que ela não reconheceria.

— Falei com Phillipa há alguns dias — disse ela.

— É? Como ela está? Como está a terra dos *oyinbo*? Ela está bem.

— E como está a vida de cidadã de segunda classe nos Estados Unidos?

— Chiaku, o sarcasmo não lhe cai bem.

— Mas é verdade. Passei anos em Cambridge e mesmo assim era tratada como uma macaca que desenvolvera a habilidade de pensar.

— Não é mais tão ruim hoje em dia.

— Isso é que eles dizem. Todos os dias nossos médicos vão para lá e acabam lavando os pratos dos *oyinbo*, pois os *oyinbo* pensam que a gente não sabe ensinar medicina direito. Nossos advogados vão para lá e acabam dirigindo táxis, porque os *oyinbo* não confiam na forma como eles estudaram as leis.

Tia Ifeoma interrompeu a amiga rapidamente:

— Eu mandei meu currículo para Phillipa.

A amiga de tia Ifeoma juntou as pontas de seu *bubu* e enfiou-as entre suas pernas esticadas. Observou a noite escura com os olhos estreitados, talvez por estar pensando ou talvez por estar tentando calcular a distância em que os grilos estavam dali.

— Então você também vai, Ifeoma — disse.

— Não estou pensando em mim, Chiaku — disse tia Ifeoma, hesitante. — Quem vai dar aulas para Amaka e Obiora na faculdade?

— Os que estudaram vão embora, aqueles que têm potencial para consertar o que está errado. Eles deixam os fracos para trás. Os tiranos continuam reinando porque os fracos não conseguem resistir. Você não vê que é um círculo vicioso? Quem vai quebrar esse círculo?

— Isso é uma baboseira fantasiosa e infantil, tia Chiaku — disse Obiora.

Vi a tensão descer do céu e envolver a nós todos. O choro de uma criança vindo lá de cima interrompeu o silêncio.

— Vá para o meu quarto e espere por mim, Obiora — disse tia Ifeoma.

Obiora se levantou e saiu. Ele estava sério, como se houvesse acabado de perceber o que fizera. Tia Ifeoma pediu desculpas a sua amiga. Mas tudo ficou diferente depois disso. O insulto de uma criança — de um menino de catorze anos — permaneceu entre elas, colocou um peso sobre suas línguas, fazendo com que cada palavra significasse um esforço. A amiga de tia Ifeoma foi embora pouco depois, e ela entrou no apartamento furiosa, quase derrubando uma lâmpada. Eu ouvi o estalido de uma bofetada e depois os gritos dela.

— Eu não me incomodo de você discordar da minha amiga! Mas me incomodo com a maneira como você discordou! Eu não criei ninguém nesta casa para não ter respeito com os mais velhos, ouviu bem? Você não é o único menino do mundo que pulou um ano! Não vou tolerar isso de você! *I na-anu?*

Tia Ifeoma baixou a voz depois de dizer tudo isso. Ouvi o clique da porta de seu quarto fechando.

— Eu sempre apanhei com o galho na palma da mão — disse Amaka, vindo para a varanda também. — E Obiora na bunda. Acho que minha mãe achava que bater na minha bunda ia me afetar de alguma forma, e eu ia acabar não tendo seios ou alguma coisa assim. Mas eu preferia apanhar na mão do que no rosto, porque a mão dela é feita de metal, *ezi okwum.*

Amaka riu.

— Depois a gente passava horas falando daquilo — contou

ela. — Eu odiava. Bata em mim e me deixe em paz. Mas não, ela explicava por que você havia sido castigada e por que ela esperava que não precisasse ser castigada de novo. É o que ela está fazendo com Obiora.

Desviei o olhar. Amaka pegou minha mão. A mão dela estava quente, como a de uma pessoa se recuperando de malária. Ela não disse nada, mas imaginei que estávamos pensando a mesma coisa — em como era diferente para mim e para Jaja.

Eu limpei a garganta e disse:

— Obiora deve querer muito ir embora da Nigéria.

— Ele é um bobo.

Amaka apertou minha mão com força antes de soltá-la.

Tia Ifeoma estava organizando o freezer, que começara a feder por causa dos incessantes apagões. Ela limpou a poça de água suja cor de vinho que vazara para o chão e depois tirou os sacos de carne e colocou-os dentro de uma tigela. Os pedaços pequeninos de carne de vaca haviam ficado marrons e cheios de pintinhas. Os pedaços da galinha que Jaja matara tinham adquirido uma cor amarelo-escura.

— Tanta carne desperdiçada — disse eu.

Tia Ifeoma riu.

— Desperdiçada, *kwa*? Vou cozinhar ela bem com muita pimenta e acabar com esses estragos.

— Mãe, ela está falando como a filha de um Homem-Grande — disse Amaka.

Fiquei grata por ela não dizer isso com desprezo, mas imitar a risada da mãe.

Estávamos na varanda, catando pedrinhas no arroz. Sentamos em tapetes no chão, longe da sombra, para que pudéssemos sentir o sol suave da manhã surgindo após a chuva. Íamos formando duas pilhas bem-feitas nas bandejas esmaltadas à nossa frente, uma de arroz sujo e outra de arroz limpo, e colocando as pedrinhas sobre o tapete. Depois, Amaka dividiria o arroz em porções menores para tirar as glumas.

— O problema desse arroz vagabundo é que ele vira papa mesmo que você ponha bem pouca água. Você nem sabe se está comendo arroz ou *garri* — murmurou Amaka quando tia Ifeoma saiu.

Eu sorri. Jamais havia sentido a cumplicidade que eu sentia ali, sentada ao lado de Amaka, ouvindo suas fitas de Fela e de Onyeka no minúsculo som, no qual ela colocara pilhas novas. Jamais havia sentido o silêncio confortável que compartilhamos enquanto limpávamos o arroz com cuidado, porque os grãos eram pequenos e às vezes se pareciam com as pedrinhas transparentes. Até o ar parecia parado, acordando bem devagar depois da chuva. As nuvens começavam a se dissipar, como tufos de algodão doce soltando-se relutantemente uns dos outros.

O som de um carro se aproximando do apartamento perturbou a nossa paz. Eu sabia que o padre Amadi ia trabalhar no escritório da paróquia naquela manhã, mas mesmo assim torci para que fosse ele. Imaginei-o indo até a varanda, segurando a batina com uma das mãos para poder subir correndo a pequena escada, sorrindo.

Amaka se virou para olhar.

— Tia Beatrice!

Eu me virei num estalo. Mama estava saindo de um táxi amarelo caindo aos pedaços. O que ela estava fazendo aqui? O que acontecera? Por que estava usando seu chinelo de borracha se viera de Enugu? Ela caminhou devagar, segurando uma canga tão frouxa que parecia prestes a escorregar da cintura a qualquer minuto. Sua blusa estava amassada.

— Mama, *o gini?* Aconteceu alguma coisa? — perguntei.

Eu a abracei rapidamente para poder olhar seu rosto. Sua mão estava gelada. Amaka a abraçou também e pegou sua mala.

— Tia Beatrice, *nno*.

Tia Ifeoma veio correndo para a varanda, secando as mãos no short. Abraçou Mama e ajudou-a a ir até a sala, amparando-a como se ela fosse uma aleijada.

— Onde está Jaja? — perguntou Mama.

— Ele saiu com Obiora — disse tia Ifeoma. — Sente-se, *nwunye m*. Amaka, pegue dinheiro na minha bolsa e vá comprar um refrigerante para a sua tia.

— Não se preocupe, eu bebo água — disse Mama.

— A gente está sem luz, a água não vai estar gelada.

— Não faz mal. Eu bebo.

Mama sentou-se com cuidado na beirada de uma das cadeiras de junco. Ela olhou em volta com os olhos vidrados. Eu sabia que ela não estava vendo a foto com a moldura rachada ou os lírios africanos frescos no vaso oriental.

— Não sei se a minha cabeça está boa — disse ela, pressionando as costas da mão na testa, como a gente faz quando quer saber se está com febre. — Saí do hospital hoje. O médico me mandou descansar, mas peguei o dinheiro de Eugene e pedi a Kevin que me levasse até o parque. Chamei um táxi e vim para cá.

— Você estava no hospital? O que aconteceu? — perguntou tia Ifeoma baixinho.

Mama olhou em volta. Manteve os olhos fixos no relógio da parede durante algum tempo, o que estava com um dos ponteiros quebrados, e então se dirigiu a mim:

— Sabe aquela mesinha onde guardamos a Bíblia da nossa casa, *nne*? Seu pai quebrou-a na minha barriga — disse, como se estivesse falando de outra pessoa, como se a mesa não fosse feita de madeira pesada. — Meu sangue escorreu todo por aquele chão antes mesmo de ele me levar ao St. Agnes. Meu médico disse que não pôde fazer nada para salvá-lo.

Mama balançou a cabeça devagar. Um filete de lágrimas desceu lentamente por suas bochechas, como se tivsse sido um esforço para ele ter saído de seus olhos.

— Salvá-lo? — sussurrou tia Ifeoma. — O que você quer dizer?

— Eu estava grávida de seis semanas.

— *Ekwuzina*! Não repita isso! — exclamou tia Ifeoma, arregalando os olhos.

— É verdade. Eugene não sabia. Eu ainda não tinha contado a ele, mas é verdade.

Mama escorregou para o chão. Ficou sentada com as pernas esticadas à frente do corpo. Era uma postura humilhante, mas me abaixei e sentei ao lado dela, com meu ombro tocando o seu.

Mama chorou por muito tempo. Chorou até minha mão, que estava presa na dela, começar a adormecer. Chorou até tia Ifeoma acabar de fazer um guisado apimentado com a carne que quase estragara. Chorou até adormecer, com a cabeça pousada no assento da cadeira. Jaja a deitou num colchão no chão da sala.

Papa telefonou naquela noite, quando estávamos sentados em volta da lâmpada de querosene na varanda. Tia Ifeoma atendeu e depois veio dizer a Mama quem tinha sido.

— Eu desliguei. Disse a ele que não ia deixar você falar com ele.

Mama pulou do banquinho.

— Por quê? Por quê?

— *Nwunye m*, sente-se agora! — disse tia Ifeoma, irritada.

Mas Mama não se sentou. Ela foi para o quarto de tia Ifeoma e ligou para Papa. O telefone tocou logo depois e eu soube que ele tinha retornado a ligação. Mama saiu do quarto depois de mais ou menos quinze minutos.

— Nós vamos amanhã. As crianças e eu — disse ela, olhando para algum ponto acima da cabeça de todos nós.

— Vão para onde? — perguntou tia Ifeoma.

— Para Enugu. Vamos voltar para casa.

— Você tem um parafuso solto na cabeça, *gbo*? Vocês não vão a lugar nenhum.

— Eugene vai vir nos apanhar.

— Escute...

Tia Ifeoma falou num tom mais suave; ela deve ter percebido que um tom firme não penetraria no sorriso fixo no rosto de Mama. O olhar de Mama continuava vidrado, mas ela parecia ser outra mulher, não a mesma que saltara do táxi de manhã. Parecia estar possuída por outro demônio.

— Fique pelo menos alguns dias, *nwunye m*, não volte tão cedo.

Mama balançou a cabeça. Não havia nenhuma expressão em seu rosto, a não ser um sorriso duro.

— Eugene não anda bem — disse ela. — Tem tido enxaquecas e febre. Ele carrega mais sobre os ombros do que qualquer homem deveria carregar. Você sabe o que a morte de Ade fez com ele? É demais para uma só pessoa.

— *Ginidi*, o que você está dizendo? — perguntou tia Ifeoma, dando um tapa impaciente num inseto que voou para perto de sua orelha. — Quando Ifediora estava vivo, houve época, *nwunye m*, em que a universidade passou meses sem pagar nossos salários. Ifediora e eu não tínhamos nada, mas ele nunca ergueu a mão para mim.

— Você sabia que Eugene paga a mensalidade escolar de mais de cem pessoas? Sabe quantas pessoas estão vivas por causa do seu irmão?

— Não é disso que eu estou falando, e você sabe muito bem.

— Para onde eu vou se sair da casa de Eugene? Diga, para

onde eu vou? — perguntou Mama, sem esperar pela resposta de tia Ifeoma. — Sabe quantas mães empurraram suas filhas para ele? Sabe quantas pediram que ele engravidasse suas filhas, sem nem precisar se incomodar em pagar o preço de uma noiva?

— E daí? Diga... e daí? — retrucou tia Ifeoma, gritando.

Mama sentou no chão. Obiora tinha estendido um tapete e havia lugar nele, mas ela sentou no cimento, pousando a cabeça no gradil.

— Lá vem você de novo com sua conversa de universidade, Ifeoma — disse ela suavemente, virando o rosto para indicar que o assunto estava encerrado.

Eu jamais vira Mama daquele jeito, jamais vira aquela expressão em seus olhos, jamais a ouvira dizer tanto em tão pouco tempo.

Depois que ela e tia Ifeoma foram se deitar, fiquei um longo tempo na varanda com Amaka e Obiora, jogando *whot* — Obiora me ensinara todos os jogos de cartas.

— Última carta! — anunciou Amaka, orgulhosa, colocando uma carta no chão.

— Tomara que tia Beatrice durma bem — disse Obiora, apanhando uma carta. — Ela devia ter pegado um colchão. O tapete é duro.

— Ela vai ficar bem — disse Amaka.

Ela olhou para mim e repetiu:

— Ela vai ficar bem.

Obiora me deu tapinhas no ombro. Eu não soube o que fazer, por isso perguntei se era minha vez, embora soubesse que era.

— Tio Eugene não é uma má pessoa no fundo — disse Amaka. — As pessoas têm problemas, elas cometem erros.

— Humpf — disse Obiora, empurrando os óculos para cima do nariz.

— Algumas pessoas lidam muito mal com o estresse — insistiu Amaka.

Ela olhou para Obiora, como se esperasse que ele dissesse alguma coisa. Mas Obiora permaneceu em silêncio, examinando a carta que segurava. Amaka pegou uma carta extra.

— Ele pagou o funeral de Papa-Nnukwu, afinal de contas — disse ela.

Amaka ainda estava olhando para Obiora. Mas ele não respondeu; colocou sua carta no chão e disse:

— Bati!

Obiora ganhara mais uma vez.

Quando eu me deitei, não pensei em voltar para Enugu; só pensei em quantos jogos de cartas havia perdido.

Quando Papa chegou na Mercedes, Mama pegou nossas malas ela mesma e colocou-as no carro. Papa abraçou Mama, apertando-a contra si, e ela pousou a cabeça no peito dele. Papa perdera peso; normalmente as mãozinhas de Mama mal se encontravam nas costas dele, mas dessa vez elas pousaram sobre sua lombar. Só notei as erupções vermelhas em seu rosto quando me aproximei para abraçá-lo. Pareciam pequenas espinhas, com pus branco na ponta, e cobriam seu rosto todo, incluindo as pálpebras. O rosto dele estava inchado, oleoso, sem cor. Eu tivera a intenção de abraçá-lo e deixá-lo beijar minha testa, mas acabei só olhando-o, atônita.

— Estou com uma alergia — explicou Papa. — Não é nada grave.

Ele me enlaçou e eu fechei os olhos quando ele beijou minha testa.

— A gente se vê em breve — sussurrou Amaka antes de nos abraçarmos.

Ela me chamou de "*nwanne m nwanyi*" — minha irmã. Ficou do lado de fora do apartamento, acenando, até eu não conseguir mais vê-la pelo retrovisor.

Papa começou a rezar o rosário enquanto ainda deixávamos o prédio de tia Ifeoma, e sua voz estava diferente, cansada. Fixei o olhar em sua nuca, que não estava coberta pelas espinhas, e ela também me pareceu diferente — menor, com dobras mais magras na pele.

Olhei para Jaja. Queria que nossos olhos se encontrassem, para que eu pudesse dizer a ele o quanto quisera passar a Páscoa em Nsukka, o quanto quisera ir à crisma de Amaka e à missa de Páscoa do padre Amadi, o quanto planejara cantar com toda a força da minha voz. Mas Jaja grudou seus olhos na janela e ficou em silêncio até chegarmos a Enugu, abrindo a boca apenas para murmurar as orações.

O cheiro de frutas encheu minhas narinas quando Adamu abriu os portões de nossa propriedade. Era como se os muros altos prendessem ali dentro o aroma dos cajus, das mangas e dos abacates maduros. Fiquei enjoada.

— Viu, os hibiscos roxos estão prestes a florescer — disse Jaja quando saímos do carro.

Ele estava apontando, mas eu não precisava que fizesse isso. Já tinha visto os botões ovais e sonolentos no jardim, balançando ao sabor da brisa do fim da tarde.

O dia seguinte foi Domingo de Ramos, dia em que Jaja não recebeu a comunhão, dia em que Papa atirou seu missal pesado nele e quebrou as estatuetas.

OS PEDAÇOS DE DEUSES

Após o Domingo de Ramos

Tudo desmoronou após o Domingo de Ramos. Ventos uivantes vieram com uma chuva furiosa, arrancando algumas plumérias do jardim. Elas ficaram caídas sobre a grama, suas flores brancas e cor-de-rosa tocando o chão e as raízes à mostra com pedaços de terra oscilando no vento. A antena parabólica que ficava em cima da garagem caiu com um estrondo e aterrissou na frente da casa como uma nave alienígena em visita à terra. A porta do meu guarda-roupa saiu totalmente do lugar. Sisi quebrou um jogo de louça inteiro.

Até o silêncio que caiu sobre a casa foi súbito, como se o velho silêncio houvesse se rompido e tivéssemos ficado com seus pedaços afiados nas mãos. Quando Mama pediu que Sisi varresse o chão da sala de estar, para ter certeza de que nenhum fragmento perigoso das estatuetas ainda estivesse oculto em algum lugar, ela não baixou a voz. Não escondeu o minúsculo sorriso que formava covinhas nos cantos de sua boca. Não levou a comida até o quarto de Jaja escondida num pedaço de pano para que parecesse que estava apenas carregando a roupa limpa dele. Levou a comida numa bandeja branca e num prato da mesma cor.

Algo pairava sobre todos nós. Às vezes, eu queria que tudo fosse um sonho — o missal atirado na estante, as estatuetas despedaçadas, o ar quebradiço. Era tudo novo demais, estranho demais, e eu não sabia o que ser nem como ser. Ia até o banheiro, até a cozinha ou até a sala de jantar na ponta dos pés. Durante o jantar, mantinha os olhos fixos na foto do Vovô, aquela na qual ele parecia um super-herói baixinho com a capa dos Cavaleiros de St. Mulumba, até chegar a hora de rezarmos — e nessa hora eu fechava os olhos. Jaja não saiu do quarto, embora Papa tenha lhe pedido que o fizesse. Na primeira vez em que Papa lhe pediu isso, no dia seguinte ao Domingo de Ramos, ele tentou abrir a porta de Jaja, mas não conseguiu, pois Jaja colocara a escrivaninha na frente dela.

— Jaja, Jaja — disse Papa, empurrando a porta. — Você precisa comer conosco hoje, está me ouvindo?

Jaja, porém, não saiu do quarto, e Papa não tocou nesse assunto enquanto jantávamos; ele não comeu quase nada, mas bebeu bastante água, dizendo a Mama que pedisse "àquela menina" para trazer mais garrafas. As erupções em seu rosto pareciam maiores e mais planas, menos definidas, deixando suas faces ainda mais inchadas.

Yewande Coker veio nos visitar com sua filhinha durante o jantar. Quando a cumprimentei e apertei sua mão, examinei seu rosto, seu corpo, à procura de sinais que mostrassem o quanto sua vida estava diferente agora que Ade Coker morrera. Mas Yewande parecia igual, e só o que mudara tinham sido suas roupas — ela usava uma canga negra, uma blusa negra e um lenço negro que cobria todo o seu cabelo e quase toda a testa. Sua filha sentou-se empertigada no sofá, puxando a fita vermelha que prendia suas trancinhas num rabo de cavalo. Quando Mama lhe ofereceu uma Fanta, ela balançou a cabeça, ainda puxando a fita.

— Até que enfim ela disse alguma coisa, senhor — disse

Yewande, olhando para a filha. — Disse "mamãe" hoje de manhã. Eu vim lhe contar que ela finalmente disse algo.

— Graças a Deus! — disse Papa, tão alto que dei um pulo.

— Deus seja louvado — disse Mama.

Yewande ficou de pé e se ajoelhou diante de Papa.

— Obrigada, senhor — disse ela. — Obrigada por tudo. Se não tivéssemos ido àquele hospital fora do país, o que teria sido de minha filha?

— Levante-se, Yewande — pediu Papa. — Foi Deus. Tudo isso veio de Deus.

Naquela noite, quando Papa estava no escritório rezando — eu o ouvi lendo um salmo em voz alta —, fui até a porta do quarto de Jaja, empurrei-a e ouvi a escrivaninha arrastando no chão. Contei da visita de Yewande a Jaja, ele assentiu e disse que Mama havia lhe contado. A filha de Ade Coker não falava desde a morte do pai. Papa a mandara se consultar com os melhores médicos e terapeutas da Nigéria e do exterior.

— Eu não sabia que ela não falava desde que ele morreu — disse eu. — Já faz quase quatro meses. Deus seja louvado.

Jaja me olhou em silêncio durante algum tempo. Sua expressão me fez lembrar dos velhos olhares que Amaka costumava me lançar, e que me faziam querer pedir desculpas sem saber direito pelo quê.

— Ela nunca vai ficar boa — disse Jaja. — Pode ter começado a falar agora, mas nunca vai ficar boa.

Quando eu estava saindo do quarto de Jaja, empurrei a escrivaninha um pouco para o lado. E me perguntei por que Papa não conseguira abrir a porta quando tentara antes; a escrivaninha não era tão pesada assim.

* * *

Fui ficando apavorada à medida que o Domingo de Páscoa se aproximava. Tinha medo do que aconteceria quando Jaja não recebesse a comunhão de novo. E eu sabia que ele se recusaria a recebê-la; via isso em seus longos silêncios, em seus lábios firmes, nos olhos que pareciam se fixar em objetos invisíveis por um longo tempo.

Na Sexta-Feira Santa, tia Ifeoma telefonou. Ela não teria conseguido falar conosco se tivéssemos ido à missa da manhã, como Papa planejara. Mas durante o café as mãos de Papa não paravam de tremer, tremeram tanto que ele derramou seu chá; eu vi o líquido se espalhando aos poucos pela mesa de vidro. Depois, ele disse que precisava descansar e que iríamos à missa da tarde, aquela que o padre Benedict normalmente rezava após todos haverem beijado a cruz. Na Sexta-Feira Santa do ano anterior, tínhamos ido à missa da noite porque Papa ficara ocupado com alguma coisa no *Standard* durante a manhã. Jaja e eu andamos lado a lado até o altar para beijar a cruz, e Jaja pressionara os lábios contra o crucifixo de madeira primeiro, antes de o coroinha limpar a cruz e oferecê-la a mim. Achei a cruz fria quando a beijei. Um calafrio me percorreu e os pelos do meu braço se eriçaram. Quando já estávamos sentados, comecei a chorar em silêncio, deixando as lágrimas escorrerem pelas minhas bochechas. Muitas pessoas à minha volta também choraram, como faziam durante a Via Crúcis, em que gemiam e diziam: "Oh, veja o que o Senhor fez por mim" ou "Ele morreu por um joão-ninguém como eu!". Papa ficou satisfeito com as minhas lágrimas; ainda me lembro claramente da forma como se inclinou sobre mim e acariciou meu rosto. E, embora eu não soubesse bem por que estava chorando, ou se estava chorando pelos mesmos motivos que aquelas pessoas que se ajoelhavam nos genuflexórios, fiquei orgulhosa quando Papa fez aquilo.

Estava pensando nisso quando tia Ifeoma ligou. O telefone tocou por um longo tempo, e achei que Mama ia atender, já que Papa estava dormindo. Mas ela não atendeu, por isso fui até o escritório fazê-lo.

A voz de tia Ifeoma estava mais baixa do que o normal.

— Eles me mandaram embora — disse, sem esperar que eu respondesse após ter perguntado como eu estava. — Dizem que me envolvi em atividades ilegais. Só vou dar aulas por mais um mês. Pedi um visto na embaixada americana. E o padre Amadi recebeu um comunicado. Ele vai para a Alemanha no final do mês, trabalhar como missionário.

Foi um golpe duplo. Eu cambaleei. Senti como se houvesse sacos de feijão amarrados às minhas panturrilhas. Tia Ifeoma pediu para falar com Jaja, e eu quase tropecei, quase caí no chão, quando fui até o quarto dele chamá-lo. Depois que Jaja falou com tia Ifeoma, ele desligou e disse:

— Nós vamos para Nsukka hoje. Vamos passar a Páscoa em Nsukka.

Eu não perguntei o que ele queria dizer com aquilo nem como convenceria Papa a nos deixar ir. Observei-o bater na porta de Papa e entrar.

— Eu e Kambili vamos para Nsukka — ouvi-o dizer.

Não ouvi o que Papa disse, mas Jaja respondeu:

— Nós vamos para Nsukka hoje, não amanhã. Se Kevin se recusar a nos levar, vamos assim mesmo. Vamos andando, se for preciso.

Fiquei paralisada diante da escada, as mãos tremendo violentamente. Mas não pensei em tapar os ouvidos; não pensei em contar até vinte. Em vez disso, fui para o meu quarto, sentei na frente da janela e olhei o cajueiro. Jaja veio me dizer que Papa deixara Kevin nos levar. Ele fizera uma mala tão rápido que nem fechara o zíper, e ficou me observando jogar algumas coisas numa outra, sem dizer uma palavra. Ele apoiava o peso do corpo numa perna, depois na outra, impaciente.

— Papa ainda está dormindo? — perguntei.

Mas Jaja se virou para descer, sem responder.

Eu bati na porta de Papa e a abri. Ele estava sentado na cama; seu pijama de seda vermelha parecia desgrenhado. Mama colocava água num copo para ele.

— Tchau, Papa — disse eu.

Papa se levantou para me abraçar. Seu rosto estava muito mais luminoso que de manhã e os pontos de pus pareciam estar sumindo.

— Logo nos veremos — disse ele, beijando minha testa.

Abracei Mama antes de sair do quarto. Os degraus me pareceram subitamente delicados, como se pudessem se esfacelar, deixando um enorme buraco e me impedindo de ir embora. Fui caminhando devagar até lá embaixo. Jaja me esperava no pé da escada e pegou minha mala quando me aproximei.

Kevin estava parado ao lado do carro quando saímos.

— Quem vai levar seu pai para a igreja agora? — perguntou ele, nos olhando com desconfiança. — Seu pai não está bem o suficiente para dirigir.

Jaja ficou em silêncio por tanto tempo que me dei conta de que ele não ia responder à pergunta de Kevin.

— Ele disse que é para você nos levar a Nsukka — disse eu.

Kevin deu de ombros e murmurou:

— Uma viagem dessas, vocês não podem ir amanhã?

Mas ele ligou o motor do carro. Permanecemos em silêncio a viagem toda e vi que Kevin olhou muitas vezes para nós, e principalmente para Jaja, pelo retrovisor.

O suor cobria todo o meu corpo como uma segunda pele

transparente. Ele começou a pingar do pescoço, da testa, debaixo dos meus seios. Havíamos deixado a porta da cozinha de tia Ifeoma escancarada, mas por causa disso as moscas entravam no apartamento e ficavam voando em torno de uma panela de sopa velha. Ou a gente aturava as moscas, ou ficava com mais calor ainda, dissera Amaka, tentando matá-las.

Obiora usava um short cáqui e mais nada. Ele estava debruçado sobre o fogão a querosene, tentando fazer o fogo pegar no pavio. Seus olhos estavam inchados por causa da fumaça.

— Esse pavio está tão fino que o fogo não fica — disse Obiora depois de finalmente conseguir fazer o fogo se espalhar. — A gente devia usar o fogão a gás para tudo agora. Não tem sentido economizar gás, já que a gente não vai mais precisar dele depois.

Ele se espreguiçou, o suor brotando em sua pele na altura das costelas. Pegou um jornal velho e ficou se abanando durante algum tempo, depois tentou matar algumas moscas com ele.

— *Nekwa!* Não jogue essas moscas na minha panela — disse Amaka, que estava derramando o dendê laranja-avermelhado numa panela.

— A gente não devia estar mais apurando o dendê. Devíamos usar todo o azeite que quiséssemos nessas últimas semanas — disse Obiora, ainda tentando atingir as moscas com o jornal.

— Quem ouve isso pensa que a mamãe já conseguiu o visto — retrucou Amaka, irritada.

Ela colocou a panela no fogão a querosene. O fogo correu até a lateral da panela, ainda laranja, soltando fumaça; ele ainda não estabilizara, ainda não assumira o tom azul que deveria ter.

— Ela vai conseguir o visto. Precisamos pensar positivo.

— Você nunca ouviu falar do jeito que essa gente da embaixada americana trata os nigerianos? Eles insultam você, chamam você de mentiroso, e ainda por cima, se recusam a lhe dar um visto — disse Amaka.

— A mamãe vai conseguir o visto. Ela tem uma bolsa de uma universidade — garantiu Obiora.

— E daí? As universidades dão bolsas para muita gente que não consegue visto.

Comecei a tossir. Uma fumaça branca e grossa vinda da panela de dendê se espalhou pela cozinha e senti que ia desmaiar por causa dela, do calor e das moscas.

— Kambili, vá para a varanda até a fumaça passar — disse Amaka.

— Não, não é nada.

— Vá, *biko*.

Fui para a varanda ainda tossindo. Era óbvio que eu não estava acostumada ao processo de apurar o azeite de dendê, que eu estava acostumada aos óleos vegetais que não precisavam ser apurados. Mas Amaka não me olhara com ressentimento nem desprezo, nem virara os cantos da boca para baixo. Fiquei agradecida quando ela me chamou pouco tempo depois para pedir que eu a ajudasse a cortar o *ugu* para a sopa. Não só cortei o *ugu* como também fiz o *garri*. Sem os olhos de Amaka fixos em mim, me examinando, não derramei água quente demais na mistura, e o *garri* ficou firme e macio. Usei uma concha para colocar meu *garri* num prato raso, empurrei-o para a lateral e em seguida coloquei a sopa ao lado dele. Observei a sopa se espalhando, misturando-se com a parte de baixo do *garri*. Eu jamais fizera isso antes; na nossa casa, Jaja e eu sempre usávamos um prato para o *garri* e outro para a sopa.

Comemos na varanda, embora ela estivesse quase tão quente quanto a cozinha. O gradil parecia o cabo de metal de uma panela cheia de líquido fervente.

— Papa-Nnukwu costumava dizer que um sol raivoso assim na estação de chuvas é sinal de que uma tempestade vai cair de repente. O sol está nos avisando sobre a chuva — disse Amaka enquanto nos sentávamos no tapete com nossa comida.

Comemos rápido por causa do calor, porque até a sopa tinha gosto de suor. Depois, fomos todos até o apartamento mais alto do prédio e ficamos na varanda deles, para ver se conseguíamos nos refrescar um pouco. Amaka e eu ficamos diante do gradil, olhando para baixo. Obiora e Chima se agacharam para observar as crianças brincando no chão, reunidas em torno do tabuleiro de plástico de Ludo, jogando os dados. Alguém derramou um balde de água na varanda e os meninos se deitaram de costas no chão molhado.

Observei a avenida Marguerite Cartwright lá embaixo e um Volkswagen vermelho que passava. O motor do carro fez um barulho alto quando ele passou sobre o quebra-molas, e mesmo da varanda pude ver onde a pintura desbotara e ficara laranja e enferrujada. Senti-me nostálgica ao ver o Volkswagen desaparecer rua abaixo, sem saber direito por quê. Talvez porque seu motor fizera o mesmo barulho que o motor do carro de tia Ifeoma às vezes fazia, e aquilo me fez lembrar que em breve eu não veria mais a ela nem a seu carro. Tia Ifeoma fora à delegacia buscar uma declaração, que levaria à entrevista na embaixada americana para provar que jamais fora condenada por um crime. Jaja fora com ela.

— Acho que não vamos precisar proteger nossas portas com metal nos Estados Unidos — disse Amaka, como se pudesse ler meus pensamentos, abanando-se vigorosamente com um jornal dobrado.

— O quê?

— Os alunos da minha mãe arrombaram a sala dela e roubaram as questões de uma prova. Ela disse ao departamento de manutenção que queria colocar barras de metal nas portas e janelas da sala, e eles disseram que não tinham dinheiro para isso. Sabe o que ela fez?

Amaka se virou para me olhar; havia um pequeno sorriso nos cantos de sua boca. Eu balancei a cabeça.

— Ela passou numa obra, e eles lhe deram barras de metal de graça. Aí, ela pediu que Obiora e eu a ajudássemos a colocá-las. Usamos uma furadeira para fazer os buracos e enfiamos as barras de metal no cimento de todas as janelas e portas.

— Oh — disse eu, com vontade de esticar o braço e tocar Amaka.

— Depois, ela colocou uma placa na porta que dizia "AS PERGUNTAS DA PROVA ESTÃO GUARDADAS NO BANCO". — Amaka sorriu e então começou a dobrar e desdobrar o jornal. — Eu não vou ser feliz nos Estados Unidos. Não vai ser a mesma coisa.

— Você vai beber leite fresco saído de uma garrafa. Não vai mais ter de tomar leite em pó ralo nem leite de soja feito em casa — disse eu.

Amaka deu uma gargalhada que mostrou o buraco entre seus dois dentes da frente.

— Você é engraçada — disse.

Ninguém jamais tinha me dito aquilo. Guardei o comentário para mais tarde, para refletir várias vezes sobre o fato de eu ter feito Amaka rir, de que eu possuía aquela habilidade.

A chuva então veio, caindo em pingos grossos que não nos deixavam ver a garagem do outro lado do quintal. O céu, a chuva e o chão se misturaram, virando um filme prateado que parecia nunca ter fim. Corremos de volta para o apartamento de tia Ifeoma, colocamos baldes na varanda para pegar a água da chuva e ficamos observando eles encherem rapidamente. Todas as crianças correram para o quintal só de short, rodopiando e dançando, porque esta era uma chuva limpa, do tipo que não vinha com poeira, que não deixava manchas marrons nas roupas. A chuva parou tão de repente como havia começado e o sol saiu de novo, fraco, como se estivesse bocejando após ter tirado uma soneca. Os baldes estavam cheios; tiramos as folhas e os galhos que flutuavam lá dentro e os levamos para o apartamento.

Vi o carro do padre Amadi se aproximando do prédio enquanto voltávamos para a varanda. Obiora também viu e perguntou, rindo:

— É impressão minha ou o padre Amadi nos visita mais quando Kambili está aqui?

Ele e Amaka ainda estavam rindo quando o padre Amadi subiu a escadinha da varanda.

— Tenho certeza de que Amaka acabou de dizer alguma coisa sobre mim — disse ele, pegando Chima nos braços.

Ele estava de costas para o pôr do sol. O sol estava vermelho, como se estivesse enrubescendo, e a luminosidade deixava a pele do padre Amadi radiante.

Vi como Chima se agarrava a ele, como os olhos de Amaka e de Obiora brilhavam quando o olhavam. Amaka fazia uma pergunta sobre a missão dele na Alemanha, mas eu não ouvi bem o que ela dizia. Não prestei atenção. Sentia tantas coisas embaralhadas dentro de mim, emoções que faziam meu estômago rugir e se revirar.

— Você está vendo Kambili me incomodar desse jeito? — perguntou o padre Amadi a Amaka.

Ele estava me olhando, e eu sabia que havia dito aquilo para me incluir, para chamar minha atenção.

— Os missionários brancos trouxeram seu deus para cá — disse Amaka. — Um deus da mesma cor que eles, adorado na língua deles e empacotado nas caixas que eles fabricam. Agora que estamos levando esse deus de volta para eles, não devíamos pelo menos empacotá-lo em outra caixa?

O padre Amadi deu um sorrisinho e disse:

— Nós somos mandados principalmente para a Europa e os Estados Unidos, onde eles estão perdendo padres. Por isso não há nenhuma cultura indígena para pacificar, infelizmente.

— Padre Amadi, fale sério! — disse Amaka, rindo.

— Só se você tentar se comportar mais como Kambili e não me incomodar tanto.

O telefone começou a tocar e Amaka fez uma careta para o padre Amadi antes de entrar no apartamento para atender. O padre Amadi sentou-se ao meu lado.

— Você parece preocupada — disse.

Antes de eu conseguir pensar numa resposta, o padre Amadi deu um tapa em minha batata da perna. Ele abriu a mão e me mostrou o mosquito esmagado e cheio de sangue. Antes de bater na minha perna, o padre Amadi tinha fechado a mão em concha, para que a batida não doesse tanto e o mosquito morresse do mesmo jeito.

— Ele parecia muito feliz se alimentando de você — disse, me observando.

— Obrigada.

O padre Amadi limpou com um dedo o lugar onde o mosquito estivera na minha perna. Seu dedo era quente e vivo. Não percebi que meus primos não estavam mais ali; agora a varanda estava tão silenciosa que dava para ouvir o som das gotas de chuva escorrendo pelas folhas.

— Diga-me o que está pensando — pediu o padre Amadi.

— Não é nada de mais.

— O que você pensa sempre vai ser importante para mim, Kambili.

Fiquei de pé e fui até o jardim. Arranquei algumas alamandas amarelas, ainda molhadas, e coloquei-as sobre meus dedos, como vira Chima fazer. Era como usar uma luva perfumada.

— Estava pensando no meu pai. Não sei o que vai acontecer quando voltarmos.

— Ele ligou?

— Ligou. Jaja se recusou a falar com ele, e eu também não falei.

— Você quis falar? — perguntou o padre Amadi com delicadeza.

Eu não esperava que ele perguntasse isso.

— Quis — sussurrei, para que Jaja não ouvisse, embora ele não estivesse nem perto dali.

Eu queria falar com Papa, ouvir sua voz, dizer a ele o que eu tinha comido e sobre o que rezara para que ele aprovasse, para que desse um sorriso tão largo que ficaria com ruguinhas nos cantos dos olhos. Mas também não queria falar com ele; queria ir embora com o padre Amadi, ou com tia Ifeoma, e nunca mais voltar.

— As aulas começam daqui a duas semanas, e talvez tia Ifeoma já tenha ido embora nessa época — disse eu. — Não sei o que vamos fazer. Jaja não fala sobre o dia de amanhã nem sobre a semana que vem.

O padre Amadi caminhou até onde eu estava e ficou tão perto de mim que, se eu estufasse a barriga, meu corpo tocaria no dele. Ele pegou minha mão e cuidadosamente tirou uma flor do meu dedo, colocando-a no dele.

— Sua tia acha que você e Jaja deviam ir para um colégio interno. Na semana que vem vou a Enugu conversar com o padre Benedict; sei que seu pai escuta o que ele diz. Vou pedir que ele convença seu pai a mandar vocês para um colégio interno, assim você e Jaja vão poder fazer isso já no semestre que vem. Vai ficar tudo bem, *inugo*?

Assenti e desviei o olhar. Acreditava no padre Amadi, acreditava que ia ficar tudo bem, pois ele dissera que ia. Depois pensei nas aulas de catecismo, numa resposta decorada, que era "porque ele assim o disse e sua palavra é verdade". Não conseguia lembrar da pergunta.

— Olhe para mim, Kambili.

Fiquei com medo de olhar dentro do calor castanho dos

olhos dele, com medo de desmaiar, com medo de enlaçar seu pescoço, entrecruzar os dedos em sua nuca e me recusar a soltá-lo. Mas me virei para olhá-lo.

— Essa é a flor que a gente pode sugar? A que tem um suco doce? — perguntou o padre Amadi.

Ele tirara a alamanda do dedo e examinava suas pétalas amarelas.

Eu sorri.

— Não, é a ixora que a gente suga.

O padre Amadi jogou a flor fora e fez uma careta.

— Ah — disse.

Eu ri. Ri porque as alamandas eram bem amarelas. Ri de imaginar o gosto ruim que seu suco branco teria se o padre Amadi realmente tivesse tentado sugá-lo. Ri porque os olhos do padre Amadi eram tão castanhos que eu podia ver meu reflexo neles.

Naquela noite, quando tomei banho, com um balde cheio até a metade de água da chuva, não esfreguei a mão esquerda, aquela que o padre Amadi segurara gentilmente para tirar a flor do meu dedo. Também não esquentei a água, pois tive medo que a serpentina de aquecimento fizesse a água da chuva perder o cheiro de céu. Cantei e me banhei. Havia mais minhocas na banheira, e eu as deixei em paz, vendo a água levá-las para dentro do ralo.

A brisa que veio depois da chuva foi tão fria que coloquei um suéter e tia Ifeoma pôs uma blusa de manga comprida, embora em geral ela só usasse uma canga quando estava em casa. Estávamos todos conversando na varanda quando o carro do padre Amadi estacionou na frente do prédio.

— Você disse que ia estar muito ocupado hoje, padre — disse Obiora.

— Eu digo essas coisas só para justificar o fato de que a igreja me alimenta — respondeu o padre Amadi.

Ele parecia cansado. Entregou um pedaço de papel a Amaka e disse a ela que escrevera ali alguns nomes adequados mas sem graça para sua crisma, e que tudo o que ela precisava fazer era escolher um para que ele pudesse ir embora. Depois de o bispo usar o nome na crisma, Amaka jamais precisaria mencioná-lo de novo. O padre Amadi revirou os olhos, falando de forma bem lenta e deliberada. Amaka riu, mas não pegou o papel.

— Já disse que não vou escolher um nome inglês, padre — insistiu ela.

— E eu já lhe perguntei por que não?

— Por que eu preciso fazer isso?

— Por que é assim que as coisas são feitas. Vamos esquecer se é certo ou errado por enquanto — disse o padre Amadi, e percebi que havia sombras sob seus olhos.

— Quando os missionários chegaram aqui, eles achavam que os nomes do povo igbo não eram bons o suficiente. Insistiam para que as pessoas escolhessem um nome inglês antes de serem batizadas. Nós não devíamos ter progredido?

— Hoje é diferente, Amaka, não transforme isso em alguma coisa que não é — disse o padre Amadi calmamente. — Ninguém precisa usar o nome. Veja o meu caso. Eu sempre usei meu nome igbo, mas fui batizado como Michael e crismado como Victor.

Tia Ifeoma ergueu os olhos dos formulários que estava lendo.

— Amaka, *ngwa*, escolha um nome e deixe o padre Amadi ir trabalhar.

— Mas então qual é o objetivo? — perguntou Amaka a padre Amadi, como se não houvesse escutado o que sua mãe dissera. — O que a Igreja está dizendo é que só um nome inglês torna válida a nossa crisma. O nome "Chiamaka" diz que Deus é belo. "Chima" diz que Deus sabe mais, "Chiebuka" diz que Deus é o melhor. Por acaso eles não glorificam Deus da mesma forma que "Paul", "Peter" e "Simon"?

Tia Ifeoma estava se aborrecendo; eu soube disso porque ela ergueu a voz e por seu tom irritado ao dizer:

— *O gini*! Não há necessidade de você provar uma coisa sem sentido como essa! Escolha logo um nome e seja crismada, ninguém vai obrigá-la a usá-lo depois!

Mas Amaka se recusou. "*Ekwerom*", disse ela a tia Ifeoma — "Eu não concordo." Ela então entrou no quarto e colocou uma música bem alto, até que tia Ifeoma bateu na porta e gritou que Amaka ia levar um tapa se não abaixasse o volume naquele instante. Amaka abaixou o volume. O padre Amadi foi embora com um sorriso meio confuso no rosto.

À noite, os ânimos se acalmaram e jantamos juntos, mas ninguém riu muito. E no dia seguinte, Domingo de Páscoa, Amaka não se uniu aos outros jovens que colocaram roupas brancas e levaram nas mãos velas acesas, com jornais dobrados para que a cera quente não caísse em seus dedos. Todos tinham um pedaço de papel pregado na roupa, com seu nome escrito. Paul. Mary. James. Veronica. Algumas meninas pareciam noivas, e me lembrei da minha crisma, de como Papa dissera que eu era uma noiva, sim, a noiva de Cristo, e eu ficara surpresa, porque sempre tinha pensado que a Igreja era a noiva de Cristo.

Tia Ifeoma quis fazer uma peregrinação até Aokpe. Ela não sabia bem por que de repente teve essa vontade, mas explicou que provavelmente era por se imaginar fora do país durante tanto tempo. Amaka e eu concordamos em ir com ela. Jaja, porém, se recusou a ir e depois caiu num silêncio obstinado, como se estivesse nos desafiando a perguntar por quê. Obiora disse que ficaria em casa também, com Chima. Tia Ifeoma não pareceu se importar. Sorriu e disse que, já que não tínhamos um homem para nos acompanhar, ela ia perguntar ao padre Amadi se ele não queria ir.

— Eu viro um morcego se o padre Amadi aceitar — afirmou Amaka.

Mas ele aceitou. Quando tia Ifeoma desligou o telefone e anunciou que o padre Amadi iria conosco, Amaka disse:

— É por causa de Kambili. Nunca que ele iria se não fosse por Kambili.

Tia Ifeoma foi dirigindo até a cidadezinha poeirenta a cerca de duas horas de Nsukka. Sentei no banco de trás com o padre Amadi, separada dele pelo espaço do meio. Ele e Amaka cantaram durante o trajeto; a estrada ondulante fazia o carro sacudir para um lado e para o outro, e imaginei que ele estava dançando. Às vezes eu cantava também, às vezes ficava quieta escutando, me perguntando como seria se eu me aproximasse, se cobrisse o espaço que havia entre nós e pousasse a cabeça no ombro dele.

Quando finalmente pegamos a estradinha de terra com a placa pintada à mão que dizia "Bem-vindos a Aokpe, local de aparição", tudo que vi a princípio foi o caos. Centenas de carros, muitos deles com garranchos dizendo "Católicos em peregrinação", se espremiam numa minúscula aldeia que, segundo tia Ifeoma, nunca tivera mais de dez carros nas ruas até uma menina dali começar a ter visões de Nossa Senhora. As pessoas estavam tão espremidas que o cheiro do outro acabava ficando tão familiar quanto o seu próprio. Algumas mulheres caíam de joelhos. Homens rezavam aos gritos. Rosários farfalhavam. As pessoas apontavam e gritavam: "Ali, ali, na árvore, é Nossa Senhora!". Outras apontavam para o sol incandescente: "Ali está ela!".

Nós ficamos debaixo de uma enorme bútea. A árvore estava toda florida, as flores se abrindo em imensos leques e o chão em volta coberto de pétalas cor de fogo. Quando a menina apareceu, a bútea oscilou e choveram flores. A menina era franzina e solene, toda vestida de branco, e alguns homens fortes andavam a seu redor, para que ela não fosse pisoteada. Ela mal havia passado por nós quando outras árvores ali perto começaram a estremecer com uma força assustadora, como se alguém as estivesse sacudindo. As fitas que protegiam a área da aparição também sacudiam. Mas não havia vento. O sol ficou branco, da cor e da forma da hóstia. E então eu a vi, a Abençoada Virgem: uma imagem no sol pálido, um brilho vermelho nas costas da minha mão, um sorriso no rosto do homem com um rosário em volta do pescoço cujo cotovelo roçava no meu. Ela estava em todo lugar.

Eu queria ficar mais tempo, mas tia Ifeoma disse que precisávamos ir, senão depois seria impossível sair com o carro se esperássemos todo mundo começar a ir embora. A caminho do carro, ela comprou rosários, escapulários e vidrinhos de água benta dos ambulantes.

— Não importa se Nossa Senhora apareceu ou não — disse Amaka, quando chegamos ao carro. — Aokpe sempre vai ser especial, pois foi graças a ela que Kambili e Jaja vieram a Nsukka pela primeira vez.

— Quer dizer que você não acredita na aparição? — perguntou o padre Amadi, provocando-a com bom humor.

— Não, eu não disse isso — respondeu Amaka. — E você? Acredita?

O padre Amadi não disse nada; ele parecia concentrado em baixar a janela para tirar uma mosca que zumbia dentro do carro.

— Eu senti a presença da Virgem ali. Eu senti — disse eu num ímpeto.

Como alguém podia não acreditar depois do que tínhamos visto? Ou será que os outros não tinham visto e sentido a mesma coisa?

O padre Amadi se virou para me observar; eu vi do canto do olho. Havia um sorriso gentil em seu rosto. Tia Ifeoma me deu uma olhada rápida e então se voltou novamente para a estrada à sua frente.

— Kambili tem razão — disse. — Algo vindo de Deus estava acontecendo ali.

Acompanhei o padre Amadi quando ele foi se despedir das

famílias no campus. Muitos filhos dos professores se agarraram a ele, como se pudessem impedi-lo de deixar Nsukka se o segurassem bem forte. Não falamos muito um com o outro. Cantamos as músicas em igbo junto com o coro que ele tinha em fita-cassete. Foi uma dessas canções — "Abum onye n'uwa, onye ka m bu n'uwa" — que melhorou a secura em minha garganta quando estávamos entrando no carro dele, e eu disse:

— Eu amo você.

O padre Amadi virou para mim com uma expressão que eu nunca tinha visto, com olhos quase tristes. Ele se inclinou sobre a caixa de câmbio e pressionou o rosto contra o meu. Eu queria que nossos lábios se tocassem e permanecessem colados, mas ele se afastou.

— Você tem quase dezesseis anos, Kambili. É linda. Vai encontrar mais amor do que vai precisar para uma vida inteira — disse o padre Amadi.

E eu não soube se devia rir ou chorar. Ele estava errado. Estava muito errado.

Durante a volta para casa, fiquei observando as propriedades pelas quais passávamos através da janela aberta. Os buracos nas cercas vivas haviam se fechado e galhos verdes serpenteavam por eles, encontrando-se. Quis ver os quintais das casas, para poder me ocupar imaginando as vidas por trás das roupas nas cordas, das árvores frutíferas e dos balanços. Quis pensar em alguma coisa, qualquer coisa, para assim não precisar mais sentir. Quis piscar os olhos e me livrar do líquido que os umedecia.

Quando voltei, tia Ifeoma me perguntou se eu estava bem, se havia algo errado.

— Estou bem, tia — afirmei.

Ela me olhava como se soubesse que eu não estava bem coisa nenhuma.

— Tem certeza, *nne*?

— Tenho, tia.

— Anime-se, *inugo*. E, por favor, reze para que eu consiga o visto. Vou a Lagos amanhã.

— Ah — disse eu, sentindo uma nova onda dolorosa de tristeza. — Rezo sim, tia.

Mas eu sabia que não ia, que eu não podia rezar para ela conseguir o visto. Sabia que era isso que tia Ifeoma queria e que ela não tinha muitas alternativas. Ou alternativa nenhuma. Mesmo assim, eu não ia rezar para que ela conseguisse o visto. Não podia rezar pelo que eu não queria.

Amaka estava no quarto, deitada na cama, ouvindo música com o som grudado no ouvido. Sentei na cama e torci para que ela não perguntasse como tinha sido meu dia com o padre Amadi. Ela não disse nada, ficou só balançando a cabeça ao ritmo da música.

— Você está cantando — disse Amaka após algum tempo.

— O quê?

— Você estava cantando a música de Fela.

— Estava? — perguntei, olhando para Amaka e pensando que ela talvez estivesse imaginando aquilo.

— Como eu vou comprar as fitas de Fela nos Estados Unidos, hein? Como?

Eu quis dizer a Amaka que tinha certeza de que ela ia encontrar fitas de Fela nos Estados Unidos e quaisquer outras fitas que quisesse, mas não o fiz. Se dissesse isso, estaria presumindo que tia Ifeoma ia conseguir o visto — além do mais, eu não sabia se Amaka queria ouvir aquela resposta.

Fiquei mal do estômago até tia Ifeoma voltar de Lagos. Estávamos esperando por ela na varanda, embora houvesse luz e pudéssemos ter ficado dentro de casa vendo TV. Os insetos não ficaram nos rodeando, talvez porque a lâmpada a querosene não estivesse acesa, ou talvez por estarem sentindo a tensão no ar. Em vez disso, voavam em volta da lâmpada elétrica que havia acima da porta, emitindo baques surpresos quando batiam nela. Amaka levara o ventilador para fora, e seu murmúrio formava uma melodia ao se misturar com o zumbido da geladeira. Quando um carro estacionou em frente ao prédio, Obiora deu um pulo e saiu correndo.

— Mãe, como é que foi lá? Conseguiu?

— Consegui — disse tia Ifeoma aproximando-se da varanda.

— Você conseguiu o visto! — gritou Obiora.

Chima imediatamente repetiu a frase, indo depressa abraçar a mãe. Amaka, Jaja e eu não ficamos de pé; demos as boas-vindas a tia Ifeoma e ficamos observando enquanto ela entrava para ir se trocar. Ela reapareceu pouco depois com uma canga amarrada casualmente em volta do peito. A canga, que descia até ficar acima de sua panturrilha, numa mulher de altura normal ficaria na altura do calcanhar. Tia Ifeoma se sentou e pediu que Obiora pegasse um copo d'água para ela.

— Você não parece feliz, tia — disse Jaja.

— Oh, *nna m*, estou feliz, sim. Sabe para quantas pessoas eles negam o visto? Uma mulher do meu lado chorou até eu achar que ia começar a escorrer sangue pelas bochechas dela. Ela perguntou: "Como vocês podem me negar um visto? Eu já mostrei que tenho dinheiro no banco. Como podem dizer que eu não vou voltar? Eu tenho propriedades aqui, tenho propriedades". Ficava dizendo isso sem parar: "Tenho propriedades". Acho que ela queria ir ao casamento da irmã nos Estados Unidos.

— E por que eles não deram o visto para ela? — perguntou Obiora.

— Não sei. Quando estão de bom humor, dão o visto e, quando não estão, não dão. É o que acontece quando você não vale nada aos olhos de alguém. A gente é como uma bola de futebol que eles chutam na direção que quiserem.

— Quando nós vamos? — perguntou Amaka com um tom cansado, e me dei conta de que, naquele momento, ela não ligava para a mulher que quase chorara sangue, não ligava se os nigerianos eram chutados de um lado para o outro, não ligava para nada.

Tia Ifeoma bebeu toda a água do copo antes de responder.

— Temos duas semanas para sair deste apartamento. Eu sei que eles estão esperando que eu não saia, para poderem mandar seguranças jogarem minhas coisas na rua.

— Quer dizer que vamos embora da Nigéria daqui a duas semanas? — perguntou Amaka com a voz aguda.

— Está pensando que eu sou mágica, é? — rebateu tia Ifeoma.

Ela falou sem humor na voz. Na verdade não havia mais que fadiga em sua voz.

— Antes preciso arrumar dinheiro para as nossas passagens. Elas não são baratas. Vou ter de pedir ajuda a seu tio Eugene, então acho que vamos para Enugu com Kambili e Jaja, quem sabe na semana que vem. Vamos ficar em Enugu até estarmos prontos para ir embora, e isso também vai me dar a oportunidade de conversar com seu tio Eugene sobre mandar Kambili e Jaja para um colégio interno — explicou tia Ifeoma, voltando-se para mim e para Jaja. — Vou tentar convencer seu pai de todas as maneiras possíveis. O padre Amadi se ofereceu para pedir que o padre Benedict fale com ele também. Acho que é a melhor coisa para vocês agora, ir à escola longe de casa.

Eu assenti. Jaja se levantou e entrou no apartamento. A decisão ficou suspensa no ar, pesada e irreal.

O último dia do padre Amadi chegou mais rápido do que

eu imaginara. Ele veio nos ver de manhã, usando aquela colônia máscula cujo cheiro eu passara a sentir até quando ele não estava por perto. Tinha no rosto o sorriso de menino de sempre e vestia a mesma batina.

Obiora olhou-o e disse mecanicamente, como quem repete um texto decorado:

— Da negra África vêm agora os missionários que vão voltar a converter o Ocidente.

O padre Amadi começou a rir:

— Obiora, a pessoa que lhe dá esses livros hereges para ler devia parar com isso.

A risada dele ainda era a mesma também. Nada mudara no padre Amadi, mas minha vida nova e frágil estava prestes a se despedaçar. A raiva subitamente me invadiu, comprimindo-me a traqueia, fechando minhas narinas. Era uma sensação diferente e revigorante. Enquanto ele conversava com tia Ifeoma e meus primos, tracei a linha de seus lábios e as abas de seu nariz com os olhos, e minha raiva foi crescendo. Passado algum tempo, ele me pediu que eu o acompanhasse até o carro.

— Preciso ir almoçar com os membros do conselho da paróquia; eles vão cozinhar para mim. Mas venha passar algumas horas comigo quando eu estiver acabando de arrumar o escritório da paróquia — pediu o padre Amadi.

— Não.

Ele estacou e me olhou, espantado.

— Por que não?

— Porque não. Eu não quero.

Eu estava de costas para o carro dele. Ele se aproximou e parou na minha frente.

— Kambili.

Eu quis pedir ao padre Amadi que dissesse meu nome de outro jeito, pois ele não tinha o direito de dizê-lo do jeito antigo.

Nada ia ficar igual, tudo já estava diferente. Ele ia embora. Respirei pela boca.

— Você me levou ao estádio naquela primeira vez porque tia Ifeoma lhe pediu para fazer isso? — perguntei.

— Ela estava preocupada com você, por você não conseguir conversar nem com as crianças do apartamento de cima. Mas ela não me pediu que a levasse comigo — respondeu o padre Amadi, ajeitando a manga da minha camiseta. — Eu quis fazer isso. E depois daquele primeiro dia, quis levá-la comigo todas as vezes.

Eu me abaixei para pegar uma folha de grama, estreita como uma agulha verde.

— Kambili — disse ele. — Olhe para mim.

Mas não olhei para o padre Amadi. Mantive os olhos na folha de grama em minha mão, como se ela escondesse um código que eu ia poder decifrar se a olhasse sem parar, como se ela pudesse me explicar por que desejei que ele dissesse que não quisera me levar nem naquela primeira vez, pois assim eu teria um motivo para sentir mais raiva, e não ia mais ter aquela vontade de chorar e chorar.

O padre Amadi entrou no carro e ligou o motor.

— Eu volto à noite para ver você.

Fiquei olhando o carro até ele desaparecer na descida que dava na avenida Ikejiani. Ainda estava olhando para ele quando Amaka se aproximou. Ela pousou de leve a mão em meu ombro.

— Obiora diz que você deve estar fazendo sexo, ou alguma coisa parecida com sexo, com o padre Amadi. Nós nunca o vimos assim com os olhos tão brilhantes — disse Amaka, rindo.

Eu não sabia se ela estava falando sério ou não. Não quis pensar muito em como era estranho discutir se eu estava ou não fazendo sexo com o padre Amadi.

— Quem sabe, quando estivermos na faculdade, a gente

pode protestar pedindo celibato opcional aos padres? — sugeriu Amaka. — Ou talvez todos os padres pudessem ser autorizados a ter relações sexuais de vez em quando. Que tal uma vez por mês?

— Amaka, por favor, pare com isso — pedi, virando e indo até a varanda.

— Você quer que ele deixe de ser padre? — perguntou Amaka, num tom mais sério.

— Ele nunca vai fazer isso.

Amaka inclinou a cabeça com ar pensativo e sorriu.

— Nunca se sabe — disse antes de ir para a sala.

Escrevi o endereço do padre Amadi na Alemanha inúmeras vezes no meu caderno. Estava escrevendo-o de novo, experimentando novas caligrafias, quando ele voltou. Pegou o caderno das minhas mãos e fechou-o. Eu quis dizer "Vou sentir saudades", mas disse apenas:

— Vou escrever para você.

— Eu vou escrever primeiro — disse ele.

Só percebi que lágrimas haviam rolado pela minha face quando o padre Amadi as enxugou, passando a mão aberta por todo o meu rosto. Depois, me tomou nos braços e me acalentou.

Tia Ifeoma fez um jantar para o padre Amadi, e todos comemos arroz e feijão na mesa de jantar. Eu sabia que à minha volta havia muito riso, muita conversa sobre o estádio e sobre recordações, mas senti que eu não fazia parte daquilo. Estava ocupada trancando pequenas partes de mim, pois não ia mais precisar delas se o padre Amadi não estivesse por perto.

Não dormi bem naquela noite; revirei-me tanto que acordei Amaka. Quis contar a ela o sonho que tive, sobre um homem me perseguindo por uma rua de pedras coberta de folhas de alamanda amassadas. Primeiro o homem era o padre Amadi, com a batina voando atrás de si, depois ele virou Papa, vestindo o hábito cinzento que arrastava no chão, aquele que ele usava para distribuir cinzas na Quarta-Feira de Cinzas. Mas não contei nada. Deixei que Amaka me abraçasse e me embalasse como se eu fosse uma criança, até adormecer de novo. Fiquei feliz quando acordei, feliz por ver a luz da manhã entrando pela janela em faixas trêmulas da cor de uma laranja madura.

As malas estavam prontas; o corredor parecia estranhamente grande agora que as estantes não estavam mais lá. Ficaram poucas coisas no chão do quarto de tia Ifeoma, só aquelas que íamos usar antes de partirmos para Enugu: um saco de arroz, uma lata de leite, outra de Bournvita. Os outros engradados, caixas e livros haviam sido jogados fora ou dados de presente. Quando tia Ifeoma deu algumas roupas aos vizinhos, a mulher do apartamento de cima disse a ela:

— Hum, por que você não me dá aquele vestido azul que usa para ir à igreja? Afinal, vai poder comprar mais nos Estados Unidos!

Tia Ifeoma estreitara os olhos, irritada. Eu não sabia se era porque a mulher estava pedindo o vestido ou porque mencionara os Estados Unidos. De qualquer forma, ela não deu o vestido azul.

Havia uma inquietação no ar agora, como se tivéssemos empacotado tudo rápido demais, bem demais, e precisássemos de outra coisa para fazer.

— Temos combustível, vamos dar um passeio — sugeriu tia Ifeoma.

— Um *tour* de despedida de Nsukka — disse Amaka com um sorriso zombeteiro.

Nós nos espremomos dentro do carro. Ele balançou um pouco quando tia Ifeoma virou na rua onde ficava a faculdade de engenharia, e me perguntei se íamos bater na vala, o que impediria tia Ifeoma de conseguir o preço justo que, segundo ela, um homem da cidade lhe oferecera pelo carro. Tia Ifeoma também tinha dito que o dinheiro que ia obter com a venda do carro só pagaria a passagem de Chima, que custava metade de uma passagem de adulto.

Desde o meu sonho da noite passada, eu estava com a sensação de que algo importante ia acontecer. O padre Amadi ia voltar; tinha que ser isso. Talvez houvesse algum erro na data de sua partida; talvez ele houvesse adiado a viagem. Por isso, enquanto tia Ifeoma dirigia, eu ia olhando os carros na rua, procurando o do padre Amadi, procurando aquele pequeno Toyota de tom pastel.

Tia Ifeoma parou no pé da colina Odim e disse:

— Vamos até lá em cima.

Fiquei surpresa. Não sabia se tia Ifeoma havia planejado nos levar até o alto da colina; soara como se ela tivesse decidido num impulso. Obiora sugeriu que fizéssemos um piquenique lá em cima e tia Ifeoma disse que era uma boa ideia. Fomos de carro até o centro da cidade, compramos *moi-moi* e suco Ribena na Eastern Shop e depois voltamos para a colina. A subida foi fácil, pois havia muitas trilhas em zigue-zague. Havia um cheiro fresco no ar e de vez em quando se ouvia um estalido na grama longa que ladeava as trilhas.

— Os gafanhotos fazem esse barulho com as asas — disse Obiora, parando diante de um enorme formigueiro com caminhozinhos tão bonitos cavados na lama vermelha que pareciam ter sido desenhados. — Amaka, você devia pintar alguma coisa assim.

Mas Amaka não respondeu. Em vez disso, começou a correr colina acima. Chima correu atrás dela. Jaja imitou-o. Tia Ifeoma olhou para mim.

— O que está esperando? — perguntou.

Tia Ifeoma ergueu a canga quase acima do joelho e correu atrás de Jaja. Eu saí em disparada também, sentindo o vento soprando em meus ouvidos. Correr me fazia pensar no padre Amadi, lembrar da forma como seus olhos haviam se demorado em minhas pernas nuas. Passei por tia Ifeoma, por Jaja e Chima, e cheguei ao topo da colina mais ou menos ao mesmo tempo que Amaka.

— Ei! — disse Amaka, me olhando. — Você devia ser corredora.

Ela desabou sobre a grama, ofegante. Eu me sentei a seu lado e tirei uma pequena aranha da perna. Tia Ifeoma tinha parado de correr antes de chegar ao topo.

— *Nne* — disse ela para mim. — Vou lhe arrumar um treinador, o esporte dá muito dinheiro.

Eu ri. Rir parecia muito fácil agora. Muitas coisas pareciam fáceis agora. Jaja também estava rindo, assim como Amaka, e todos nós estávamos sentados na grama, esperando que Obiora chegar. Ele caminhava devagar, segurando alguma coisa que depois eu vi ser um gafanhoto.

— Ele é muito forte — disse Obiora. — Dá para sentir a pressão de suas asas.

Abriu a mão e ficou observando o gafanhoto voar para longe.

Levamos nossa comida para o prédio em ruínas escondido do outro lado da montanha. Talvez tenha sido um depósito um dia, mas seu teto e suas portas haviam sido arrancados por explosões durante a guerra civil ocorrida anos atrás, e ninguém o consertara mais. O prédio tinha uma aparência fantasmagórica e eu não quis comer lá dentro, embora Obiora tenha dito que as pessoas colocavam tapetes no chão e faziam piqueniques ali com frequência. Obiora examinou as coisas escritas na parede do prédio, e leu algumas em voz alta: "Obinna e Nnenna para sempre", "Emeka e Unoma transaram aqui", "Chimsimdi e Obi se amam".

Fiquei aliviada quando tia Ifeoma disse que íamos comer do lado de fora, sentados na grama, pois não havíamos trazido um tapete. Enquanto comíamos o *moi-moi* e bebíamos o Ribena, fiquei observando um pequeno carro rodear lentamente a base da colina. Tentei me concentrar para ver quem estava dentro dele, embora o carro estivesse muito longe. O formato da cabeça do homem se parecia muito com o do padre Amadi. Comi depressa, limpei a boca com as costas da mão e ajeitei o cabelo. Não queria estar com má aparência quando ele chegasse.

Chima queria descer correndo pelo outro lado da montanha, onde não havia tantas trilhas, mas tia Ifeoma disse que ali era íngreme demais. Assim, ele se sentou e começou a escorregar de bunda lá para baixo. Tia Ifeoma gritou:

— Você vai lavar esse short com suas próprias mãos, está me ouvindo?

Eu sabia que antes ela teria discutido mais com Chima e provavelmente o teria obrigado a parar de fazer aquilo. Ficamos observando-o deslizar pela colina, com o vento forte nos fazendo lacrimejar.

O sol havia ficado vermelho e estava prestes a se pôr quando tia Ifeoma disse que precisávamos ir embora. Quando estávamos descendo a colina, parei de esperar que o padre Amadi fosse aparecer.

Naquela noite, estávamos todos na sala jogando cartas quando do o telefone tocou.

— Amaka, por favor atenda — disse tia Ifeoma, embora ela estivesse mais perto da porta.

— Aposto que é para você, mãe — disse Amaka, concentrada em suas cartas. — É uma daquelas pessoas que querem que você lhes dê nossas panelas, nossos pratos e até a roupa de baixo que estamos usando.

Tia Ifeoma se levantou rindo e correu para o telefone. A TV estava desligada, estávamos absortos em nossos jogos, por isso ouvi claramente o grito de tia Ifeoma. Um grito curto, estrangulado. Por um segundo, rezei para que a embaixada americana houvesse revogado o visto, mas logo me repreendi e pedi que Deus desconsiderasse minhas preces. Todos nós corremos para o quarto.

— *Hei, Chi m o! nwunye m! Hei!*

Tia Ifeoma estava parada ao lado da mesa, a mão livre pousada sobre a cabeça, da forma como as pessoas fazem quando estão em choque. O que acontecera com Mama? Tia Ifeoma ofereceu o telefone; eu sabia que ela queria dá-lo a Jaja, mas eu estava mais perto e o agarrei. Minha mão tremia tanto que o fone escorregou da minha orelha para a minha têmpora.

A voz baixa de Mama flutuou pelo fio e rapidamente acalmou minha mão trêmula.

— Kambili, é seu pai. Ligaram para mim da fábrica, ele foi encontrado morto, caído sobre a mesa de trabalho.

Pressionei o fone com mais força na orelha.

— O quê?

— É seu pai. Ligaram para mim da fábrica, ele foi encontrado morto, caído sobre a mesa de trabalho.

Mama parecia uma gravação. Eu a imaginei dizendo a mesma coisa para Jaja, no mesmo tom. Meus ouvidos se encheram de líquido. Embora eu a houvesse escutado direito, tivesse ouvido que ele tinha sido encontrado morto em sua mesa de trabalho, perguntei:

— Ele recebeu uma carta-bomba? Foi uma carta-bomba?

Jaja tomou o telefone de mim. Tia Ifeoma me levou até a cama. Eu me sentei e olhei para o saco de arroz encostado na parede do quarto, e soube que nunca mais esqueceria aquele saco de arroz, a trama marrom da juta, as palavras "Grãos Adada" escritas nele, a forma como estava caído sobre a parede, perto da mesa. Eu jamais havia pensado que Papa fosse morrer, que ele fosse capaz de morrer. Ele era diferente de Ade Coker e de todas as outras pessoas que eles tinham matado. Ele me parecera imortal.

Eu estava sentada com Jaja na sala de estar, olhando para o espaço onde a estante costumava ficar, onde as estatuetas de bailarinas costumavam ficar. Mama estava no andar de cima guardando as coisas de Papa. Eu tinha subido para ajudar e a vira ajoelhada no tapete fofo, com o pijama vermelho apertado contra o rosto. Ela não me olhou quando entrei. Disse, com a seda abafando sua voz:

— Vá, *nne*, vá ficar com Jaja.

Lá fora, a chuva caía em diagonais, batendo nas janelas fechadas num ritmo furioso. Ela arrancaria cajus e mangas das árvores, e eles começariam a apodrecer na terra úmida, exalando aquele odor agridoce.

Os portões de nossa propriedade estavam trancados. Mama mandara Adamu não abri-los para as pessoas que vinham para o *mgbalu*, para lamentar conosco. Até membros da nossa *umunna* que tinham vindo de Abba foram barrados. Adamu disse que ninguém jamais tinha visto uma pessoa recusando entrada àqueles que vinham se solidarizar com ela. Mas Mama disse a ele que queríamos chorar sozinhos e que os outros podiam mandar rezar missas para que a alma de Papa descansasse em paz. Eu jamais tinha ouvido Mama falar com Adamu daquele jeito; jamais tinha ouvido Mama dirigir a palavra a Adamu.

— Madame disse que vocês precisam beber um pouco de Bournvita — disse Sisi, entrando na sala.

Ela carregava uma bandeja com as mesmas xícaras que Papa sempre usara para beber seu chá. Senti o cheiro de tomilho e curry que vinha de Sisi. Mesmo depois de tomar banho, ela tinha aquele cheiro. Só Sisi chorara em nossa casa, emitindo soluços altos que logo haviam morrido diante de nosso silêncio atônito.

Eu me virei para Jaja depois que ela foi embora e tentei falar com os olhos. Mas os olhos de Jaja estavam em branco, como uma janela com as persianas baixadas.

— Não quer um pouco de Bournvita? — perguntei depois de algum tempo.

Ele balançou a cabeça.

— Não nessas xícaras.

Jaja se remexeu no lugar e acrescentou:

— Eu devia ter tomado conta de Mama. Veja como Obiora equilibra todo o peso da família de tia Ifeoma sobre a cabeça. E eu sou mais velho do que ele. Devia ter tomado conta de Mama.

— Deus sabe mais — disse eu. — Os caminhos de Deus são misteriosos.

Pensei em como Papa ficaria orgulhoso de me ouvir dizer isso, em como ele aprovaria aquela frase. Jaja riu, a risada saindo em jatos pelo nariz.

— Misteriosos mesmos. Veja o que Deus fez com Seu fiel servo Jó, e até com Seu próprio filho. Mas você já se perguntou por quê? Por que Ele tinha de assassinar o próprio filho para nos salvar? Por que ele simplesmente não nos salvou de uma vez?

Tirei minhas pantufas. O chão frio de mármore roubou o calor dos meus pés. Quis dizer a Jaja que meus olhos estavam formigando com as lágrimas que eu não havia chorado, que eu ainda queria e tentava escutar os passos de Papa na escada. Que havia pedaços esparramados dentro de mim que me machucavam e que eu jamais poderia colocá-los de volta no lugar, pois todos aqueles lugares haviam desaparecido. Em vez disso, falei:

— St. Agnes vai estar lotada para a missa do funeral de Papa.

Jaja não respondeu.

O telefone começou a tocar. Ele tocou por muito tempo; quem ligava devia ter discado algumas vezes até Mama enfim responder. Ela entrou na sala alguns instantes depois. A canga casualmente amarrada em volta de seu peito estava baixa, deixando exposta a marca de nascença, uma pequena lâmpada negra, que havia acima de seu peito esquerdo.

— Eles fizeram uma autópsia — disse. — Encontraram veneno no corpo de seu pai.

Mama disse aquilo como se soubéssemos do veneno no corpo de Papa, como se fosse alguma coisa que havíamos colocado dentro dele de propósito, para ser encontrada, do mesmo jeito que os brancos, nos livros que eu lia, escondiam ovos de Páscoa para seus filhos acharem.

— Veneno? — repeti.

Mama amarrou melhor a canga e foi até as janelas; abriu as cortinas e verificou se os basculantes estavam fechados, impedindo que a chuva entrasse na casa. Seus movimentos eram tranquilos e lentos. Quando ela falou, sua voz também estava tranquila e lenta.

— Comecei a colocar o veneno no chá dele antes de ir para Nsukka. Sisi arrumou-o para mim; o tio dela é um curandeiro poderoso.

Por um longo e silencioso tempo, não consegui pensar em

nada. Minha mente estava vazia, eu estava vazia. Então lembrei de beber goles do chá de Papa, goles de amor, com o líquido escaldante queimando o amor em minha língua.

— Por que você colocou no chá? — perguntei a Mama, me erguendo do sofá, com a voz alta, quase num grito. — Por que no chá?

Mama, porém, não respondeu. Nem quando me levantei e a sacudi até Jaja me arrancar de perto dela. Nem quando Jaja me enlaçou e se virou para incluí-la no abraço do qual ela se afastou.

Os policiais apareceram poucas horas depois. Disseram que queriam fazer algumas perguntas. Uma pessoa do Hospital St. Agnes havia entrado em contato com eles, e eles tinham consigo uma cópia do relatório da autópsia. Jaja não esperou pelas perguntas; disse que usara veneno de rato e que o colocara no chá de Papa. Eles permitiram que ele trocasse de camisa antes de o levarem embora.

UM SILÊNCIO DIFERENTE

O presente

As ruas que dão na prisão são familiares. Conheço as casas e as lojas, conheço os rostos das mulheres que vendem laranjas e bananas logo antes do lugar onde a gente pega a ruazinha cheia de buracos que leva à prisão.

— Quer comprar laranjas, Kambili? — pergunta Celestine.

Ele desacelera o carro até quase parar, enquanto as ambulantes começam a acenar e nos chamar. A voz de Celestine é gentil; Mama diz que por isso o contratou depois de pedir que Kevin fosse embora. Por isso e pelo fato de ele não ter uma cicatriz em forma de adaga no pescoço.

— O que temos no porta-malas deve ser suficiente — respondo, voltando-me para Mama. — Quer comprar alguma coisa aqui?

Mama balança a cabeça e seu lenço começa a soltar. Ela dá outro nó, tão malfeito quanto o primeiro. Sua canga também está frouxa na cintura, e ela a amarra com frequência, o que a faz parecer uma das mulheres desgrenhadas do mercado Ogbete, que deixam suas cangas cair de forma que todos vejam as calcinhas cheias de furos que elas usam por baixo.

Mama não parece se importar com sua aparência; nem mesmo parece se dar conta dela. Está diferente desde que Jaja foi preso, desde que começou a dizer às pessoas que foi ela quem matou Papa, que colocou veneno no chá dele. Mama até escreveu cartas aos jornais. Mas ninguém acreditou nela; ainda não acreditam. Pensam que a dor e a incapacidade de aceitar a realidade — de que seu marido morreu e de que seu filho está na prisão — a transformaram nessa aparição de corpo horrivelmente ossudo e pele sarapintada de cravos negros do tamanho de sementes de melancia. Talvez por isso a perdoem por ela não ter usado só negro ou só branco por um ano. Talvez por isso ninguém a criticou por não ter ido à missa nem no primeiro nem no segundo aniversário da morte, e por não cortar o cabelo.

— Tente amarrar melhor seu lenço, Mama — disse eu, tocando o ombro dela.

Mama dá de ombros, ainda olhando pela janela.

— Ele já está bem amarrado.

Celestine nos observa pelo retrovisor. Seu olhar é bondoso. Certa vez, sugeriu a mim que levássemos Mama para se consultar com um *dibia* na cidade-natal dele, um homem especialista "nessas coisas". Não soube bem o que Celestine quis dizer com "essas coisas", se estava insinuando que Mama estava louca, mas agradeci e disse que ela não ia querer ir. Celestine é bem-intencionado. Vejo a forma como ele olha para Mama às vezes, a forma como a ajuda a sair do carro, e sei que ele gostaria de encontrar um jeito de curá-la.

Mama e eu quase nunca vamos à prisão juntas. Em geral, Celestine me traz um dia ou dois antes de trazê-la, todas as semanas. Ela prefere assim, acho. Mas hoje é um dia diferente, especial — eles finalmente nos deram certeza de que Jaja vai ser solto.

Quando o chefe de Estado morreu, há alguns meses — dizem que morreu em cima de uma prostituta, tendo convulsões e espumando pela boca —, achamos que Jaja ia ser solto imediatamente, que nossos advogados não demorariam a resolver a situação. Principalmente por causa dos protestos dos grupos pró-democracia, que exigiam que o governo investigasse a morte de Papa, insistindo que o velho regime o havia matado. Mas demorou algumas semanas até o governo civil interino anunciar que ia soltar todos os prisioneiros de consciência, e mais algumas semanas até nossos advogados conseguirem incluir Jaja na lista. O nome dele é o número quatro de uma lista com mais de duzentos. Ele vai ser solto na semana que vem.

Soubemos disso ontem, por intermédio de dois dos nossos mais novos advogados; ambos têm a prestigiosa sigla SAN após seus nomes, de advogado sênior da Nigéria. Eles vieram a nossa casa com as novas notícias e uma garrafa de champanhe com uma fita cor-de-rosa. Depois que saíram, Mama e eu não conversamos sobre o que tínhamos ouvido. Seguimos carregando dentro de nós, mas não compartilhando, a mesma nova paz, a mesma esperança, concreta pela primeira vez.

Há muitas outras coisas sobre as quais Mama e eu não conversamos. Não conversamos sobre os enormes valores escritos nos cheques que usamos para subornar juízes, policiais e guardas da prisão. Não conversamos sobre todo o dinheiro que temos, mesmo depois de metade da fortuna de Papa haver sido doada a St. Agnes e ao financiamento de missões da igreja. E nunca conversamos sobre termos descoberto que Papa fazia doações anônimas para hospitais pediátricos, orfanatos e abrigos para veteranos aleijados na guerra civil. Ainda há muito que não dizemos com nossas vozes, que não transformamos em palavras.

— Por favor, coloque a fita de Fela para tocar, Celestine — digo eu, me recostando no banco.

A voz metálica logo toma conta do carro. Eu me viro para

ver se Mama se incomoda, mas ela está olhando fixamente para o banco da frente; acho que nem consegue ouvir nada. Na maioria das vezes, ela só responde assentindo ou balançando a cabeça e eu me pergunto se escutou mesmo. Eu costumava pedir que Sisi conversasse com Mama, porque ela ficava horas sentada na sala de estar com Sisi. Mas Sisi contou que Mama não respondia, que ela só olhava para o nada, em silêncio. Quando Sisi se casou no ano passado, Mama lhe deu caixas e mais caixas de jogos de porcelana, e Sisi sentou-se no chão da cozinha e chorou muito, enquanto Mama observava. Agora, Sisi vai a nossa casa uma vez por semana para dar instruções para a nova governanta, Okon, e para perguntar a Mama se ela precisa de alguma coisa. Mama em geral não diz nada, só balança a cabeça e oscila para a frente e para trás.

No mês passado, quando eu disse a Mama que ia a Nsukka, ela também não disse nada, não me perguntou por quê, embora eu não conheça mais ninguém que more em Nsukka. Apenas assentiu. Celestine me levou, e chegamos por volta do meio-dia, quando o sol estava se transformando naquele sol abrasador que há muito tempo eu imagino poder secar até a medula dos ossos da gente. A maioria dos jardins que há no campus da universidade está com a grama crescida demais; as folhas longas se erguem como flechas verdes. A estátua do leão não brilha mais.

Perguntei à família que mora no apartamento de tia Ifeoma se eu podia entrar e, embora tenham me olhado de um jeito estranho, eles permitiram e me ofereceram um copo d'água. A água estava morna, disseram, porque não havia eletricidade. As pás do ventilador de teto estavam incrustadas de uma poeira fofa, e assim eu soube que fazia algum tempo vinha faltando eletricidade, ou a poeira teria voado com o girar do ventilador. Bebi a água toda, sentada num sofá com buracos de tamanhos diversos em ambas as laterais. Dei a eles as frutas que comprara em Ninth

Mile e pedi desculpas, pois o calor do porta-malas enegrecera as bananas.

Enquanto voltávamos a Enugu, eu ri alto, mais alto que o canto vigoroso de Fela. Ri porque as ruas sem asfalto de Nsukka sujam os carros de poeira durante o *harmattan* e de lama grudenta durante a estação das chuvas. Porque, nas ruas que são asfaltadas, os buracos surgem de repente como presentes surpresa, o ar cheira a colinas e história e a luz do sol espalha a areia e a transforma em pó de ouro. Porque Nsukka pode libertar algo no fundo de sua barriga que sobe até a garganta da gente e sai sob a forma de uma canção sobre a liberdade. E sob a forma de riso.

— Chegamos — diz Celestine.

Estamos nos terrenos da prisão. Os muros desolados têm pedaços cobertos de mofo azul-esverdeado, o que lhes dá uma aparência horrível. Jaja voltou a sua velha cela, que é tão cheia que alguns presos precisam ficar de pé para que outros possam se deitar. A privada deles é uma sacola plástica negra, e os presos brigam para ver quem vai esvaziá-la lá fora todas as tardes, pois essa pessoa poderá ver o sol por um curto período de tempo. Jaja certa vez me contou que os homens nem sempre se incomodam em usar a sacola, principalmente os mais raivosos. Ele não se importa de dormir com ratos e baratas, mas se importa de ter as fezes de outro homem em sua cara. Jaja estava numa cela melhor até o mês passado, com livros e um colchão só para ele, pois nossos advogados sabiam quem eram as pessoas certas a subornar. Mas os administradores da prisão o colocaram aqui depois que ele cuspiu na cara de um guarda sem motivo, depois de o terem deixado nu e o chicoteado com um *koboko*. Embora eu não acredite que Jaja teria sido capaz de fazer algo assim sem ser provocado, não tenho outra versão da história, porque ele se recusa a conversar sobre o assunto comigo. Ele nem me mostrou os vergões nas costas, aqueles que o médico que conseguimos introduzir na prisão me disse estarem inchados como longas salsichas. Mas vejo outras partes de Jaja, as partes que não preciso pedir que ele me mostre, como seus ombros.

Aqueles ombros que floresceram em Nsukka, que ficaram largos e fortes, vergaram-se nos trinta e um meses que Jaja passou aqui. Quase três anos. Se alguém houvesse tido um filho quando ele veio para cá, a criança já estaria falando, já estaria no jardim de infância. Às vezes olho para Jaja e começo a chorar, e ele dá de ombros e me conta que Oladipupo, o chefe de sua cela — eles têm um sistema de hierarquia nas celas —, está aguardando julgamento há oito anos. A situação oficial de Jaja, durante esse tempo todo, foi Aguardando Julgamento.

Amaka costumava escrever para o gabinete do chefe de Estado, e até para o embaixador da Nigéria nos Estados Unidos, para reclamar do estado lamentável do sistema jurídico nigeriano. Ela disse que ninguém acusara o recebimento das cartas, mas mesmo assim era importante para ela fazer *alguma coisa*. Amaka não conta isso nas cartas que manda a Jaja. Eu já as li — elas são longas e despretensiosas. Não falam de Papa e quase nunca falam da prisão. Em sua última carta, Amaka contou a Jaja que havia uma matéria sobre Aokpe numa revista secular americana; o autor não parecera acreditar que a Virgem Maria pudesse aparecer em qualquer lugar, e principalmente na Nigéria, com toda aquela corrupção e todo aquele calor. Amaka disse que havia escrito à revista para lhes dizer o que tinha achado. Era o que eu esperava dela, claro.

Ela diz que entende por que Jaja não escreve. O que ele vai contar? Tia Ifeoma não escreve a Jaja; ela manda fitas cassetes com gravações das vozes deles todos. Às vezes, Jaja me deixa ouvi-las no meu som portátil quando o visito, às vezes me pede para não fazê-lo. Mas tia Ifeoma escreve cartas para mim e para Mama. Ela escreve sobre seus dois empregos, um numa universidade pública, outro numa farmácia. Escreve sobre os tomates enormes e sobre o pão barato que compra nos EUA. Mas a maior parte de suas cartas fala daquilo que tia Ifeoma sente falta e daquilo que ela deseja, como se quisesse ignorar o presente para se concentrar no passado e no futuro. Às vezes, suas cartas são tão longas que a tinta fica borrada e eu nem sempre entendo direito o que ela está querendo dizer. Existem pessoas, escreveu tia Ifeoma certa vez, que acham que nós não conseguimos governar nosso próprio país, pois nas poucas vezes em que tentamos nós falhamos, como se todos os outros que se governam hoje em dia tivessem acertado de primeira. É como dizer a um bebê que está engatinhando, tenta andar e cai de bunda no chão que ele deve permanecer no chão. Como se todos os adultos que passam por ele também não houvessem engatinhado um dia.

Embora eu esteja interessada no que tia Ifeoma escreve, tanto que decoro a maior parte, ainda não sei por que ela manda suas cartas para mim.

As cartas de Amaka muitas vezes são tão longas quanto as de tia Ifeoma, e ela nunca deixa de me contar, em cada uma delas, que eles estão ficando gordos, que Chima engorda tanto que perde suas roupas em um mês. É claro que sempre há eletricidade e que a água quente sai da torneira, mas a gente não ri mais, escreve Amaka, porque não temos tempo para rir, porque nem nos vemos mais. As cartas de Obiora são as mais alegres e as menos regulares. Obiora tem uma bolsa num colégio particular, onde, segundo ele, é elogiado e não punido por desafiar os professores.

— Deixe-me fazer isso — diz Celestine.

Ele abriu o porta-malas e estou prestes a pegar a sacola plástica cheia de frutas e a sacola de pano com a comida e os pratos.

— Obrigada — digo, me afastando.

Celestine carrega os sacos e caminha à nossa frente em direção ao prédio da prisão. Mama vem atrás de mim. O policial que está na escrivaninha da entrada tem um palito de dentes na boca. Seus olhos são olhos de quem tem icterícia, tão amarelos que parecem ter sido pintados. Não há nada sobre a escrivaninha além de um telefone preto, um livro de registros gordo e velho e uma pilha mal-arrumada de relógios, lenços e colares num dos cantos.

— Como você está, irmã? — diz ele ao me ver, sorrindo alegremente, embora seus olhos estejam fixos no saco que Celestine carrega. — Ah! Veio com madame hoje? Boa tarde, madame.

Eu dou um sorriso e Mama assente mecanicamente. Celestine coloca o saco de frutas no balcão em frente ao guarda. Dentro dele há uma revista com um envelope cheio de notas de naira novas, recém-saídas do banco.

O homem larga o palito e pega o saco. Ele desaparece atrás da escrivaninha. O homem então leva a mim e a Mama a uma sala abafada com uma mesa baixa e um banco de cada lado.

— Uma hora — murmura antes de ir embora.

Nós nos sentamos do mesmo lado da mesa, mas não próximas o suficiente para nos tocar. Sei que Jaja vai aparecer logo e tento me preparar. Não ficou mais fácil vê-lo aqui, nem mesmo depois de tanto tempo. Vai ser ainda mais difícil com Mama sentada a meu lado. Mais difícil do que nunca, pois finalmente temos boas notícias, e assim as emoções que éramos obrigadas a segurar estão se dissolvendo, e novas emoções vão se formando. Eu inalo fundo e prendo a respiração.

Jaja vai voltar para casa em breve, escreveu o padre Amadi em sua última carta, guardada em minha bolsa. Você precisa acreditar nisso. E eu acreditei, acreditei nele, apesar de ter lido a carta quando ainda não havíamos sido contatadas pelos advogados, antes de termos certeza. Eu acredito no que o padre Amadi diz; acredito em sua letra firme e oblíqua. "Porque ele assim o disse e sua palavra é verdade."

Sempre carrego comigo sua última carta, até que uma nova chegue ao correio. Quando contei isso a Amaka, ela me provocou em sua resposta, escrevendo que eu tinha uma paixonite pelo padre Amadi e desenhando uma carinha sorridente. Mas eu não carrego as cartas dele por causa de nenhuma paixonite; aliás, há muito pouca paixão nelas. Antes de assinar seu nome, ele coloca apenas: "Sempre". Nunca responde com um sim ou um não quando pergunto se está feliz. Diz apenas que vai aonde Deus o mandar. Quase nunca escreve sobre sua nova vida, contando somente histórias breves, como aquela sobre a velha senhora alemã que se recusa a apertar a mão dele porque não acredita que um negro deva ser o padre de sua paróquia, ou a outra sobre a viúva rica que insiste em convidá-lo para jantar todas as noites.

As cartas do padre Amadi demoram a sair de dentro de mim. Levo-as comigo porque elas são longas e detalhadas, porque fazem eu me lembrar do quanto valho, porque despertam meus sentimentos. Há alguns meses, ele escreveu dizendo que não queria que eu ficasse procurando os porquês, pois há certas coisas que acontecem e para as quais não podemos formular um porquê, para as quais os porquês simplesmente não existem e para as quais, talvez, eles não sejam necessários. O padre Amadi não mencionou Papa — ele quase nunca menciona Papa em suas cartas —, mas entendi o que ele quis dizer, entendi que estava remexendo em algo que eu própria tinha medo de remexer.

E também levo as cartas do padre Amadi comigo porque elas me dão a graça divina. Amaka diz que as pessoas se apaixonam por padres porque querem competir com Deus, querem ter Deus como rival. Mas nós não somos rivais, Deus e eu, estamos apenas compartilhando. Eu não me pergunto mais se tenho o direito de amar o padre Amadi; simplesmente o amo. Não me pergunto mais se os cheques que tenho mandado aos padres missionários do Caminho Abençoado são uma forma de subornar

Deus; simplesmente os mando. Não me pergunto mais se escolhi a igreja St. Andrew's em Enugu como minha nova igreja porque o padre de lá é um padre missionário do Caminho Abençoado, assim como o padre Amadi; simplesmente a frequento.

— Nós trouxemos as facas? — pergunta Mama.

Sua voz sai alta. Ela está pondo a tigela cilíndrica cheia de arroz *jollof* e frango em cima da mesa. Coloca também um prato bonito de porcelana, como se estivesse pondo uma mesa chique, como as que Sisi costumava arrumar.

— Mama, Jaja não precisa de facas — digo.

Ela sabe que Jaja come direto da tigela, mas sempre traz um prato consigo, escolhendo um desenho novo a cada semana.

— Devíamos ter trazido facas, para ele poder cortar o frango.

— Ele não corta o frango, ele o engole.

Sorrio para Mama e toco seu braço, para acalmá-la. Ela coloca uma colher e um garfo de prata brilhantes sobre a mesa cheia de poeira e afasta o corpo para examinar seu trabalho. A porta se abre e Jaja entra. Eu lhe trouxe uma camiseta nova há apenas duas semanas, mas ela já tem manchas marrons que parecem ter sido feitas por suco de caju, e que são impossíveis de tirar. Quando éramos crianças, comíamos cajus inclinados para a frente, para que o suco doce que espirrava não pegasse em nossas roupas. O short dele fica bem acima de seus joelhos e eu viro o rosto para não ver as feridas em suas coxas. Nós não nos levantamos para abraçá-lo, porque ele não gosta que façamos isso.

— Boa tarde, Mama. Kambili, *ke kwanu*? — diz Jaja.

Ele abre a tigela e começa a comer. Sinto Mama tremendo ao meu lado e, como não quero que ela caia em prantos, começo a falar depressa. Talvez o som da minha voz estanque suas lágrimas.

— Os advogados vão tirar você daqui na semana que vem — anuncio.

Jaja dá de ombros. Até a pele de seu pescoço está coberta por cascas de feridas que parecem secas, até ele as coçar e o pus amarelo que há por baixo aparecer. Mama subornou os guardas para entregar todo tipo de pomada para Jaja, mas nenhuma parece fazer efeito.

— Essa cela tem muitos personagens interessantes — diz Jaja.

Ele enfia o arroz na boca com a colher o mais rapidamente possível. Suas bochechas inflam como se estivessem cheias de goiabas inteiras, ainda verdes.

— Eles vão tirar você da prisão, Jaja. Não dessa cela — explico.

Jaja para de comer e me encara em silêncio, com aqueles olhos que foram endurecendo um pouco mais a cada mês que ele passou aqui; agora, eles parecem a casca de uma palmeira, impossíveis de quebrar. Chego a me perguntar se nós dois já tivemos mesmo uma *asusu anya*, uma língua dos olhos, ou se foi tudo imaginação minha.

— Você vai sair daqui na semana que vem — digo. — Vai voltar para casa na semana que vem.

Quero segurar a mão de Jaja, mas sei que ele vai retirar a sua se eu fizer isso. Os olhos dele estão cheios de culpa demais para me verem, para verem seu reflexo em meus olhos, o reflexo do meu herói, do irmão que sempre tentou me proteger o melhor que pôde. Jaja nunca vai achar que fez o suficiente, nunca vai entender que eu não acho que ele devia ter feito mais.

— Você não está comendo — diz Mama.

Jaja pega a colher e volta a devorar o arroz. O silêncio paira sobre nós, mas é um tipo diferente de silêncio, um que me permite respirar. Tenho pesadelos sobre o outro tipo, aquele que existia na época em que Papa estava vivo. Em meus pesadelos, ele se mistura à vergonha, à dor e a muitas outras coisas que não sei definir, e forma línguas de fogo azuis que pendem sobre minha cabeça, como no Pentecostes, até que acordo gritando e suando. Não contei a Jaja que mando rezar missas para Papa todos os domingos e que desejo vê-lo em meus sonhos, tanto que às vezes fabrico meus próprios sonhos, quando não estou nem dormindo nem acordada. Eu vejo Papa, ele abre os braços para mim, eu abro os meus também, mas nossos corpos nunca se tocam antes que algo me faça acordar com um sobressalto e eu me dê conta de que não posso controlar nem os sonhos que fabrico. Há muita coisa que ainda é silêncio entre mim e Jaja. Talvez algum dia nos falemos mais, ou talvez nunca sejamos capazes de dizer tudo, de vestir as coisas com roupas, as coisas que estão nuas há tanto tempo.

— Você não amarrou seu lenço direito — diz Jaja para Mama.

Arregalo os olhos, espantada. Jaja nunca notou o que alguém usava. Mama rapidamente desfaz e refaz o nó de seu lenço — dessa vez dá dois nós apertados na parte de trás da cabeça.

— Acabou o tempo! — diz o guarda, entrando na sala.

Jaja diz um breve e distante *"Ka o di"*, sem nem olhar para nós, e deixa que o guarda o leve embora.

— Devíamos ir a Nsukka depois que Jaja sair daqui — eu digo a Mama quando estamos deixando a sala.

Agora eu posso falar do futuro. Mama dá de ombros e não diz nada. Ela está caminhando devagar; ficou mais manca e seu corpo se move para o lado a cada passo. Estamos perto do carro quando Mama se vira para mim e diz:

— Obrigada, *nne*.

É uma das poucas vezes nos últimos três anos em que ela diz alguma coisa sem alguém ter lhe dirigido a palavra antes. Não quero pensar por que ela está me agradecendo ou o que isso significa. Só sei que, de repente, não sinto mais o cheiro de mofo e urina do pátio da prisão.

— Vamos levar Jaja primeiro a Nsukka e depois vamos aos Estados Unidos visitar tia Ifeoma — digo. — Vamos plantar laranjeiras novas em Abba quando voltarmos, e Jaja vai plantar hibiscos roxos também, e eu vou plantar ixoras para podermos sugar o suco das flores.

Estou rindo. Coloco o braço em volta do ombro de Mama e ela se recosta em mim e sorri.

Lá em cima, nuvens que parecem algodão tingido pairam bem baixas, tão baixas que sinto que posso esticar o braço e espremer a água delas. As novas chuvas vão cair em breve.

Agradecimentos

A Kenechukwu Adichie, irmão caçula e melhor amigo, leitor de manuscritos e mensageiro de histórias — por dividir cada "não" do começo, por me fazer rir.

A Tokunbo Oremule, Chisom e Amaka Sony-Afoekelu, Chinedum Adichie, Kamsiyonna Adichie, Arinze Maduka, Ijeoma e Obinna Maduka, Uche e Sony Afoekelu, Chukwunwike e Tinuke Adichie, Okechukwu Adichie, Nneka Adichie Okeke, Bee e Uju Egonu e Urenna Egonu, irmãs mais do que amigas — por provarem que os amigos podem ser tão importantes quanto a família; por entenderem, sempre.

A Charles Methot — por estar tão solidamente ao meu lado.

A Ada Echetebu, Bunyavanga Wainaina, Arinze Ufoeze, Austin Nwosu, Ikechukwu Okorie, Carolyn DeChristopher, Nnake Nweke, Amaechi Awurum, Ebele Nwala — por bater meus tambores.

A Antonia Fusco — por editar de forma tão sábia e tenra, por aquele telefonema que quase me fez dar piruetas no ar.

A Djana Pearson Morris, minha agente — por acreditar.

Às pessoas e ao espírito do Stonecoast Writer's Conference, verão de 2001 — por aqueles aplausos tão altos, com assobios e tudo.

A todos os amigos — por fingir que entendiam quando eu não telefonava de volta.

Obrigada. *Dalu nu*.

1ª EDIÇÃO [2011] 26 reimpressões

ESTA OBRA FOI COMPOSTA PELO GRUPO DE CRIAÇÃO EM ELECTRA E
IMPRESSA EM OFSETE PELA GEOGRÁFICA SOBRE PAPEL PÓLEN DA
SUZANO S.A. PARA A EDITORA SCHWARCZ EM ABRIL DE 2025

A marca FSC® é a garantia de que a madeira utilizada na fabrica-
ção do papel deste livro provém de florestas que foram gerencia-
das de maneira ambientalmente correta, socialmente justa e eco-
nomicamente viável, além de outras fontes de origem controlada.